Éloges pour Bertrice Small,
« la reine régnante du genre historique »,
et ses romans

« Bertrice Small crée de la passion d'une couverture à l'autre, un profond sentiment de l'histoire et du suspense. »

— *Publishers Weekly*

« Madame Small enchante et électrise. »

— *Rendezvous*

« Un délice insatiable pour les sens. Les extraordinaires détails historiques captiveront la lectrice [...] une puissante sensualité. »

— *Romance Junkies*

« [Ses romans] racontent une histoire intrigante, ils sont riches en détail et ils sont tellement difficiles à reposer. »

— *The Best Reviews*

« Balaie les époques avec habileté et finesse. »

— *Affaire de Cœur*

« [Un] mélange captivant de sensualité et d'un drame historique intense. »

— Rosemary Rogers

« Small est la raison pour laquelle je lis des romans historiques. Il n'y a pas mieux ! »

— *Romantic Times* (m

« L'histoire d'amour audacieusement sensuelle de Small plaira assurément à ses nombreuses lectrices dévouées. »

— *Booklist*

« [Un] délice pour toutes les lectrices de fiction historique. »

— *Fresh Fiction*

« [Un] style qui lui a obtenu ses légions d'admiratrices... Quand elle est au meilleur de sa forme, personne ne ressemble tout à fait à Bertrice Small. »

— *The Romance Reader*

« Small nous offre chaque fois une extraordinaire histoire d'amour et de bonheur. »

— *Night Owl Romance*

BIANCA

BIANCA

Bertrice Small

Traduit de l'anglais par
Lynda Leith

Éditeur : François Doucet
Traduction : Lynda Leith
Révision linguistique : Féminin pluriel
Correction d'épreuves : Nancy Coulombe, Katherine Lacombe
Conception de la couverture : Gregg Guibronson
Montage de la couverture : Matthieu Fortin
Design de la couverture :
Photo de la couverture : © Thinkstock
Mise en pages : Sébastien Michaud
ISBN papier 978-2-89752-927-7
ISBN PDF numérique 978-2-89752-928-4
ISBN ePub 978-2-89752-929-1
Première impression : 2015
Dépôt légal : 2015
Bibliothèque et Archives nationales du Québec
Bibliothèque Nationale du Canada

Éditions AdA Inc.
1385, boul. Lionel-Boulet
Varennes, Québec, Canada, J3X 1P7
Téléphone : 450-929-0296
Télécopieur : 450-929-0220
www.ada-inc.com
info@ada-inc.com

Diffusion

Canada :	Éditions AdA Inc.
France :	D.G. Diffusion Z.I. des Bogues 31750 Escalquens — France Téléphone : 05.61.00.09.99
Suisse :	Transat — 23.42.77.40
Belgique :	D.G. Diffusion — 05.61.00.09.99

Imprimé au Canada

Participation de la SODEC.
Nous reconnaissons l'aide financière du gouvernement du Canada par l'entremise du Fonds du livre du Canada (FLC) pour nos activités d'édition.
Gouvernement du Québec — Programme de crédit d'impôt pour l'édition de livres — Gestion SODEC.

Catalogage avant publication de Bibliothèque et Archives nationales du Québec et Bibliothèque et Archives Canada

Small, Bertrice

[Bianca. Français]
Bianca
(Les filles du marchand de soie ; 1)
Traduction de : Bianca.
ISBN 978-2-89752-927-7
I. Leith, Lynda. II. Titre. III. Titre : Bianca. Français.

PS3569.M28B5314 2015 813'.54 C2015-941274-9

Prologue

Florence, 1474

Le mendiant était un optimiste, mais pas un idiot. Il se tassa loin dans les ombres de l'embrasure de la porte quand il entendit des pas courir dans l'allée proche. Deux hommes, bien emmitouflés dans des capes sombres, émergèrent du passage exigu en transportant un paquet emballé entre eux deux. Se frayant un chemin en bas d'une étroite volée de marches qui descendaient vers le rivage boueux, ils déposèrent leur fardeau dans un petit bateau, ils montèrent à bord et ramèrent jusqu'au milieu de la rivière qui traversait la ville de Florence.

La nuit était très obscure. La mince tranche de lune décroissante argentée ne jetait aucune lumière. Le brouillard commençait à s'épaissir tandis que la brume humide touchait tout. Le mendiant ne pouvait pas voir le petit bateau et ses occupants à présent, mais il entendit le son distinct d'éclaboussures de quelque chose que l'on balance dans l'Arno.

« Un corps, sans doute », pensa-t-il ; puis il se signa.

Puis, le petit navire redevint visible quand il émergea de l'eau pour être à nouveau tiré sur le rivage boueux. Les deux hommes en sortirent et, revenant sur leurs pas dans ce qui passait pour être une rue, ils disparurent dans l'allée sombre.

Le mendiant ne bougea pas tandis qu'avec des yeux aveugles, ils repassaient une seconde fois sans le remarquer. Il n'osa même pas respirer. Il savait que s'il voulait voir un autre jour se lever, personne ne devait l'apercevoir. Les pas des deux hommes s'estompèrent. Le mendiant ferma les yeux et somnola, en sécurité relative pour l'instant.

Chapitre 1

C'était la plus belle jeune fille de Florence. Du moins, c'est ce que l'on disait de Bianca Maria Rosa Pietro d'Angelo. Un grand compliment quand on songeait que les cheveux blond-roux ou blonds étaient considérés comme le summum de la beauté et que Bianca avait des tresses ébène. Elle avait aussi des traits parfaits, un teint ivoire, un visage en forme de cœur et des yeux d'une étonnante nuance d'aigue-marine. Alors qu'elle traversait avec sa mère la Piazza Santa Anna depuis sa maison, de plus en plus, des gentlemen venaient pour apercevoir ce qu'ils pouvaient de ses traits soigneusement et modestement dissimulés par sa tête baissée et un voile léger. Un soupir audible de regret s'éleva quand la mère et la fille entrèrent dans l'église pour la messe du matin.

— Ils seront là à attendre lorsque nous sortirons, dit Bianca à sa mère.

— *Sempliciottos* ! Ils perdent leur temps, répondit sa parente. Je n'ai pas l'intention de gaspiller mes filles dans un mariage florentin. J'ai été sacrifiée par Venise à cette ville sombre. Je ne permettrai pas que mes filles le soient. C'est uniquement l'amour que j'éprouve pour votre père qui m'a gardée ici.

Elles trouvèrent leur chemin jusqu'à des chaises réservées à leur famille et s'agenouillèrent en prière sur les prie-Dieu brodés de rouge et de doré. Puis la messe commença. Ils avaient de la musique, au contraire de plusieurs églises plus petites dans la ville, mais Santa Anna Dolce était l'église familiale des Pietro d'Angelo. Elle avait été construite par eux une centaine d'années plus tôt en face de leur grand *palazzo* qui s'élevait à l'autre extrémité de la *piazza*. Sur ses murs, il y avait des fresques qui dépeignaient la vie de Santa Anna, la mère de la Sainte Vierge. De part et d'autre de l'autel se trouvaient un autel plus petit. Un pour Santa Anna elle-même et l'autre pour Santa Maria. Les fenêtres étaient des vitraux. Le plancher, des carrés de marbre blancs et noirs.

La fortune des Pietro d'Angelo payait généreusement pour les frais d'entretien de trois prêtres et de la petite chorale qui les servait. Elle était formée d'un mélange d'eunuques et d'hommes non castrés avec des voix graves et profondes. Tant qu'ils chantaient, ils recevaient un petit salaire, et on leur permettait de vivre dans un dortoir relié à l'église. La chorale était particulièrement excellente et très enviée par les voisins.

Alors que leurs voix s'estompaient, Orianna Pietro d'Angelo soupira doucement avec soulagement, car la messe était terminée. Elle avait devant elle une journée chargée et peu de patience pour la piété, sauf quand cela l'avantageait. Le père Bonamico les attendait à la porte de l'église. C'était un vieil homme bavard et attaché aux enfants Pietro d'Angelo.

— Les prétendants potentiels de Bianca augmentent de jour en jour, remarqua-t-il en hochant la tête pour marquer son approbation. La rumeur de sa beauté s'est répandue.

— C'est ridicule, dit Orianna avec irritation. N'ont-ils rien de mieux à faire que de traîner autour comme des chiens à la suite d'une jeune chienne en chaleur ? Je dois parler à Gio pour qu'il veille à ce que la *piazza* soit libérée quand nous la traversons pour venir à l'église, puis rentrer. Bientôt, ils taperont du pied et la siffleront. Sa réputation en souffrira alors, même si elle est aussi innocente qu'un agneau.

— Ils ont trop de respect pour votre mari pour agir ainsi, répondit le prêtre.

— Ils le craignent, vous voulez dire, répondit sèchement Orianna.

Le père Bonamico rit.

— Cela aussi, peut-être, ma digne dame. Les jeunes hommes seront toujours les mêmes. Lady Bianca est très belle. Vous ne pouvez pas les blâmer de l'admirer.

Un petit sourire orna les lèvres de la mère.

— Eh bien, admit-elle, peut-être que non.

Puis, elle descendit gracieusement les marches de l'église, sa fille derrière elle.

— Marchez à côté de moi, Bianca, ordonna Orianna à sa fille alors qu'elles atteignaient le bas de l'escalier.

Elle passa son bras sous celui de sa fille, et les deux rebroussèrent chemin à travers la place vers le *palazzo*. Elles avaient presque rejoint leur destination quand un jeune homme bondit devant elles en tendant un petit bouquet orné d'un ruban à Bianca.

— Pour vous, *madonna* ! dit-il avec enthousiasme, souriant, ses yeux bruns brillant.

Bianca leva la tête, étonnée, mais sa mère donna une claque sur les fleurs.

— *Impudente* ! *Buffone* ! dit-elle en le réprimandant sévèrement. Où sont vos manières ? Nous n'avons pas été présentés, mais je connais votre *mama*. Elle entendra parler de cette entorse à l'étiquette de votre part. Elle ne vous a pas élevé pour vous voir accoster des jouvencelles respectables sur la place publique ou pour offenser vos parents, comme vous venez de le faire.

— Je vous demande pardon, *signora, madonna,* dit le jeune homme en exécutant une révérence, le visage honteux.

Les deux employés qui gardaient les portes principales du *palazzo,* se souvenant enfin de leurs responsabilités, se précipitèrent en avant et chassèrent le garçon à grands coups. Il s'enfuit en hurlant à travers la *piazza* pendant que les autres se regroupaient et riaient de sa retraite. Puis, eux aussi commencèrent à se disperser, se dépêchant derrière l'audacieux pour savoir ce qu'il avait vu quand Bianca avait brièvement levé les yeux sur lui.

— Vous auriez dû venir pour nous escorter depuis l'église, dit Orianna furieusement aux deux serviteurs. Vous avez vu cette foule de vauriens lorgner lady Bianca. Si vous ne faites pas mieux à l'avenir, je vais dire à votre maître que vous êtes lents à exécuter vos devoirs, et vous serez tous les deux renvoyés.

Elle passa vivement devant eux, s'arrêta, puis fixa l'un des deux en attendant que le portail principal soit ouvert et qu'elle puisse entrer chez elle.

Bianca lança un regard de sympathie aux deux gardes et se hâta derrière sa mère.

— Une gentille jouvencelle, dit l'un des hommes tandis qu'il refermait la porte derrière sa maîtresse et sa fille. Celui qui l'épousera sera chanceux.

– Et riche, qui plus est, répondit son compagnon.

Son compagnon haussa les épaules, le geste transmettant sa pensée aussi clairement que s'il l'avait exprimée. Évidemment, le fiancé de la fille serait riche. Son père était un homme important et fortuné. Maître Pietro d'Angelo avait peu de chance de donner une de ses quatre filles en mariage à un homme manquant de distinction. Celle qui venait de passer serait certainement liée à quelqu'un sous peu. Elle n'avait que quatorze ans et elle était la deuxième enfant de la famille de sept de ses parents. Son frère Marco était né neuf mois exactement après le jour du mariage de ses parents. Lady Bianca était arrivée treize mois plus tard, suivie de Georgio, Francesca, les jumeaux Luca et Lucianna et enfin, de la petite *bambina* Giulia, qui aurait bientôt quatre ans. La *signora* n'avait ensuite plus engendré d'enfant.

Comme une bonne épouse, lady Orianna avait donné à son mari sept enfants en santé. Elle était satisfaite de son statut privilégié d'épouse d'un homme qui régnait sur l'Arte di Por Santa Maria, la ville des marchands de soie. Leur guilde avait été baptisée du nom de la rue sur laquelle les nombreux entrepôts de soie de Florence étaient situés. La dame était consciente, comme toutes les épouses riches l'étaient, que son mari avait une maîtresse à qui il rendait visite discrètement dans une maison dont il était propriétaire dans un quartier près de la rivière. C'était la coutume pour les hommes importants d'entretenir une maîtresse. Celui qui ne le faisait pas, on le voyait comme un homme parcimonieux ou pas un homme à part entière. Le maître respectait sa femme publiquement et, disait-on, en privé. Il n'exhibait jamais sa maîtresse, bien que son identité soit connue. Il montrait l'exemple parfait pour ses fils. Giovanni Pietro d'Angelo était un bon maître.

Les serviteurs refermèrent la porte d'entrée une fois que les femmes l'eurent passé en vitesse. La ville s'animait autour d'eux, bien que la Piazza San Anna soit une enclave calme. L'église et le dortoir de ses musiciens donnaient sur un côté et une moitié de la face de la place. Le *palazzo* de la famille occupait deux autres côtés. Il n'y avait qu'une façon d'entrer ou de sortir de la *piazza,* qui prenait le reste de l'angle de la place. Il y avait aussi un petit parc qui était ouvert à tous ceux dont le comportement était acceptable. La pelouse verte avait une belle fontaine en marbre blanc avec une naïade nue en marbre assise en son centre. Elle brossait sa longue chevelure. La nymphe de l'eau était entourée par de gros cupidons ailés, et plusieurs d'entre eux tenaient des vases en porphyre desquels se déversait l'eau dans la fontaine. Il y avait des tilleuls et des pots en terre cuite contenant des rosiers pêche que les jardiniers de la famille gardaient en fleurs la majorité de l'année, sauf les mois d'hiver. Il y avait trois bancs en marbre blanc pour le repos des visiteurs et des sentiers pédestres de marbre écrasé pour la promenade.

De l'intérieur du *palazzo,* on pouvait voir le parc seulement depuis les fenêtres tout en haut du bâtiment, car l'édifice en marbre n'avait pas de fenêtres aux étages inférieurs. C'était une croyance florentine que seul un homme stupide encourage les voleurs en installant des fenêtres là où une personne peut regarder depuis l'extérieur et voir les biens et ainsi la tenter au vol. Le *palazzo* Pietro d'Angelo était construit autour d'un vaste jardin.

Comme dans toutes familles fortunées et importantes, les femmes adultes et respectables ne quittaient pas leurs maisons, sauf en de rares occasions, comme pour assister à la messe ou se rendre dans leurs villas dans la campagne autour de Florence. Les filles privilégiées pouvaient accompagner leurs mères à l'église, comme le faisait Bianca, mais leur seule autre incursion hors de la résidence de leurs pères aurait lieu quand elles se marieraient ou entreraient au couvent. Le jardin servait de place de récréation et pour prendre l'air frais. C'était là que Bianca se retrouvait maintenant avec sa sœur Francesca.

– Y avait-il encore des hommes en train de vous attendre aujourd'hui ? demanda-t-elle impatiemment.

Elle était assise avec sa gouvernante, qui brossait ses cheveux blonds. Les tresses dorées de Francesca constituaient une grande source de fierté pour elle. Elles étaient lavées hebdomadairement et rincées avec du jus de citron fraîchement pressé et de l'eau chaude. Et elle séchait toujours ses cheveux sous le soleil brillant pendant que sa gouvernante brossait lentement les longues mèches afin qu'elles puissent tirer le plus grand parti du soleil.

– Oui, répondit Bianca. Une foule plus nombreuse qu'avant.

– J'ai entendu dire que quelqu'un vous avait abordée, dit Francesca, le visage tourné vers sa sœur. Je ne sais pas pourquoi notre mère ne me permet pas de vous accompagner pour la messe.

– Comment apprenez-vous de telles choses, avec moi qui suis à peine rentrée ? demanda Bianca.

Francesca gloussa.

– Chaque fois qu'elles savent que vous revenez de l'église, un groupe de servantes courent en haut de la maison jusqu'aux fenêtres surplombant la place pour regarder votre retour à travers la *piazza*. Ohh : j'aimerais pouvoir y être avec vous. Avez-vous conservé le bouquet de votre soupirant ? Laissez-moi le voir !

— Je n'accepterais aucun type de cadeau d'un étranger ni, en fait, de n'importe quel homme sauf de notre père et de nos frères, répondit bien sagement Bianca. Une telle requête me dit que vous êtes beaucoup trop jeune pour obtenir la permission de sortir, Francesca. Vous venez tout juste d'avoir dix ans. On ne m'a pas permis d'accompagner notre mère avant que j'aie célébré mon treizième anniversaire l'an dernier. Souvenez-vous : vous êtes la fille d'un homme d'affaires important de Florence et d'une *principessa* vénitienne, Francesca.

— Oh, taratata, lui parvint la réponse désinvolte. Vous êtes devenue tellement pimbêche dernièrement. Bien, vous serez partie bien assez vite, car notre père organise en ce moment même un mariage pour vous. À l'été, vous serez mariée et maîtresse de votre propre maison. Puis, notre mère m'emmènera de l'autre côté de la *piazza* à la messe avec elle.

— Qu'entendez-vous lorsque vous dites que notre père négocie un mariage pour moi ? Qu'avez-vous entendu, petite *ficcanaso* ?

Elle saisit une mèche de cheveux de sa sœur et tira violemment dessus.

— Dites-le-moi immédiatement ! Qui est-ce ? Le savez-vous ? Est-il séduisant ? Est-il venu avec son père pour négocier avec le nôtre ? Parlez, sinon je vais vous arracher tous les cheveux !

— Aïe ! protesta Francesca, avant de récupérer la mèche dans la main de Bianca. J'ai seulement surpris une partie des propos par hasard. Je passais devant la bibliothèque de notre père hier quand j'ai entendu des voix venant de la pièce, mais les portes étaient fermées.

— Vous avez écouté aux portes !

— Bien sûr que si, dit Francesca. Comment autrement apprendrais-je quoi que ce soit de ce qui se passe dans cette maison ? J'ai posé l'oreille sur la porte et entendu notre papa dire que notre maman ne souhaitait pas que leurs filles se marient dans la communauté florentine. Avec cela, il était d'accord et il prévoyait que nos mariages avantagent la famille Pietro d'Angelo au maximum. Papa a dit qu'il avait toute l'influence qu'il cherchait ou dont il avait besoin à Florence. L'homme - sa voix était dure - a dit à papa qu'un mariage avec *lui* garantirait la sécurité de la famille Pietro d'Angelo. Il a rappelé à papa qu'il avait une dette envers lui. Elle serait entièrement remboursée quand son mariage avec vous serait célébré. Notre père lui a demandé d'exiger n'importe quoi d'autre de lui sauf cette union. L'homme a ri. Oh, Bianca, je n'ai pas aimé ce rire. Il était cruel.

Francesca frissonna à ce souvenir.

— *Madre di Dio*, murmura la fille aînée, presque pour elle-même.

Puis, elle dit :

— Quoi d'autre, Francesca ? Qu'avez-vous entendu d'autre ?

— Rien. J'ai entendu quelqu'un arriver. Je ne voulais pas que l'on me surprenne. Vous savez que papa m'aurait fouettée pour cela. Je n'ai pas osé rester, fut la réponse pleine de regrets.

Bianca hocha la tête.

– Je vais parler à notre mère, dit-elle à sa sœur.

– Ohh, je vous en prie, ne lui dites pas que j'ai écouté aux portes ! la supplia Francesca.

– Je ne le ferai pas, promit Bianca. Je vais dire que j'ai entendu les domestiques commérer. *Mama* me le dira si de tels arrangements pour mon avenir ont été pris. Elle le saura.

– Je ne veux pas que vous vous mariiez et nous quittiez, admit la plus jeune fille. Je ne le pensais pas lorsque j'ai dit que je serais contente de vous voir partir.

– Je sais cela, petite *ficcanaso*, lui assura Bianca avec un petit sourire.

Puis, elle partit à la recherche de leur mère pour apprendre la vérité sur ce que sa sœur avait entendu.

– Votre mère est enfermée avec votre père, dit Fabia, la femme de chambre de leur mère, à Bianca.

Ensuite, elle baissa la voix pour parler sur un ton plus confidentiel.

– Il s'agit de quelque chose de sérieux, car j'ai entendu votre mère hausser la voix, ce qui est très inhabituel pour elle.

– J'ai entendu des rumeurs à propos d'un mariage pour moi, dit doucement Bianca.

Soudain, la porte de la chambre particulière de sa mère s'ouvrit à la volée, et son père, le visage noir de colère, sortit à grands pas et les dépassa en quittant les appartements de lady Orianna.

– Je ne vais jamais vous pardonner cela, Gio ! cria sa mère dans son dos. Jamais !

Puis, voyant Bianca, elle éclata en sanglots et claqua la porte derrière elle.

— Je dois aller la rejoindre, dit Fabia.

Bianca hocha la tête et sortit des pièces de sa mère. Sa mère avait crié. Orianna ne criait jamais. Et elle avait eu l'air véritablement bouleversée. Orianna Rafaela Maria Theresa Venier, une *principessa* de la grande république de Venise, n'élevait jamais la voix, ne laissait jamais ses émotions transparaître et, pourtant, elle avait fait ces deux choses à portée de voix non seulement de sa fille aînée, mais aussi d'une domestique. Peu importe ce qui se passait, ce n'était pas positif.

Francesca attendait Bianca dans la chambre de cette dernière.

— Qu'avez-vous appris ? demanda-t-elle.

Bianca lui raconta la scène dont Fabia et elle venaient d'être témoins.

Les yeux bleu-vert de Francesca s'arrondirent.

— Notre mère ne crie jamais comme une vulgaire femme de poissonnier, dit-elle. Et pour dire à notre père qu'elle n'allait jamais lui pardonner… qu'a-t-il fait pour s'exposer à une telle fureur de sa part ?

— Je ne le sais pas, dit Bianca, mais je soupçonne que si nous devons l'apprendre, ce sera plus tôt que tard.

Un petit coup résonna à la porte fermée de la chambre.

— Entrez ! cria Bianca.

La porte s'ouvrit pour faire apparaître leur frère aîné, Marco. Il s'introduisit rapidement dans la pièce, puis referma la porte derrière lui.

— Tout cela est ma faute, dit-il en prenant ses deux mains dans les siennes. Je dois vous supplier de me pardonner, Bianca.

Il semblait sincèrement honteux et chagriné en même temps.

Ses deux sœurs le regardaient, totalement perplexes.

Enfin, Bianca lui dit :

– Pourquoi devez-vous demander mon pardon, Marco ? Vous n'avez rien fait à ma connaissance qui le nécessiterait.

– Assoyez-vous, l'invita Marco. Pas vous, Francesca. Vous devez partir. Ce que j'ai à lui dire ne peut être entendu que de Bianca et pas de vous, *bambina*. Partez, à présent.

Il pointa la porte.

– Je ne suis pas un bébé. C'est Giulia, le bébé. Je vais avoir onze ans, Marco.

Il sourit et il tira gentiment sur l'épaisse tresse dorée qui lui servait maintenant de coiffure.

– N'écoutez pas à la porte, la prévint-il avec un sourire espiègle.

– Oh ! Vous ! se vexa Francesca alors qu'elle quittait la chambre à coucher.

Marco la regarda s'avancer dans le large couloir et virer le coin. Elle se tourna pour lui tirer la langue avant de disparaître, ce qui le fit rire tandis qu'il se retournait vers Bianca et refermait la porte avec fermeté.

– Venez, dit-il en lui prenant le coude. Près de la fenêtre, où la petite *ficcanaso* ne pourra pas nous entendre quand elle reviendra à pas de loup pour écouter, ce qu'elle fera.

Son visage se fit sérieux encore une fois. Il avait l'air d'une version plus jeune de leur père, avec une chevelure noire bouclée et des yeux bleu vif.

Bianca sourit, amusée.

– Oui, elle le fera.

Ils se déplacèrent à la fenêtre, et Bianca dit :

– Qu'est-ce qui vous perturbe, Marco ?

– Mes actions ont mis votre avenir en péril, je le crains.

Puis, il lança son explication d'une voix basse et mesurée.

– Je m'excuse de ce que je dois vous dire, car je sais à quel point vous êtes protégée, et une vierge de bonne famille ne devrait pas entendre des choses semblables, mais je n'ai pas le choix, Bianca. Il y a plusieurs mois, mon ami Stefano Rovere et moi rendions visite à une certaine dame connue pour ses talents d'amoureuse et qui les partage volontiers avec de jeunes hommes commençant à explorer de telles délices masculines, expliqua Marco.

Il rougit vraiment, car il avait quinze ans et ne discutait pas de ces choses avec des femmes respectables.

– Vous êtes allé voir une courtisane, commenta calmement Bianca. Notre mère m'a déjà parlé de ce genre de femme. Elle et moi, nous prions pour elles. Ce n'est pas une vie facile, me dit-on.

– La femme est morte pendant que Stefano la chevauchait vigoureusement, dit crûment Marco, car il n'arrivait pas à penser à une manière plus délicate de dire la chose.

– *Madre di Dio* ! s'exclama Bianca en se signant.

– C'est là que Stefano et moi avons posé un geste stupide, continua Marco. La maison de la femme était vide de serviteurs la nuit de notre visite. Je voulais appeler les autorités et rapporter le décès de la femme, mais Stefano ne le souhaitait pas. Il craignait le scandale au cas où nous serions accusés de l'avoir tuée. Il redoutait la colère de son père par rapport à une situation aussi déshonorante, que son père soit obligé de payer un pot-de-vin pour assurer le silence de la garde. Il craignait qu'une personne liée à la femme sache que c'était Stefano Rovere, le fils du plus célèbre avocat de Florence et Marco Pietro d'Angelo, le fils du chef de l'*Arte di Por* Santa Maria qui avaient été les derniers à être avec cette courtisane.

— Qu'avez-vous fait, *exactement*? demanda Bianca, presque craintivement.

— Nous avons enveloppé son corps nu dans un tapis turc, nous l'avons lesté avec plusieurs pierres lourdes, attaché et ensuite, nous l'avons transporté jusqu'à la rivière, dit Marco. Nous avons ramé pour amener le corps au milieu de l'Arno près du Ponte Vecchio et l'avons laissé tomber dans l'eau. Les pierres garantissaient qu'il coulerait au fond.

— Que Dieu ait pitié de l'âme de cette pauvre femme, murmura Bianca.

Elle était blême à cause du choc causé par la confession de son frère.

— Mais pourquoi la mort de cette courtisane malchanceuse doit-elle avoir un effet sur moi, mon frère?

— Mon récit n'est pas encore complété, répondit-il.

Puis, il reprit.

— Stefano a ensuite décidé que nous devions aller trouver son père et lui révéler tout ce qui s'était passé. Il a dit que son père l'accusait toujours d'être un idiot. Il voulait lui prouver qu'il avait été capable de s'extirper lui-même d'une mauvaise situation sans son aide. Je ne croyais pas que cela soit sage. J'ai pensé, ayant disposé du corps, que nous devions garder le silence. Personne ne l'aurait su, car il n'y a eu aucun témoin de l'acte.

– Et maître Rovere a-t-il été content de Stefano? demanda doucement Bianca. Comment un père réagit-il devant un fils qui vient de se débarrasser du cadavre d'une courtisane en secret?

– Le père de Stefano est un homme dur. Il a écouté. Puis, il a frappé son fils d'un coup qui lui a ensanglanté le nez et l'a envoyé sur les genoux. Maître Rovere a continué en expliquant de cette voix froide et calme qui lui est propre qu'on s'interrogerait sûrement sur la soudaine disparition d'une femme d'une certaine réputation aussi connue que celle-là. Il a précisé qu'il serait à présent nécessaire d'inventer une histoire pour dissimuler ce qui s'était passé et protéger nos réputations. Puis, il m'a envoyé chercher notre père, Bianca.

»Quand notre père est arrivé, je suis resté pour écouter pendant que maître Rovere lui expliquait ce qui nous était arrivé plus tôt, qu'il avait déjà envoyé ces gens pour vérifier que la maison ne montrait aucun signe de troubles. Plusieurs des robes et d'autres vêtements de la femme, ainsi que sa boîte à bijoux ont été enlevés afin de faire croire qu'elle était soudainement partie en voyage. Lorsque les serviteurs de la femme, au nombre qu'ils seraient, arriveraient au matin, un des propres domestiques de maître Rovere les attendrait pour leur apprendre que leur maîtresse avait été appelée brusquement à l'extérieur et ne savait pas quand elle reviendrait. Ses affaires à Florence étaient à présent entre les mains de son avocat. Les serviteurs seraient généreusement payés, puis la maison fermée. Ainsi, le scandale serait évité.

» Notre père a remercié maître Rovere, qui lui a souri et a dit que père avait maintenant une dette envers lui, qu'il devrait régler lorsque maître Rovere l'exigerait. Père a accepté, affirmant que la famille Pietro d'Angelo remboursait toujours ses dettes et rendait un service au double de sa valeur. Ce qui serait requis pour éventuellement annuler la dette serait fait.

Marco se tut alors, regardant avec des yeux peinés sa magnifique sœur.

Et là, elle sut. Bianca Pietro d'Angelo pouvait bien être protégée, mais elle n'était pas dépourvue d'intelligence.

— Je suis le paiement qu'exige maître Rovere de notre père, dit-elle à voix basse. C'est un veuf, et il cherche une nouvelle épouse.

— J'aimerais mieux vous voir cloîtrée dans un couvent, ou même morte que mariée à cet homme ! explosa amèrement Marco. Tout cela est ma faute !

Bianca garda le silence pendant plusieurs longues minutes. Enfin, elle parla.

— Papa a accepté ? Évidemment qu'il a accepté, car notre mère a dit qu'elle ne lui pardonnerait jamais. Pourquoi a-t-il accepté, Marco ? Maître Rovere ne voulait-il prendre rien d'autre en guise de paiement ? Et plusieurs mois après le fait, le scandale serait-il si grand ? Son fils aussi a été impliqué. Après tout, vous n'avez pas tué cette femme. Oui, c'était mal de disposer de son corps d'une telle façon, mais Stefano et vous êtes seulement coupables de stupidité.

— Père lui a offert de l'argent et même une part de dix pour cent dans ses entrepôts, n'importe quoi d'autre, mais maître Rovere a été inflexible. Il vous aura comme épouse. Rien d'autre n'épongera la dette due par notre père. C'est maintenant devenu une question d'honneur pour nos parents, Bianca, expliqua Marco à sa sœur. Notre père ne peut pas fuir cette dette simplement parce qu'il n'aime pas le paiement exigé de lui. Après tout, il a accepté de payer le prix, n'importe lequel ; il ne s'est pas informé de son coût à l'époque.

— Oui, je comprends, répondit sa sœur. Une date a-t-elle été fixée pour mon mariage ?

— Papa et *mama* vous apprendront votre sort ce soir. Je ne sais pas ce qu'ils ont décidé. Si je connais bien notre mère, elle tentera de retarder l'inévitable aussi longtemps qu'elle le pourra.

— Oui, acquiesça Bianca, elle le fera.

— Je devais vous le dire, Bianca, lui dit son frère aîné. Je sais que papa ne vous révélera pas pourquoi vous devez épouser cet homme. C'est trop honteux que vous deviez être sacrifiée pour mes péchés. Je ne voulais pas que cela soit un choc total pour vous. Vous auriez dû avoir un duc français ou un petit prince de Venise pour mari et non cet homme ! Sa réputation est abominable, malgré son travail dans les cours de justice.

Bianca était effrayée et avait le cœur douloureux à cause des propos de Marco, mais il était son frère chéri. Elle était plus près de lui en vertu des treize mois qui les séparaient par la naissance que de tous les autres. Elle ferait tout ce que sa famille exigerait d'elle pour le protéger, pour protéger leur réputation.

— Tout ira bien, Marco, lui assura-t-elle. Je dois un jour me marier et je suis en âge de le faire aujourd'hui. Notre mère m'a élevée pour que je devienne une bonne épouse et châtelaine. J'aurai des enfants pour me réconforter, et lui, comme les hommes riches et importants, il aura une maîtresse pour le divertir. Quand la nouveauté d'une jeune épouse se sera émoussée, il me laissera en paix. Oui, j'avais espéré me marier à l'extérieur de Florence, mais si c'est impossible, alors c'est ainsi. Il est inutile de pleurer sur ce que l'on ne peut pas changer.

Elle tapota son bras enveloppé de velours.

— Laissez-moi assimiler cela afin d'être capable de me comporter avec un certain décorum lorsque notre père me parlera. Je ne veux pas que nos parents aient honte de leur fille aînée, lorsqu'on m'informera de mon sort. Et je ne veux pas non plus agrandir la brèche entre eux. Au lieu de cela, en acceptant l'inévitable avec obéissance, je prie de pouvoir refermer ce gouffre qui s'est ouvert et les a séparés.

Il hocha la tête et l'embrassa sur le front, puis il sortit de sa chambre à coucher. Dans le couloir il découvrit, comme il s'y était attendu, Francesca rôdant, impatiente d'apprendre ce qui avait transpiré entre ses aînés.

— Non, *ficcanaso*, vous ne pouvez pas entrer et harceler Bianca. Ce dont nous avons parlé ensemble restera entre nous. Elle se repose, à présent.

— Marco !

Francesca lui offrit sa plus jolie moue et un petit sourire.

— Non, dit-il en lui prenant le bras. Un des chats de la maison vient d'accoucher d'une nouvelle portée de chatons, dit-il en la distrayant habilement. Je suis étonnée que vous ne le sachiez pas. C'est la rousse, blanche et noire que nous appelons « Tre ». Allons voir ce qu'elle a produit.

— N'êtes-vous pas trop raffiné pour regarder des portées de chatons ? demanda Francesca.

– Pas quand c'est en compagnie de ma petite sœur, répondit Marco, lui faisant virer le coin et l'emmenant vers les cuisines où ils étaient certains de trouver la chatte.

La cuisinière adorait les chats, car ils régulaient à la baisse la population des rongeurs et assuraient la sécurité de sa réserve.

Bianca entendit la voix de Francesca devant sa chambre à coucher. Elle fut reconnaissante à Marco d'empêcher la jeune fille d'entrer. Elle voulait être seule pour réfléchir à ce qui était sur le point d'arriver à sa vie. Elle avait rencontré Stefano Rovere plusieurs fois, car il était le meilleur ami de Marco et souvent invité à manger à leur table. C'était un garçon sérieux. Cela ne serait pas si mal si elle était fiancée avec lui. Au moins, il était jeune. Mais épouser son père ? Bianca frissonna. Et il avait un frère plus jeune. Pouvait-elle dire à ses parents qu'elle avait brusquement reçu l'appel de Dieu et voulait se faire religieuse ? Il était peu probable qu'ils la croient, même si elle affirmait avec insistance que c'était la vérité.

La matinée se termina, et l'après-midi passa lentement jusqu'à ce que l'heure soit venue pour le principal repas de la journée. Ses parents furent inhabituellement silencieux, mais les plus jeunes enfants furent tellement animés qu'il y avait peu de chance qu'on le remarque. La famille et leurs nombreux serviteurs se serraient autour de la table dans la *sala da pranzo,* dégustant les pâtes et les viandes que la cuisinière leur avait préparées. Il y avait un grand bol rempli de raisins et d'oranges. Ni Bianca ni Marco n'étaient capables de manger beaucoup, et leur mère s'en fit la remarque. Francesca avait dit à Orianna que ces deux-là s'étaient enfermés ensemble pendant un bref moment à la fin de la matinée.

— Bianca.

Leur père parla.

— Comment puis-je vous servir, *signore* ? répondit la fille.

— Vous allez sortir de table et vous rendre dans ma bibliothèque. Votre mère et moi allons y aller sous peu pour vous parler, dit Giovanni Pietro d'Angelo.

Puis, il leva son gobelet en argent et but avidement. Qu'il ait l'air troublé n'était pas rassurant.

— Tout de suite, *signore*, répondit Bianca.

Elle ne regarda personne autour de la table, au lieu de cela, elle se leva et quitta la pièce en hâte. Entrée dans la bibliothèque, elle resta debout en attendant l'arrivée de ses parents. Ils ne la firent pas patienter longtemps.

Ses parents s'assirent dans deux fauteuils à haut dossier et firent signe à Bianca de se tenir debout devant eux. Le visage de son père était sérieux et affligé. Sa mère donnait l'impression d'avoir pleuré. Il y avait maintenant de vraies larmes dans ses yeux.

— Vous allez vous marier, commença son père. Votre fiancé est un homme à la fois riche et d'importance, ici, à Florence. Vous êtes une fille très chanceuse d'avoir attiré un tel mari, Bianca.

— Puis-je connaître le nom de cet homme illustre, *signore* ? demanda Bianca d'une voix basse et mesurée.

Elle était ébahie par son ton, car ses jambes tremblaient légèrement.

— Il s'agit de Sebastiano Rovere, le père de Stefano, répondit son père.

— Stefano a seulement quelques mois de plus que mon frère Marco, s'entendit dire Bianca.

Elle n'avait pas de choix dans cette affaire, mais soudainement, elle était en colère contre son père parce qu'il ne s'était pas battu avec plus de force pour la protéger ; aussi à cause des larmes amères et désespérées que sa mère avait versées pendant la journée et continuerait de verser.

— Vous me donnez en mariage à un homme assez vieux pour être mon père ? Comment avez-vous pu, papa ? Comment avez-vous pu ?

Elle n'avait pas eu l'intention de s'emporter, mais la situation qu'elle affrontait était intolérable.

— Une jeune femme a besoin de la main ferme d'un mari plus âgé, répondit sèchement son père.

Les paroles de Bianca l'avaient piqué au vif.

— Vous devez apprendre à modérer votre tempérament, Bianca.

— On me dit que la réputation de cet homme est loin d'être respectable, s'obstina Bianca.

Les potins ne laissaient-ils pas entendre qu'il avait assassiné ses deux premières femmes ?

— Qui vous a dit de telles choses ? demanda furieusement son père. Ce n'est pas votre rôle, ma fille, de parler de façon désobligeante d'un homme que vous n'avez pas encore rencontré. Sebastiano Rovere est l'avocat le plus talentueux de Florence. Il est respecté et il est riche. Aucune jeune femme de bonne famille ne pourrait exiger plus que cela.

— Les serviteurs entretiendront les commérages, répondit Bianca malicieusement. Ils disent que bien qu'il soit riche et intelligent dans son art, il est méchant et impie. Et c'est l'homme que vous m'avez choisi, papa ? Ai-je été une fille si pitoyable donc, pour que vous soyez prêt et impatient de prendre en considération la première offre pour ma main qui vous est présentée ?

— Vous ne devriez pas écouter le bavardage sans intérêt des domestiques, répondit son père à travers des dents serrées.

Dans son esprit, elle avait raison, mais ce n'était pas son rôle de le critiquer. Elle ne connaissait pas les circonstances qui avaient entraîné cette catastrophe. Il n'avait pas d'autre choix. Marco était son héritier, et sa réputation d'honnêteté en souffrirait sûrement si la vérité sur cette nuit venait à se savoir. C'était le genre de chose que l'on ne pardonnait jamais, et cela aurait des répercussions sur l'entreprise de soierie de la famille. On ne pouvait pas laisser cela se produire.

— Pourquoi dois-je épouser ce vieil homme ? lui demanda Bianca. N'auriez-vous pas pu me trouver un mari plus jeune ? Un mari noble ?

— Comment osez-vous remettre ma décision en question, ma fille ? Vous ne l'avez jamais fait auparavant, répliqua le père en se défendant.

Elle était sa fille. C'était son devoir d'obéir à tous ses désirs, peu importe qu'elle les approuve ou non.

— Je ne vous ai jamais battue, mais je le ferai, Bianca, si vous deviez me défier dans cette affaire. Ce n'est pas votre rôle de dire si vous allez ou non marier le gentleman que j'ai choisi pour vous. J'ai accepté la demande en mariage de Sebastiano Rovere en votre nom, et vous allez l'épouser dès que la date sera fixée. C'est la fin de cette histoire. Maintenant, il y a une autre question qui doit être réglée. Votre *fidanzato* a entendu parler du spectacle que vous causez sur la *piazza* quand vous accompagnez votre mère à la messe chaque matin. Il ne souhaite pas que sa future épouse soit la cible d'une telle stupidité. Vous recommencerez à vous joindre à votre fratrie plus jeune lorsque le père Aldo dira la messe dans la chapelle de la maison chaque jour.

— Mais je ne suis pas responsable du comportement de ces jeunes hommes, protesta Bianca. J'aime assister à la messe avec notre mère. J'aime le père Bonamico.

— Votre réputation doit être préservée, Bianca. Sebastiano Rovere est l'avocat le plus recherché et le plus respecté dans toute la Toscane. On ne peut pas dire que sa fiancée est moins que pure et vierge. Elle ne peut pas être comme une femme ordinaire des rues, sifflée et interpellée par des étrangers. L'affaire est close.

Bianca ouvrit la bouche pour défier encore une fois son père, mais Orianna parla enfin.

— Il y a une petite chose que l'on peut vous accorder, Bianca, dit-elle de sa voix calme. Le père Bonamico viendra au *palazzo* pour entendre votre confession chaque semaine. Vous devriez trouver cela flatteur que votre *fidanzato* éprouve déjà de la jalousie en ce qui vous concerne.

Bianca pressa les lèvres ensemble et baissa la tête en signe de soumission.

— Oui, *madre*, dit-elle. J'espère que j'aurai le temps que je juge nécessaire pour m'habituer à ce mariage que vous avez planifié pour moi.

— Bien sûr, *cara mia*, la rassura doucement sa mère. Il n'aura pas lieu, ne peut pas avoir lieu avant plusieurs mois au moins. Votre trousseau et votre robe de mariée doivent être préparés. Ce ne sont pas des choses qui peuvent être facilement ou correctement faites si c'est trop rapide. N'y pensez pas, *cara*. Maintenant, allez partager cette nouvelle excitante avec vos sœurs et vos frères.

Bianca exécuta une petite révérence pour ses parents et, se tournant, elle quitta vite la bibliothèque. Elle ne considérait pas l'annonce de son mariage excitante. Elle était horrifiée parce que son père n'avait pas trouvé un autre moyen de satisfaire sa dette envers Sebastiano Rovere. Quel âge avait cet homme ? Stefano avait au moins dix-sept ans, et il avait un autre frère plus jeune qui devait avoir le même âge que son autre frère à elle, Georgio.

Elle frissonna. C'était dégoûtant qu'un vieil homme veuille une jeune femme. Elle était loin d'être contente que son emprise sur elle soit déjà en place et qu'on lui interdise à présent de traverser la *piazza* avec sa mère pour qu'elle puisse assister à la messe. Comment ce vieil homme osait-il remettre son honneur en question ? Pensait-il qu'elle encouragerait les hommes qui espéraient l'apercevoir ? C'était insupportable !

Entrant dans les appartements qu'elle partageait avec ses jeunes sœurs, elle découvrit Francesca qui l'attendait.

– Alors, est-ce le mariage ? voulut savoir la jeune fille.

– Oui. Au père de Stefano Rovere, dit Bianca avec un frisson.

– C'est un vieillard ! s'exclama Francesca. Pourquoi papa le permettrait-il ? Je pensais qu'aucune de nous ne se marierait à Florence. *Mama* ne l'a jamais voulu.

– J'ignore totalement pourquoi cette union a été contractée, mentit Bianca à sa sœur cadette.

Il était inutile que la curieuse Francesca apprenne l'erreur de jugement de Marco qui avait mené à ce désastre pour elle.

— Cependant, je ne peux pas désobéir à papa, autant j'aimerais le faire. Je ne vais pas vers ce mariage avec le cœur joyeux.

— Eh bien, peut-être que puisqu'il est si vieux, il mourra bientôt. Ensuite, vous serez une riche veuve libre d'agir à sa guise. Vous pourrez prendre un amant qui vous plaira, dit Francesca de façon pratique et optimiste avec la logique typique d'une enfant de dix ans.

Elle rejeta sa chevelure blonde en arrière.

— Je vais épouser un prince un jour.

Bianca ne réprimanda pas la fillette pour cette pensée. Cela lui donnait en fait de l'espoir. Par contre, elle lui dit :

— Vous épouserez celui que choisira papa, mais j'espère pour votre bien que ce sera un prince.

— Quand le mariage aura-t-il lieu ? voulut savoir Francesca. J'aurai besoin d'une belle robe neuve, pour l'occasion. Pas aussi jolie que la vôtre, évidemment, car ce sera votre journée, mais tout de même pour que je sois sous mon meilleur jour. Qui sait qui me verra.

— La date n'a pas encore été fixée. Je pense que notre mère me protégera aussi longtemps qu'elle le pourra, répondit Bianca. Elle a fait une certaine remarque à propos de mon trousseau et de mes robes.

— Notre mère est très intelligente, observa Francesca. Il y a plusieurs convenances qui doivent être respectées. Vous allez devoir le rencontrer officiellement. Cela doit se passer en privé. Il viendra peut-être pour vous escorter à la messe un matin avant l'annonce officielle. Votre mariage à cet homme doit être annoncé avec le cérémonial approprié, car les deux familles sont distinguées, et vous ne voulez pas que des rumeurs dégoûtantes circulent sur votre association avec lui.

Francesca ressemblait beaucoup à leur mère, en ce sens qu'elle étudiait toutes les coutumes sociales associées à leur monde.

– Cela devrait prendre au moins quelques mois, peut-être même une année, dit la jeune fille avec espoir.

– Possible, répondit Bianca, sans dire à sa sœur qu'on lui avait interdit de sortir en public dorénavant.

Santa Anna ! Si elle pouvait retarder cette union assez longtemps, il perdrait peut-être son intérêt envers elle. Tout de même, si Sebastiano Rovere l'escortait vraiment de l'autre côté de la *piazza* et que les gens prenaient conscience qu'elle était fiancée à lui, la foule de jeunes hommes pourrait se disperser pour de bon. Ensuite, elle ne serait plus cloîtrée jusqu'à son mariage, après lequel elle serait cloîtrée de toute façon. Elle allait le suggérer à sa mère qui, elle le savait, aimait avoir sa compagnie à l'église.

Orianna vint, comme elle en avait l'habitude, souhaiter la bonne nuit à ses filles. L'ayant fait, elle entraîna Bianca à l'écart dans la propre chambre à coucher de sa fille pour lui parler.

– Votre calme en acceptant la décision de votre père m'a fait plaisir au début. Je suis heureuse de savoir que vous pouvez vous comporter sagement. Cependant, vous n'auriez pas dû vous disputer avec lui. Il ne veut pas de ce mariage plus que vous ou moi, mais il n'a pas le choix dans cette affaire.

– Marco m'a révélé les raisons de ce mariage, dit candidement Bianca. S'il ne l'avait pas fait, je me serais effondrée en sanglots. N'y a-t-il pas un autre moyen pour notre père de rembourser cette dette à maître Rovere ? Pourquoi est-il si déterminé à m'avoir comme prochaine épouse ?

— Votre père a fait toutes les tentatives pour y arriver, comme vous le savez déjà, répondit Orianna. Rovere n'acceptera rien de moins que vous comme épouse pour régler cette dette. Je ne sais pas s'il vous a déjà vue, Bianca. Je crois qu'il veut le lien de sang afin de protéger son propre fils, car si Marco devait aller voir les autorités le premier, il serait difficile d'éviter à Stefano une certaine punition, et par conséquent, cela ternirait la réputation de Sebastiano Rovere. C'est un homme puissant, mais quand un homme a un tel pouvoir, il attire les ennemis ouvertement et secrètement. Ils chercheront toujours un moyen de le faire tomber. Cependant, un mariage entre nos deux maisons lui assure la sécurité du sang entre nous. Et aussi, votre réputation affirme que vous êtes jeune, fraîche, vertueuse et très belle. Un homme plus âgé avec une belle jeune femme est très envié. Rovere aime être admiré et envié par les autres. Vous avoir pour femme sera un coup pour lui.

— Je sais qu'il est vieux, mais à quel point ? demanda Bianca à sa mère, pensant tandis qu'elle parlait que sans la stupidité de son frère, elle ne serait pas dans cette situation.

— Votre père me dit qu'il a trente-six ans de vie jusqu'ici, répondit Orianna.

— *Madre di Dio* ! dit Bianca dans un demi-murmure. Il est de vingt-deux ans mon aîné !

— Votre père est plus vieux que moi, rappela Orianna à sa fille aînée. Un mari plus âgé n'est pas une si mauvaise chose, ma fille.

— Au moins, papa vous avait vue. Il m'a dit qu'il vous a vue la première fois dans une gondole avec grand-père alors qu'ils passaient devant vous dans le Grand Canal.

Bien que sa cour ait été acceptée par votre famille, malgré le fait qu'il était un étranger pour eux, on s'attendait à ce qu'il vous courtise, et vous avez eu le temps d'apprendre à connaître l'homme que vous alliez épouser, lui fit remarquer Bianca.

— Sebastiano Rovere viendra vous rencontrer, Bianca. Il s'écoulera plusieurs mois avant que je permette la célébration de ce mariage, dit Orianna. Faites-moi confiance pour vous protéger, car je ne laisserai personne m'obliger à ce que cette union se fasse plus tôt qu'il ne le faut. Cependant, votre père a peur de cet homme, et je ne serai pas capable de le retenir indéfiniment.

— Je comprends, *madre*, répondit Bianca. Et vous pouvez me faire confiance pour faire ce que je dois pour protéger notre famille. Toutefois, je me demandais : si *signore* Rovere nous accompagnait de l'autre côté de la *piazza* pour la messe une ou deux fois, il se pourrait que les jeunes hommes qui viennent pour me voir saisissent le sens de sa présence et partent pour ne plus jamais revenir, non ? Je dois vous dire que je suis offensée que mon propre honneur soit remis en question par un homme qui ne me connaît pas.

— Un argument brillant, Bianca, dit sa mère avec approbation, mais je vais d'abord tenter de convaincre *signore* Rovere de changer d'avis en l'informant que cela me réconforte d'avoir ma fille aînée à mes côtés pour la messe. S'il vous l'interdit, alors il m'enlève quelque chose. Nous allons voir ce que cet argument nous vaudra. Certainement, il ne refuserait pas à une mère la compagnie de sa fille, particulièrement parce que vous quitterez bientôt cette maison.

Cela ne serait pas sage, cependant, de lui révéler que vous êtes une fille intelligente. Il serait alors plus strict avec vous, s'il le savait.

Bianca sourit et baissa légèrement la tête en signe de reconnaissance.

– Merci, *madre*.

Orianna sourit à sa fille à son tour. Elle n'était pas contente de cette union que l'on obligeait sa fille aînée à accepter. Cependant, elle garderait Bianca loin de Sebastiano Rovere aussi longtemps qu'il lui serait possible de le faire. Elle avait l'intention de veiller à ce que chaque coutume obscure soit célébrée en ce qui avait trait à ce futur mariage. Et quand son mari et Rovere se plaindraient, elle pleurerait et sangloterait que c'était sa fille aînée qu'on lui enlevait. La première de ses enfants à se marier. Allaient-ils lui gâcher toute sa joie en une telle occasion ?

Et, bien sûr, une couturière devait être amenée de son propre foyer à Venise pour créer et coudre le trousseau qui devait être fabriqué pour Bianca. La mode vénitienne était la plus belle et, soupirerait-elle avec regret, plus élégante et plus originale que celle de Florence. Évidemment, quand la nouvelle se répandrait, il y aurait un tollé de protestations, mais Orianna resterait ferme dans ses positions. La robe de mariée et le trousseau de sa fille aînée devaient être conçus et cousus par des Vénitiennes venues tout exprès pour cela.

Orianna se sourit à elle-même. Oh oui ; elle pouvait retarder l'inévitable au moins pendant quelques mois. Si seulement elle n'était pas obligée de faire cela. Si seulement Bianca pouvait avoir un beau jeune homme de Venise ou un duc français comme mari au lieu de l'homme le plus libertin de Florence. Elle maudit son fils aîné doucement dans sa barbe, puis elle se rétracta aussitôt. Les hommes ne pouvaient pas s'empêcher d'être les idiots qu'ils étaient.

Chapitre 2

L'esclave mauresque gémit quand la lanière de cuir épais fondit sur ses fesses nues pour la vingtième fois. Elle compta silencieusement et attentivement les coups que son maître faisait pleuvoir sur sa chair dorée rebondie. Deux autres, puis elle hurlerait piteusement. Un autre, puis elle demanderait pitié. Habituellement, il la frappait encore deux autres fois avant de la libérer pour qu'elle tombe à quatre pattes, les fesses vers le ciel. C'était une routine qu'elle respectait avec lui, et il ne réalisait jamais que c'était elle qui maîtrisait la situation.

Après lui avoir infligé vingt-cinq coups, il la chevaucherait, puis il soulagerait le désir sexuel qu'avait fait naître en lui son mauvais traitement. Ensuite, elle ferait l'éloge de sa prouesse et le supplierait de continuer en se blottissant sur ses genoux pendant qu'il caresserait et presserait ses seins. Parfois, il obtempérait, mais plus souvent, il en était incapable. C'était un homme qui avait besoin d'infliger de la douleur pour avoir des rapports sexuels comme un homme normal pourrait le faire. Maintenant, on disait qu'il prenait une nouvelle épouse. L'esclave mauresque ressentait de la pitié pour la pauvre fille, qui qu'elle soit. Elle poussa un cri perçant. Un autre coup suivit.

– Je vous en prie, maître, le supplia-t-elle. Je ne peux pas en supporter davantage!

– Tu le peux et tu le feras, ma petite putain barbare, gronda-t-il.

Deux autres coups suivirent.

– Maintenant, à genoux, et occupe-toi de moi!

L'esclave mauresque se mit à quatre pattes. Son derrière était brûlant à cause de ses coups de lanière en cuir. Elle releva ses fesses et attendit qu'il plonge en elle. Il ne la déçut pas, car une fois excité, c'était un amant très satisfaisant. L'épais et long piquet de chair lisse et chaude la fouilla profondément, et elle savoura la vague de plaisir avant de se souvenir de ses obligations.

– Oh oui, maître! lui cria-t-elle. Votre arme est puissante, plus puissante que toute autre que j'ai connue avant vous. Ne me chassez pas lorsque vous prendrez votre nouvelle épouse. Je ne vis que pour vous donner du plaisir, mon seigneur!

Elle le pressa avec les muscles bien entraînés de son fourreau.

Les doigts de l'homme s'enfoncèrent dans son cuir chevelu et agrippèrent une poignée de ses longs cheveux blonds qu'il tira pour ramener sa tête en arrière en exigeant :

– Qui t'a dit que j'allais me marier, putain?

– La maisonnée est remplie de cette rumeur, mon seigneur. Si j'ai parlé mal à propos, je vous supplie de me pardonner, geignit l'esclave.

Lâchant sa prise sur sa chevelure, ses deux mains s'emparèrent de ses hanches.

– Je n'ai pas l'intention de te renvoyer, Nudara, lui assura-t-il. Tu auras bientôt d'autres tâches, ma soumise. Tu enseigneras à la petite vierge que je dois épouser comment me faire plaisir.

Sebastiano Rovere rit sombrement. Puis, il se concentra sur son plaisir avec son esclave, la baisant avec violence et en profondeur jusqu'à ce que son désir éclate dans une explosion inhabituellement violente et excessive qui le laissa extrêmement satisfait — et qui surprit également Nudara.

Ensuite, tandis que l'esclave se recroquevillait sur les genoux de son maître, Nudara parla avec audace.

— On dit que c'est la plus belle fille dans tout Florence, mon seigneur. Est-ce vrai ?

— Je l'ignore totalement, répondit-il. Je n'ai jamais posé les yeux sur la gueuse. Je veux, j'ai besoin d'un lien de sang avec sa famille. Le mariage est le lien le plus puissant que je puisse établir. La fille est prête pour le mariage. Elle a commencé à marcher dehors avec sa mère et, dans le processus, elle a attiré un nombre d'admirateurs. Avant que l'un d'eux la salisse, je vais l'avoir.

— Une vierge d'une lignée irréprochable sera digne de vous, mon seigneur, dit Nudara.

— Oui, elle le sera, répondit-il.

Nudara se mit à le caresser, ses doigts habiles glissant sous son peignoir pour poursuivre son geste.

— Prenez-moi encore, mon seigneur. Pensez à la belle chair soyeuse, lisse et ivoire de la fille sous vos mains ; ses seins jusqu'ici intouchés, leurs petits mamelons se contractant sous vos baisers ; ses cuisses potelées s'ouvrant pour vous et vous seul, dit l'esclave d'une voix cajôleuse dans l'oreille de son maître.

Puis, elle la lécha, souffla doucement et, sentant sa nouvelle érection sous ses fesses, elle le chevaucha rapidement, dos à lui, attirant ses mains sur ses gros seins mûrs.

Il s'en saisit, à moitié pantelant, à moitié gémissant dans son oreille tandis qu'il recommençait à la pistonner. Les images qu'elle avait créées dans son esprit avec ses paroles l'avaient étrangement excité. Était-ce possible qu'une nouvelle jeune épouse lui rende sa vigueur ? De la chair intouchée. Il se lécha les lèvres pendant qu'il baisait fortement Nudara. Les Pietro d'Angelo auront gardé la fille pure. Il serait le premier homme à la toucher. Il serait le seul homme à la toucher. Elle serait craintive cette première nuit, et il veillerait à ce qu'elle le soit. La pensée de sa peur était, en soi, excitante. Il baisa Nudara plus fort, aimant son cri de surprise devant sa virilité renouvelée. Il eut soudainement l'impression qu'il pouvait continuer ainsi avec elle toute la nuit.

Mais évidemment, il ne le pouvait pas. Il était attendu sous peu à la maison du marchand de soie pour être officiellement présenté à sa fiancée. Il voudrait se laver avant d'y aller, se vêtir de sa plus belle robe afin que la petite vierge soit réellement impressionnée par sa magnificence. Qu'elle commence à comprendre l'honneur qu'on leur faisait, à elle et à sa famille. Bien que le lien de sang soit une question de sécurité pour lui, c'était un grand honneur pour le marchand de soie et ses parents d'être alliés à la famille Rovere.

Libérant son désir une seconde fois, il poussa Nudara en bas de ses cuisses.

– Assez, petite putain avide, grommela-t-il à son intention. Je serai trop faible pour me rendre à mon rendez-vous.

Se tournant, elle lui sourit.

– Je vous ai satisfait aujourd'hui, mon seigneur, et j'en suis contente.

Il ne lui dit rien de plus, mais il cria pour appeler son valet, Guido, afin qu'il l'assiste. L'homme arriva rapidement, ne voulant pas être la cause de la disparition de la bonne humeur de son maître.

– Votre bain est prêt, mon seigneur, dit-il en ouvrant la marche jusqu'à la pièce particulière qui était réservée à la toilette dans le *palazzo* Rovere.

Ce n'étaient pas toutes les maisons, même celles des hommes riches et importants, qui avaient de tels lieux réservés uniquement pour se laver. Cela ressemblait beaucoup à une maison turque, mais Sebastiano Rovere était un homme méticuleux dans toutes ses habitudes.

– Que me proposes-tu de mettre pour rencontrer ma *fidanzata* pour la première fois, Guido ? demanda-t-il à son domestique tandis que l'homme prenait le vêtement qu'il portait et le tendait à un autre serviteur pour qu'il l'emporte.

– Je suggérerais cette robe neuve de velours d'un brun riche que vous avez récemment commandée, dit Guido. Elle est bordée d'or sur les manches et au col. Les manches sont également garnies, tout comme l'ourlet de la robe, d'une fourrure pâle d'un brun doré. Elle est à la fois élégante et impressionnante, maître. Une jouvencelle innocente serait éblouie par un homme qui se présenterait devant elle ainsi vêtu. En fait, n'importe quelle femme le serait.

– Ouiiii, murmura lentement Sebastiano Rovere en réponse, imaginant le vêtement, puis lui-même le portant. Une excellente suggestion, Guido. Va la sortir pendant que je me baigne. Cela fera également honneur à sa famille si je suis aussi magnifiquement habillé, ce qui devrait plaire au marchand de soie et à sa femme. On me dit qu'elle est une fille de la noblesse vénitienne.

— C'est ce que l'on dit, maître, acquiesça Guido.

Puis, sur une révérence, il partit en hâte préparer les vêtements de son maître pour la visite du soir.

Sebastiano Rovere s'abandonna aux soins des serviteurs qui avaient la responsabilité de le laver. Sa vanité garantissait que ce soit des femmes, trois esclaves grecques qui admiraient toujours sa silhouette masculine et faisaient des remarques flatteuses sur son corps. Il savait que, malgré ses trente-six ans, il était en excellente forme physique, car il faisait habituellement attention à son alimentation, au contraire de la plupart des hommes florentins, et il faisait de l'exercice, travaillant avec son maître d'escrime plusieurs fois par semaine.

Sa nouvelle épouse n'aurait pas à se plaindre d'épouser un vieillard bedonnant. Et si elle était comme la plupart des femmes élevées à l'abri, on lui aura enseigné que la copulation n'avait qu'un seul but. La procréation. Comme il ne voulait plus d'enfant, il allait devoir la laisser tranquille la plupart du temps après leur nuit de noces. Il avait Nudara pour satisfaire ses envies plus sombres. Et il avait une belle et très coûteuse maîtresse qu'il payait généreusement pour ne pas prendre d'autres amants pendant qu'elle était sous sa protection. Il était envié pour sa maîtresse, ce qui contentait très bien Sebastiano Rovere. Maintenant, il posséderait la plus belle fille dans tout Florence et il serait doublement envié.

Avoir Bianca Pietro d'Angelo pour femme ajouterait à son statut d'homme important. Son père était le chef de sa guilde et, en tant que tel, il servait parfois au sein du gouvernement, comme tous les hommes importants. Mais Sebastiano Rovere voulait un jour obtenir le poste d'élu de chancelier. Rovere ne le savait peut-être pas encore, mais Giovanni Pietro d'Angelo allait éventuellement l'aider à l'emporter.

Les esclaves le baignèrent, lavant ses cheveux également. Elles massèrent son corps avec de l'huile de bois de santal. Il sortit de la baignoire, mais pas avant d'avoir pincé fesses et mamelons des esclaves, qui gloussèrent et firent des gestes lascifs dans sa direction, ce qui le fit rire. Son humeur s'égaya encore plus quand il se vit dans la belle robe neuve dans laquelle l'avait habillé Guido. Il était un homme séduisant, il devait bien se l'admettre.

Et alors même que Sebastiano Rovere se préparait à rencontrer Bianca Pietro d'Angelo, la fille se faisait habiller d'une robe neuve de la plus belle soie rose. Le tissu se moulait sur la silhouette de son jeune corps gracieux avant de s'épanouir en une longue jupe. Le décolleté était bas et carré. Les manches étaient longues. Le corsage de la robe était décoré d'une broderie argentée, et les manches étaient bordées d'une délicate dentelle argentée. Sa longue chevelure sombre resta libre, mais fut retenue en arrière par un ruban rayé rose et argenté. Des perles rose pâle serties dans l'argent pendaient à ses oreilles. Autour de son cou il y avait un délicat rang de perles roses duquel pendait un crucifix en or et en argent.

— Je n'ai jamais possédé une telle robe, s'émerveilla Bianca.

— La couleur vous convient bien, dit Francesca avec regret. Elle ne m'irait pas du tout.

— Plusieurs années vous séparent d'une robe comme celle-ci, dit sa mère. Ne soyez pas si pressée de vieillir, ma fille.

— Mais, si je peux vieillir rapidement, dit Francesca, je peux épouser ce prince vénitien que vous contempliez pour Bianca avant que *signore* Rovere demande la main de ma sœur. Notre grand-père doit être très déçu de se voir souffler cette union juste sous son nez très aristocratique.

Orianna soupira.

— Vous êtes trop directe, Francesca, la réprimanda-t-elle. Et vous devez cesser d'écouter aux portes. Ne le niez pas, car nous savons toutes les deux que c'est vrai.

— Mais personne ne me dit jamais rien, se plaignit Francesca.

— Une bonne partie de ce que vous découvrez ne vous concerne pas, ce qui explique pourquoi on ne vous en parle pas, répondit sévèrement sa mère.

Puis, Orianna reporta son attention vers Bianca.

— Je vous appellerai lorsque le moment sera venu de vous présenter au *signore* Rovere. Il voudra sûrement un peu de temps seul avec vous. Parlez-lui aussi peu que possible et soyez modeste.

— Déciderait-il de changer d'avis si j'oubliais mes manières, *madre* ? Si c'est le cas, alors je vais faire tout ce que je peux pour le décourager, répondit Bianca.

— Malheureusement, cela ne le fera pas changer d'avis, car il est déterminé à avoir la plus belle jouvencelle de Florence pour femme, dit sa mère. Le *signore* Rovere est un collectionneur de toutes les belles et rares choses, ma fille. Vous êtes une telle chose et vous êtes à portée de sa main, donc il vous prendra.

Bianca frissonna, et Orianna posa une main sur son épaule pour la rassurer.

Un serviteur vint dire à la maîtresse de maison que leur invité traversait en ce moment même le petit parc en direction de la porte du *palazzo.* Après avoir embrassé Bianca dans ses cheveux, Orianna se hâta d'aller rejoindre son mari. Ensemble, ils accueillirent Sebastiano Rovere, le faisant entrer dans leur *palazzo.*

– Vous honorez notre maison, dit le marchand de soie, saluant leur invité et s'inclinant devant lui.

– C'est moi qui suis honoré, répondit Sebastiano Rovere en s'inclinant à son tour.

– Permettez-moi de vous présenter ma femme, Orianna Venier, *signore.*

Sebastiano Rovere se pencha sur la petite main élégante d'Orianna et l'embrassa.

– *Signora,* murmura-t-il. La légende sur votre beauté ne vous rend pas justice.

– Je suis flattée par vos paroles affables, lui répondit Orianna avec l'envie de lui arracher sa main, mais elle lui accorda le temps, avec un effort suprême de maîtrise de soi, de la libérer lui-même.

– Nous allons boire du vin dans le jardin, dit Giovanni Pietro d'Angelo.

– Une charmante idée, approuva leur invité. Et l'on me permettra enfin de rencontrer votre fille, lady Bianca, bientôt ?

– Bien sûr, répondit le marchand de soie tandis qu'il le guidait à l'extérieur.

La soirée était jeune, et le soleil ne s'était pas encore couché. Ils s'assirent ensemble sur deux bancs en marbre au milieu de la végétation. Un domestique bien entraîné apporta des verres à pied en argent contenant du vin doux pour eux. Sebastiano Rovere remarqua qu'ils étaient décorés de petites pierres d'onyx noir au milieu de volutes d'or pâle. Ils étaient raffinés, et pendant un bref instant, il fut jaloux, car il ne croyait pas posséder de verres à pied aussi beaux.

— Le vin est-il à votre goût, *signore* Rovere ? s'enquit poliment le marchand de soie.

— Il est délicieux, fut la réponse. N'allez-vous pas demander à votre fille de venir le partager avec nous ? pressa-t-il son hôte.

Orianna leva la main, et un domestique arriva tout de suite à côté d'elle.

— Dis à Fabia d'aller chercher lady Bianca pour nous, dit-elle de sa belle voix modulée.

Puis, elle se tourna vers leur invité.

— Il ne faudra que quelques instants, *signore*, mais avant que mon enfant nous rejoigne, j'ai une grande faveur à vous demander.

Sebastiano Rovere fut étonné, mais il était extrêmement content de lui-même à cet instant.

— Je vous en prie, *signora* : il vous suffit de demander.

— Vous avez exigé que Bianca n'assiste plus avec moi à la messe à Santa Anna Dolce. Je vous en prie, *signore*, je vous conjure d'annuler cet ordre. Je comprends vos inquiétudes et je les partage. Cependant, sous peu, Bianca ne sera plus à mes côtés. J'ai tiré un très grand plaisir de prier en compagnie de ma fille au cours des derniers mois. Peut-être si vous nous escortiez vous-même à l'église plusieurs fois, votre auguste présence découragera tout mauvais comportement tout en annonçant vos fiançailles.

Orianna tendit le bras et posa une élégante main baguée sur son bras enveloppé de velours.

– Je vous en prie, *signore*, ne rejetez pas la supplique d'une mère.

Elle lui offrit un petit sourire, stupéfaite par les yeux froids qui la contemplaient.

Il réfléchit à ses paroles. Il pouvait difficilement refuser cette requête sans paraître mesquin. Il s'obligea à sourire.

– Si cela est si important pour vous, *signora*, alors évidemment, je vous accorde cette faveur.

Puis, surprenant un mouvement du coin de l'œil, il tourna la tête. Son souffle se coinça dans sa gorge à la vue de la fille dans la robe rose. Il se leva, content de voir qu'il la surplombait. Il sentit son pénis tressaillir sous son élégante robe, pressant presque douloureusement contre le tissu de ses braies sous ses chausses.

– Merci, *signore*, dit Orianna, presque avec un mouvement de recul en voyant le désir qui effleura son visage quand il vit Bianca, bien qu'il s'envola aussi rapidement qu'il était venu.

– Avancez, Bianca, dit son père en lui faisant signe.

Elle avait brièvement aperçu l'homme avant qu'il la voie.

« Il est séduisant », pensa Bianca. Peut-être que cela ne serait pas si mal, même s'il avait deux fois son âge.

Elle s'avança silencieusement, les yeux baissés, ses cils ébène frôlant ses pommettes ivoire.

Elle exécuta une révérence parfaite sans chanceler une seule fois.

« La beauté et la grâce », songea Sebastiano Rovere, très content.

Pour une fois, les potins n'avaient pas menti. Même qu'en vérité, ils n'en avaient pas fait suffisamment l'éloge.

— *Signore* Rovere, puis-je vous présenter ma fille aînée, Bianca ? Si, l'ayant maintenant vue, elle continue de vous plaire, alors elle est à vous en mariage, dit Giovanni Pietro d'Angelo, s'étouffant presque sur les mots tandis qu'il les prononçait.

Comment pouvait-il faire cela ? Et pourtant s'il ne le faisait pas, son fils aîné — leur famille — serait ruiné par cet homme ignoble et puissant.

— Je suis bouleversé par la beauté exquise et la pureté que je vois dans le visage de votre fille. Sa présence, en tant que mon épouse, fera rejaillir un grand honneur sur ma maison, et je la prendrai pour femme avec plaisir, dit Sebastiano Rovere.

Puis, tendant soudainement le bras, il prit la petite main de la fille et l'embrassa presque avec respect en lui demandant :

— Et voulez-vous de moi comme époux, Bianca Pietro d'Angelo ?

Non ! Non ! Non ! voulait-elle hurler ; mais elle savait ce que l'on attendait d'elle.

— Je suis grandie parce que vous souhaitez m'épouser, *signore.*

Il embrassa encore sa main, cette fois avec un peu plus d'enthousiasme.

— Nous allons nous promener ensemble dans le jardin de votre père, dit-il sans même se donner la peine de demander la permission à ses parents.

Étonnée, mais ne sachant pas quoi faire d'autre, Bianca pivota avec lui. Il l'éloigna de la vue de ses parents et l'entraîna de plus en plus loin dans la végétation et les parterres de fleurs jusqu'à ce qu'enfin, ils tombent sur un unique banc en marbre installé parmi des rosiers. Il la tira pour qu'elle s'assoie, s'installant ensuite à côté d'elle. Bianca était légèrement effrayée. Jamais avant elle n'avait été seule avec un homme. Elle n'était pas très à l'aise.

— Je pense que nous devrions aller retrouver mes parents, dit-elle nerveusement.

Son cœur battait la chamade.

Il rit doucement et lentement, ce qui l'effraya encore plus.

— Vous n'êtes jamais restée avec un homme auparavant, n'est-ce pas ? Évidemment que non, dit-il avec un petit rire. Vous rendez-vous compte que je serai le seul homme avec qui l'on vous permettra à jamais de rester seul, Bianca ? Je dois devenir votre seigneur et maître. Vous obéirez à chacun de mes désirs.

Elle garda le silence, mais elle éprouva une soudaine colère pour sa présomption.

— Regardez-moi ! Je veux voir vos yeux, Bianca, lui dit-il.

Ses doigts s'emparèrent de son petit menton et relevèrent sa tête presque de force.

Elle allait devoir le regarder directement. Elle eut un bref haut-le-cœur, mais elle le ravala. Elle ne pouvait pas, n'allait pas craindre cet homme. La peur donnait à l'instigateur de cette émotion un pouvoir sur sa victime, et bien qu'elle soit obligée de l'épouser, elle ne lui accorderait pas le privilège de dominer son cœur, son esprit ou son âme. Bianca leva les cils et regarda droit dans les yeux foncés de l'homme qu'elle devait marier. C'était comme contempler de la glace noire.

– On dit que la couleur de mes yeux est unique, lui dit-elle doucement.

Sebastiano Rovere la fixa, ébahi par la beauté et la clarté des yeux de la fille. Il trouverait des aigues-marines assorties à leur couleur et ferait concevoir un collier et des pendants d'oreilles pour elle. Il exigerait qu'elle les porte nue, les cheveux flottant. Bleu, ivoire et ébène. La vision mentale fut presque trop difficile à supporter pour lui alors qu'il la voyait étalée sur son lit, prête pour lui. Son membre masculin souffrait douloureusement.

– Voulez-vous me donner un baiser, Bianca ? dit-il d'une voix rauque.

« Lentement, lentement », se rappela-t-il avec prudence.

Elle était vierge.

Bianca fut stupéfaite par la requête audacieuse.

– *Signore,* je ne crois pas qu'une telle chose soit considérée comme convenable par mes parents.

– Le contrat de mariage a déjà été signé, lui dit-il. Vous êtes à moi, sauf pour le détail technique de la cérémonie du mariage, Bianca. Votre beauté, vos manières m'ont plu.

Il la prit par ses minces épaules.

– Je dois goûter à vos lèvres !

Et il posa les lèvres sur les siennes, son désir se communiquant très clairement à la fille.

Bianca fut horrifiée. Le baiser. Son premier baiser hurlait son besoin de la posséder totalement. Elle lutta contre lui, détournant brusquement la tête de la bouche maraudeuse qui l'attaquait.

— *Signore* ! haleta-t-elle ; puis s'arrachant à lui, elle s'enfuit dans l'épaisse végétation des jardins.

Il la prit immédiatement en chasse. Il ne pouvait pas la laisser retourner en larmes auprès de ses parents. Il aurait l'air d'un idiot libidineux. Elle avait interrompu sa fuite, s'étant arrêtée pour écouter afin de savoir s'il était encore derrière elle.

— *Dolce* Bianca. Je vous implore de pardonner mon enthousiasme. Je m'excuse d'avoir pris de force ce que vous n'aviez pas offert. Sortez, et nous allons rejoindre vos parents ensemble.

Écoutant ses paroles, Bianca s'interrogea sur leur degré de sincérité. Zéro, soupçonnait-elle ; mais il ne voulait pas avoir l'air d'un idiot devant ses parents, et en vérité, elle ne voulait pas le placer dans cette situation. En tant que mari, il aurait l'ascendant sur sa vie et il pouvait la rendre misérable. Il lui fallait rester dans ses bonnes grâces.

— Vous m'avez effrayée, *signore,* lui dit-elle.

— Je sais ! Je sais ! C'était impardonnable de ma part, *dolce* Bianca, acquiesça-t-il. Votre innocence est tellement tentante pour un homme de mon expérience. Je vais m'efforcer de ne plus vous faire peur. Pardonnez-moi !

Bianca sortit de derrière la rangée de grands buissons.

— Je vous pardonne, *signore.*

— Ahh, *cara mia,* vous faites de moi le plus heureux des hommes, lui jura-t-il.

Petite putain ! Il lui montrerait bientôt l'étendue de son pouvoir sur elle. Son pénis tressaillit encore une fois.

Bianca enfouit sa main dans son coude.

— Rejoignons mes parents, dit-elle.

Ils marchèrent dans les jardins tandis que la nuit s'assombrissait autour d'eux.

– Quand fixerez-vous le jour de notre mariage? s'enquit-il auprès d'elle.

Sa mère l'avait prévenue de s'attendre à ce genre de question et lui avait dit comment elle devait y répondre.

– Oh, *signore*, d'abord, une nouvelle garde-robe doit être créée pour moi. Et ma robe de mariage exigera du temps. Je dois faire une retraite avec les religieuses pour assurer le succès et le bonheur de notre union. Il faudra plusieurs mois au moins avant que je sois prête.

Sebastiano Rovere serra les dents à l'idée d'un tel délai, mais en fait, cela ne dépassait pas le temps de toutes fiançailles respectables.

– Si je dois attendre, lui dit-il, alors sûrement, vous allez m'accorder le privilège de baisers et de caresses pour nous mettre en appétit pour notre lit conjugal. Je veux bien admettre que je suis un homme avec d'importants désirs.

– Je ne sais rien de ces choses, dit Bianca. Je vais demander à ma mère si de telles choses sont permises, car je ne veux pas salir le nom de ma famille.

– Bien sûr, bien sûr, *dolce* Bianca, approuva-t-il. Souvenez-vous, par contre, que toutes les formalités légales ont été signées et scellées. En tant que premier avocat de Florence, je les ai moi-même rédigées et fait adéquatement exécuter. La honte ne va pas s'abattre sur vous et à votre bonne famille à cause de moi.

– Si ma mère dit que c'est acceptable, *signore*, alors vous aurez vos baisers et vos caresses, je vous le promets, lui dit Bianca. Ah, voici mes parents qui nous attendent.

Il rit presque tout haut du soulagement sur le visage de ses beaux-parents. Pensaient-ils qu'il allait violer leur petite vierge dans leurs jardins ? Puis, il pensa que s'il avait pu réussir, il l'aurait probablement fait. Elle était un petit morceau des plus délicieux, elle était mûre pour qu'il la cueille.

– Nous avons fait la plus merveilleuse des promenades, dit-il à Giovanni Pietro d'Angelo. Je vais attendre avec impatience d'autres randonnées semblables jusqu'au jour de notre mariage.

Il sourit à Bianca, qui se tenait à présent à côté de sa mère. Puis, il s'inclina devant ses hôtes.

– Je ne vais pas abuser de votre accueil ce soir, dit-il.

– Permettez-moi de vous raccompagner à la porte, dit le marchand de soie.

Les deux hommes quittèrent le jardin, laissant Orianna et Bianca ensemble.

– Vous semblez plus pâle que d'habitude, remarqua sa mère une fois que les hommes furent hors de vue et de portée de voix. A-t-il tenté de prendre des libertés avec vous ?

– Il m'a embrassée, dit Bianca avec hésitation, ne voulant pas donner de détails.

– C'était prévisible, répondit Orianna.

– Vous ne m'avez pas prévenue, *madre*, qu'il pourrait le faire.

– J'avais oublié ce qu'est l'inexpérience, admit Orianna. J'avais des sœurs aînées qui m'ont prévenue de ce qu'était une cour amoureuse. Vous n'aviez que moi. Je suis désolée d'avoir manqué envers vous et que vous ayez été prise par surprise, Bianca. De quoi avez-vous parlé ?

– Du jour du mariage, dit la fille.

– Vous lui avez dit qu'il aurait lieu dans plusieurs mois, n'est-ce pas ?

– Oui, *madre*, et c'est là qu'il a dit que s'il devait se montrer patient, je devais lui permettre le privilège de baisers et de caresses, dit Bianca à sa mère. Je lui ai dit que je devais m'assurer qu'un tel comportement était convenable. L'est-il ?

Orianna soupira doucement.

– Oui, il l'est. Il a signé le contrat de mariage, et mis à part la bénédiction de l'Église, vous êtes déjà sa femme. Vous devez lui permettre de faire à sa guise.

– *Oh*, répondit Bianca sans être certaine d'aimer l'idée des caresses, et quant aux baisers… mais on ne pouvait rien y faire.

Sa mère disait que c'était permis, et donc, elle devait le supporter. Et elle finirait probablement par s'y habituer. Sa mère ne semblait pas contrariée par les tendresses de son père.

Le lendemain matin, Sebastiano Rovere apparut pour escorter Bianca et sa mère à la messe. Sa première apparition dans l'embrasure de la porte de la maison de son père provoqua une acclamation de la part des jeunes hommes rassemblés sur la *piazza*. Elle mourut quand le plus célèbre avocat de Florence sortit derrière elle et lui prit le bras. Ensemble, ils traversèrent la *piazza* avec sa mère et entrèrent dans l'église. Quand ils sortirent une heure plus tard, il y avait une foule plus nombreuse de jeunes hommes, mais ils gardèrent le silence. Puis, l'un d'eux remarqua la grosse bague de fiançailles avec un rubis rouge foncé que Sebastiano avait glissé au doigt de Bianca quand la messe s'était terminée. Un sifflement et un bourdonnement résonnèrent dans la foule, suivis d'un son qui ressemblait à celui du deuil.

L'avocat sourit, très satisfait. Alors que la famille ne comptait pas faire une annonce officielle avant quelques jours encore, il serait su à travers tout Florence dès midi que Sebastiano Rovere devait épouser Bianca Pietro d'Angelo. Il s'attendait à ce que les foules diminuent au cours des prochains jours, et c'est ce qui se produisit alors que Florence prenait conscience qu'il n'y avait pas d'espoir. La plus belle vierge de la ville devait épouser un homme puissant et important, ce qui, évidemment, était dans l'ordre des choses.

Bianca pouvait voir la déception sur les visages de tous les jeunes hommes qui lui avaient si fidèlement fait la cour depuis ces derniers mois. Elle était désolée pour eux et ne pouvait pas s'empêcher de se demander si son destin aurait été différent si Sebastiano n'était pas entré dans sa vie — si son frère Marco n'avait pas été aussi stupide. Quand Bianca mettait toute cette situation en perspective, elle était ridicule. Penser que la mort accidentelle d'une courtisane inconnue l'avait catapultée dans les bras d'un homme qu'elle ne désirait pas épouser était ridicule.

Il les ramena après la messe, mais il revint ce même soir pour emmener Bianca dans les profondeurs des jardins encore une fois.

— Avez-vous parlé à votre mère ? lui demanda-t-il.

Elle sut exactement ce qu'il cherchait à savoir.

Bianca hocha la tête.

— Mais je vous en prie, *signore*, je vous en supplie, ne me pressez pas.

— Vous m'appartenez maintenant, *cara mia*, lui dit-il en ronronnant.

Puis, il s'interrompit et tourna la fille pour qu'elle le regarde en face.

– Je vais vous embrasser, lui dit-il. Vous allez ouvrir la bouche, *cara*, et me donner votre langue lorsque je le ferai.

C'était un ordre stupéfiant, mais avant qu'elle ait eu un moment pour le remettre en question, il l'embrassait déjà. Il la serra fortement, ses seins s'aplatissant contre le velours de sa robe. Sa langue glissa sur ses lèvres, l'encourageant à lui obéir ; Bianca ouvrit la bouche pour lui. Immédiatement, son organe de chair commença à caresser sa langue, explorant sa bouche. Elle eut un haut-le-cœur devant le choc de cette invasion, mais il ne la lâcha pas. Son baiser devint plus lubrique en s'approfondissant pendant que Bianca luttait pour respirer, car il lui semblait qu'il avait aspiré tout l'air dans son corps. Ses petites paumes poussèrent contre son torse, et elle devint faible et molle dans ses bras. Elle haleta profondément, inspirant encore une fois plusieurs bouffées d'air dans ses poumons ; choquée, elle vit qu'il continuait ses attentions.

Penchant la tête, il commença à presser des baisers sur le renflement de ses petits seins tandis qu'elle tentait de se remettre. Sa bouche mouillée semblait partout, puis une main s'inséra sous le tissu de son décolleté, et il tira pour libérer un de ses seins. Il gémit pendant qu'il fixait le petit globe parfaitement rond dans sa main. Puis, sa bouche se referma sur son mamelon impuissant en aspirant férocement. Son parfum l'enveloppait et le rendait fou d'un désir violent. Il savait qu'il devait s'arrêter bientôt, sinon il commettrait un acte par la force. Mais elle était tellement délicieuse. Juste à point pour lui, et il la voulait.

— *Signore* ! Je vous en supplie, arrêtez ! cria Bianca tandis qu'il suçait sa chair innocente, provoquant en elle des émotions inconnues. *Je vous en prie ! Je vous en prie !* Assez, je vous en conjure !

À contrecœur, il leva la tête de sa poitrine d'un blanc neigeux. Ses yeux étaient vitreux de désir. Il prit une inspiration irrégulière, mais ensuite, il couvrit le petit sein. Il savait que son pénis pointait si fortement dans son besoin d'elle qu'il fut étonné qu'il ne pousse pas à travers le tissu de ses braies et de ses chausses. Aucune femme — encore moins ses deux précédentes épouses — ne l'avait amené dans un tel état sans une touche du fouet à chien. Il était à la fois ébahi et excité de savoir que cette fille pouvait avoir un tel effet sur lui. Particulièrement à l'âge qu'il avait.

— Vous êtes une allumeuse, *cara mia,* lui dit-il.

— Je n'avais pas l'intention de vous allécher, *signore,* dit-elle lentement. Allez-vous toujours m'embrasser avec une telle ferveur ? Pourquoi m'avez-vous tétée ?

— N'avez-vous pas aimé cela, quand j'ai caressé votre doux petit sein ? demanda-t-il sans se donner la peine de répondre à sa question.

— C'était étrange. Je me suis sentie… je me suis sentie bizarre, lui dit-elle. Je pensais que seuls les bébés tétaient les seins de leurs mères.

— Je ne veux pas d'enfant de vous, Bianca. J'ai deux fils forts, dont l'un se mariera peu de temps avant nous. Je ne vais pas gaspiller un corps que je soupçonne parfait sous cette robe. Ce corps m'appartient à présent, et vous allez le réserver uniquement pour mon plaisir, *cara mia*. Avant notre mariage, vous aurez découvert une bonne partie de ce que j'exige de vous.

Bianca ne répéta pas ces paroles-là à sa mère et ne parla pas de ses actions à mesure que les mois suivants s'écoulaient. Elle redoutait ses visites, car elle ne savait jamais ce qu'il allait faire. Quand la température commença à se refroidir, on leur offrit l'intimité d'un petit boudoir où il l'éduqua lentement à son goût. Elle faillit s'évanouir la première fois qu'il lui présenta le spectacle de sa virilité. Il la fit s'agenouiller devant lui avant de se déshabiller sous ses yeux. Puis, il lui enseigna comment manipuler son pénis, se délectant de son toucher doux et délicat, de son halètement de surprise tandis qu'il s'épaississait et s'allongeait sous son regard. Quand il fut dur, Sebastiano lui ordonna d'embrasser le bout. Elle s'exécuta avec réticence.

Une autre fois, quand il fut convenablement ferme, il lui expliqua comment le lécher, en commençant par la tête satinée de son pénis, puis en baignant lentement toute la longueur avec sa langue. Il aurait pu attendre jusqu'à ce que Nudara puisse lui enseigner ces choses. Il avait pleinement eu l'intention de le faire, mais il avait découvert qu'il tirait plus de plaisir à les lui enseigner lui-même. Une fois, une minuscule goutte de son jus perla à l'extrémité, et il l'obligea à la lécher.

— J'aime parfois qu'on me suce jusqu'à ce que je n'aie plus de jus, *cara mia*, lui dit-il. Il vaut mieux vous habituer tout de suite au goût.

Bianca fut horrifiée par une telle suggestion, mais quelque chose de pire l'attendait, découvrit-elle. Son quinzième anniversaire arrivait en décembre, et après huit mois de fiançailles, la date de son mariage était fixée pour la semaine suivante. L'apprenant, Sebastiano Rovere devint plus audacieux dans l'éducation de sa fiancée. Ses mains commencèrent à vagabonder sous ses jupes, caressant ses cuisses soyeuses, frottant son mont de Vénus, et un soir, le doigt curieux de son *fidanzato* poussa entre ses lèvres inférieures. Ses lèvres et sa langue entreprirent les siennes tandis qu'il commençait à frotter le minuscule bout de chair avec ce doigt.

Bianca gémit, car cela provoqua un picotement dans cette chair secrète. La sensation devint de plus en plus forte jusqu'à ce qu'elle ne puisse plus la supporter. Elle se trémoussa contre le doigt jusqu'à ce qu'une agréable explosion l'emporte et elle soupira d'un plaisir franc.

Il rit doucement, sombrement.

— Je suis content de voir que vous pouvez réagir si naturellement à mes soins amoureux, dit-il.

Puis, son doigt s'enfonça en elle jusqu'à la première jointure.

— Ohhhh, haleta Bianca.

— Je veux seulement voir à quel point votre virginité est bien enchâssée, *cara mia*, la rassura-t-il avant de déplacer son doigt plus profondément dans son fourreau.

Elle était très serrée ; son fourreau était étroit. L'ouvrir allait être divin. Elle sentirait la douleur, car la membrane bloquant le passage de son doigt était solidement fixée. Cette seule idée l'excitait. Elle geignit, et il retira son doigt.

— Allons, allons, l'apaisa-t-il.

« Y a-t-il la moindre échappatoire ? » se demanda Bianca au cours des jours suivants. Non, il n'y en avait pas. Elle appartiendrait à cet homme jusqu'à sa mort et elle n'aurait pas d'enfant pour la réconforter, pour la distraire de lui. Elle n'avait jamais vu le *palazzo* où elle résiderait après la cérémonie de mariage. Elle savait que son fils cadet vivait avec lui, mais le garçon venait d'être fiancé à Caroline de Médicis, une parente lointaine de Cosme.

Stefano, qui avait épousé Violetta Orsini en octobre, avait reçu de ses beaux-parents un charmant petit *palazzo* où vivre avec sa nouvelle épouse. Le beau-père de Stefano connaissait bien la sombre réputation de Sebastiano Rovere et ne voulait pas que sa fille vive dans la maison de cet homme. Également marchand de soie, le *signore* Orsini se demandait comment Rovere avait réussi à obtenir la main de la belle Bianca Pietro d'Angelo de son père habituellement prudent. Il avait pitié de la pauvre fille.

Bianca savait qu'elle pouvait demander à voir sa nouvelle résidence, mais elle s'en abstint. La voir aurait fait de sa vie une réalité. Cependant, elle se demandait si les jardins étaient aussi beaux que ceux de son père, car comme la plupart des femmes mariées respectables, elle ne quitterait pas sa maison, sauf en de rares occasions. Ses domestiques veilleraient aux courses. Sebastiano Rovere était un homme extrêmement conservateur et il lui avait dit très franchement qu'un prêtre allait venir et dire la messe quand elle le souhaiterait. Il n'y avait pas d'église sur sa *piazza*. À moins d'un mariage ou de funérailles, il était peu probable qu'elle revoie un jour ses sœurs, bien qu'elle sache que son père, étant moins traditionnel, permettrait à sa mère de lui rendre visite.

— Vous viendrez demain, dit Bianca à Orianna tandis qu'on l'habillait pour son mariage.

— Pas demain, mais dans quelques jours, promit Orianna à sa fille en se disant en même temps à quel point sa fille était belle dans sa robe de mariée.

Elle était en soie, évidemment. Une étoffe très rare, car elle n'avait pas été importée de Chine, comme tous les rouleaux dans l'entrepôt de son mari l'étaient. Elle avait été tissée avec le fil des vers à soie qu'élevait lui-même Giovanni Pietro d'Angelo dans un jardin secret de mûriers à l'extérieur de la ville. Il y avait assez de soie cette année pour une robe, sans plus. D'un blanc pur, le corsage ajusté avec son décolleté carré était brodé de perles sur de la dentelle. Les manches étaient de soie bordée de dentelle, abondamment brodées de fil d'or et de perles.

L'ourlet de la jupe longue était garni de dentelle. La longue chevelure noire de Bianca flottait dans son dos, et elle portait une unique rose blanche dans sa main.

Toute sa fratrie allait recevoir la permission d'assister à la cérémonie à Santa Anna Dolce, un privilège rare, mais Giovanni Pietro d'Angelo était fier de sa famille. Un événement comme celui-ci offrait aux hommes importants et à leurs femmes l'occasion de voir les enfants forts et en santé qu'Orianna et lui avaient engendrés. Il devrait bientôt trouver une femme pour Marco. Georgio serait donné à l'Église l'an prochain. Il était intelligent, et Giovanni ne doutait pas qu'il porterait un jour la cape rouge des cardinaux. Avoir un cardinal dans la famille était une chose utile, comme le découvraient en ce moment les Borgia, à Rome.

Mais ce jour était pour Bianca et son mariage avec Sebastiano Rovere. Bien que sa conscience le troublât encore avec cette union, il s'était, comme sa fille, résigné. Rien ne pouvait être changé maintenant.

Chapitre 3

En raison du moment de l'année, un auvent courait entre le *palazzo* de la famille Pietro d'Angelo et le sommet des marches de Santa Anna Dolce, traversant la *piazza*. Une pluie légère et froide tombait quand le marchand de soie conduisit sa fille aînée vers son destin. Sa femme et ses enfants les avaient précédés et, maintenant, ils patientaient dans l'église bondée. Malgré la cape bordée de fourrure qui avait été posée sur ses épaules pour la protéger, Bianca avait froid, et le vêtement lui fut retiré dès qu'ils entrèrent dans le bâtiment.

Son père la conduisit dans l'allée de l'église devant des gens anonymes qu'elle ne connaissait pas. Certains lui souriaient. D'autres se contentaient de s'émerveiller de la beauté extraordinaire de la fille. Certains murmuraient des propos à leurs compagnons d'un air entendu. Bianca était engourdie. Elle aurait sous peu la bénédiction de l'Église pour son mariage. Elle n'en voulait pas ! Elle ne voulait pas de cette union. Elle était terrifiée par Sebastiano Rovere, qui l'attendait à présent debout à l'autre extrémité de l'allée avec un sourire tout en dents ornant son visage sombrement séduisant, son désir à peine dissimulé.

Son père déposa la main de sa fille dans celle de Rovere. Bianca se souvint de le saluer d'un petit signe de tête. Ils s'agenouillèrent sur l'ordre du père Bonamico. Elle répondit lorsque c'était requis, mais elle n'entendit pas réellement les paroles prononcées. Elle savait seulement d'instinct ce que l'on attendait d'elle et accomplissait son devoir. C'était tout ce que l'on voudrait d'elle à compter d'aujourd'hui. Qu'elle accomplisse son devoir.

Et une fois que l'Église eut fait ce que l'on attendait d'elle, Bianca et son nouvel époux précédèrent la famille de la mariée et les invités sur la place jusqu'au *palazzo* Pietro d'Angelo où des tables couvertes des plus belles nappes et décorées de candélabres dorés avaient été installées dans la *sala da pranzo* pour les réceptions. Bianca n'avait jamais mangé un repas dans cette salle à manger, avec ses murs couverts de fresques et son plafond à caissons. Leur famille mangeait dans une salle plus petite et plus intime. C'était ici que son père recevait ses visiteurs. Demain, il y aurait un autre banquet de mariage offert pour elle par son mari dans sa nouvelle demeure.

Le menu était élaboré, avec plusieurs types de pâtes alimentaires et de salades, des viandes rôties et des volailles. Il y avait du pain fraîchement cuit et des vins riches. Au contraire de plusieurs autres, Giovanni Pietro d'Angelo ne servait pas d'abord ses meilleurs vins et ensuite, ses plus mauvais en croyant comme tant d'autres que personne ne le remarquerait. Il ne servait que ses meilleurs vins pendant tout le festin, ce qui amena le nouveau marié à trop s'imbiber.

Sebastiano Rovere savait qu'il buvait trop, mais ce soir, il semblait incapable de s'en empêcher. Bientôt, très vite,

Bianca serait allongée nue dans son lit, à sa merci. La pensée de sa frayeur, de ses cris pendant qu'il lui prendrait sa virginité, l'excitait presque au-delà du supportable. Et elle craignait ses attentions, il le savait. Elle acceptait ses baisers assez facilement à présent, mais quand ses mains vagabondaient sur son jeune corps nubile, une expression traversait son visage, et elle luttait pour ne pas le lui interdire, même s'il savait qu'elle avait envie de le faire.

Il tourna la tête à présent pour la regarder. Le décolleté de sa robe de mariée avait été taillé particulièrement bas. Ses jeunes seins ronds débordaient presque au-dessus du liseré de dentelle, et il avait vu plusieurs hommes dans la salle ce soir admirer le spectacle.

« Petite putain, songea-t-il. Elle apprendra vite de ma main les conséquences de son aguichage. »

Son fils de quatorze ans, Alberto, était incapable de détourner les yeux du décolleté tentant de Bianca. Alberto avait besoin d'une épouse. Stefano avait dit à leur père que le jeune diable réussissait à peine à garder son pénis dans ses chausses en ce moment. Sebastiano rit. Alberto était comme son père.

Il était temps de rentrer à la maison. Ils étaient restés assez longtemps pour satisfaire la coutume, et il voulait maintenant baiser Bianca. Il se leva de sa chaise, tendant la main pour relever Bianca également.

– Mes amis, dit-il d'une voix pâteuse, il est temps pour moi d'emmener ma femme au lit. Je vous remercie tous d'être venus et j'attendrai avec impatience d'avoir votre compagnie à notre propre banquet de mariage demain.

Bianca avait l'air d'une jeune biche prise par un chasseur. Orianna rejoignit vite sa fille.

— Je vais veiller à l'installation de ma fille dans sa litière, *signore*, dit-elle avant d'entraîner Bianca hors de la *sala da pranzo*. Vous savez ce que l'on attend de vous, dit Orianna d'un ton pratique qui, espérait-elle, calmerait Bianca. Je vous ai soigneusement instruite, ma fille, et je sais qu'il a mis ses mains partout sur vous au cours des derniers mois. Peu importe ce que vous faites, ne montrez pas de peur. La défloration est vite terminée et derrière soi, Bianca. Ensuite, tout ce que vous avez à faire est de le laisser agir à sa guise. Il est dans un tel état que je doute qu'il puisse faire davantage que le strict nécessaire requis de lui ce soir. Puis, une fois que la nouveauté s'estompera chez lui à votre endroit ou si vous réussissez à tomber enceinte rapidement, il est peu probable qu'il vous dérange sauf de temps à autre après cela.

Bianca hocha la tête. Tout semblait si simple pour sa mère, mais ce ne l'était pas.

— Il ne veut plus d'enfant, dit-elle à sa mère.

Orianna sembla choquée. Puis, elle lui dit :

— Cela ne dépend pas de lui. Cela dépend de Dieu.

La litière attendait devant le *palazzo*. Orianna aida sa fille à monter, l'enveloppant dans une robe de laine et de fourrure.

— Agata vous attend, dit-elle. Que Dieu vous bénisse, mon enfant. Je vais venir vous voir dans quelques jours.

Puis, Orianna signala aux porteurs de la litière de se mettre en route. Au moment où son nouveau gendre arriverait chez lui, Bianca l'attendrait dans leur lit conjugal.

Il fallut presque une heure avant que Sebastiano Rovere s'avance pour monter son cheval et qu'avec son fils, Alberto, ainsi que leur escorte armée, il prenne le chemin de sa maison. En arrivant, il trouva le *palazzo* silencieux. Un serviteur ouvrit la porte, accueillant son maître.

– Où est mon épouse ? demanda-t-il.

– Elle a été amenée dans ses appartements quand elle est arrivée, mon seigneur. Sa femme de chambre est avec elle.

– Faites-la immédiatement amener dans mes appartements, ordonna Sebastiano à l'homme.

– Tout de suite, mon seigneur, dit le serviteur en filant.

Atteignant les appartements nouvellement décorés de la femme de son maître, il frappa à la porte et se retrouva presque immédiatement confronté à une femme de chambre au visage sévère.

– Le maître désire que sa femme le rejoigne dans ses appartements, dit-il à la femme.

– Ma jeune maîtresse attend son nouvel époux dans son propre lit.

– Madame, dans cette maison, nous ne remettons jamais en question les ordres du maître, dit doucement le serviteur. Je vous en prie, je vous en supplie, ne me renvoyez pas à lui avec un message semblable. Il peut se montrer particulièrement dur, quand on le défie ou qu'il est ivre. Ce soir, il est ivre.

– Cela est peu orthodoxe, mais attendez pendant que je vois si ma petite dame est convenablement habillée, et ensuite, vous nous montrerez le chemin. Je m'appelle Agata.

– Moi, Antonio ; et je vais attendre, dit l'homme.

Agata traversa les nouveaux appartements de sa maîtresse jusqu'à sa chambre à coucher où Bianca attendait son nouveau mari dans son lit. Elle était nue.

– Votre nouvel époux a envoyé un serviteur afin que vous le suiviez jusqu'à ses appartements, dit-elle d'un ton désapprobateur à la fille.

– Alors je dois y aller, répondit Bianca en se levant du lit.

– Mettez ceci, dit Agata à sa maîtresse en lui tendant un long vêtement de nuit en soie sans fioritures. Le serviteur attend. Je vais vous accompagner, mais retenez bien le chemin, car vous devrez rentrer seule. Je vous attendrai ici, à votre retour.

Bianca enfila la chemise de nuit que lui tendait Agata. N'aurait-il pas dû venir dans sa chambre à coucher pour leur première nuit? Mais alors, elle ne connaissait rien aux nuits de noces. Pieds nus, elle suivit Agata à travers ses appartements et dans le couloir où le serviteur les attendait. À son grand soulagement, il garda poliment les yeux baissés. La soie était très transparente. Elle regarda attentivement où ils allaient. Les appartements de son mari n'étaient pas loin des siens, heureusement, et se trouvaient au bout d'un corridor.

La porte s'ouvrit. Un autre serviteur sortit.

– Si vous voulez bien venir avec moi, maîtresse, je vais vous amener au maître, dit-il poliment. On m'appelle Guido, maîtresse.

– Allez! Allez! murmura Agata. Que Dieu et la Vierge Marie vous protègent.

Bianca suivit Guido dans les pièces personnelles de Sebastiano Rovere. Ils traversèrent une salle de séjour. Le domestique frappa à la porte d'une autre pièce de l'autre côté de la première.

– Maître, elle est ici.

Il ouvrit la porte, et après un instant d'hésitation, Bianca entra. La porte se ferma derrière elle avec la finalité d'une porte de prison.

La pièce était sombre, la seule lumière provenant d'un grand foyer.

— *Signore*, je suis venue à votre demande, dit Bianca.

Ses yeux s'accoutumant à la faible clarté, elle le vit vautré sur un grand lit à baldaquin dans sa robe de mariage, qui était maintenant tachée de vin et de nourriture.

— *Signore*, murmura-t-elle encore, ne sachant pas s'il dormait.

— Retirez ce vêtement, dit-il. Je veux vous voir nue, *cara mia*.

Elle obéit, se sentant déjà couverte de honte par son absence de respect.

Il la fixa et se lécha les lèvres comme s'il anticipait un bon repas.

— Venez plus près, dit-il.

Elle s'approcha, sans savoir exactement comment elle réussit à faire fonctionner ses jambes. Elle était très effrayée et elle pouvait voir qu'en effet, il était ivre du bon vin de son père. Elle avait bu plus qu'elle en avait l'habitude, mais elle ne sentait pas du tout l'effet du vin.

— Tournez-vous. Faites-le lentement, dit-il.

Bianca suivit ses instructions en pivotant sur elle-même sur un tour complet.

— Mettez vos mains sous vos seins et soulevez-les pour moi, dit-il.

Elle était délicieuse. Elle était parfaite. Pendant des mois, sa simple vue, la seule pensée d'elle avait fait rugir son membre de désir. Ce soir, il ne sentait rien. *Rien* ! Sebastiano Rovere était soudainement furieux.

Elle vit la colère marquer son visage.

— Ne vous plais-je pas, mon mari ? lui demanda-t-elle.

Était-il en colère contre elle ? Qu'avait-elle fait ? Il tendit la main vers quelque chose sur la table à côté du lit. Bianca vit qu'il s'agissait d'un petit fouet à chien. Ses yeux s'arrondirent de surprise tandis qu'il se levait, puis, la tournant, il la poussa en avant, le visage sur le lit. Elle sentit le fouet sur ses fesses et hurla autant de surprise que de douleur. Cependant, la battre ne l'aida pas. Il ne l'avait pas battue avec suffisamment de force pour fendre la peau, mais elle sanglotait pitoyablement, et il trouva cela agaçant.

— Que m'avez-vous fait, petite putain, que je ne peux pas m'exécuter comme un homme maintenant ?

— Je n'ai rien fait, mon mari, pleura-t-elle.

— Vous avez fait quelque chose ! siffla-t-il. Je vous désire depuis des semaines, mais ce soir, ma passion est morte. Cela ne serait pas ainsi, si vous ne m'aviez pas fait quelque chose. Est-ce un sort que vous avez murmuré ou quelque chose que vous avez versé dans mon vin, Bianca ? Répondez-moi !

— Je n'ai rien fait, lui dit-elle en s'assoyant pour l'affronter.

— Vous devez être punie pour cette méchanceté, *cara mia*. Je peux voir que vous avez peur de perdre votre virginité. Toutes les nouvelles mariées ressentent la même chose. Si je ne peux pas faire ce qui est nécessaire ce soir, quelqu'un s'en chargera. Ensuite, vous n'aurez plus peur, et ma virilité reviendra. Guido !

Le valet passa la tête par la porte de la chambre à coucher.

– Maître ?

– Va chercher mon fils, Alberto, et dépêche-toi ! cria Sebastiano Rovere.

Guido disparut, pour revenir quelques instants plus tard avec le jeune Alberto. Il avait trouvé le garçon sur le point d'user des charmes de Nudara et se demanda si son maître était au courant.

Il poussa Alberto dans la chambre à coucher de son père et ensuite, fermant la porte, colla son oreille dessus pour écouter. Qu'allait faire le maître ?

– Elle m'a jeté un sort dans sa crainte, dit le père Rovere à son fils. Vous prendrez ma place et la déflorerez. Avez-vous déjà pris une vierge, mon fils ?

– Non, père, répondit le garçon.

Son jeune pénis était dur, avec une furieuse envie de plaisir.

– Bien, vous vous marierez l'an prochain et, pour votre bien, vous devriez savoir ce que c'est que de baiser une véritable vierge pour la première fois, dit Sebastiano Rovere.

– Père…

Le jeune garçon hésita.

– C'est votre nuit de noces et votre nouvelle épouse. N'aimeriez-vous pas prendre vos droits de cuissage avec elle ?

Il pouvait voir que son père était très ivre.

– Baisez cette petite putain, sinon vous n'êtes plus mon fils, dit Sebastiano. Ce n'est qu'une fois que vous l'aurez bien labourée que ce sort qu'elle m'a jeté disparaîtra. J'en suis certain !

— Si vous commettez cet inceste, vous commettez un péché mortel, dit Bianca pour prévenir les deux hommes.

Elle se précipita de l'autre côté du lit, cherchant une issue, mais il n'y en avait pas.

— Mettez-vous à quatre pattes, espèce de petite putain! lui ordonna son nouvel époux.

Sa main se ferma sur sa longue chevelure, l'obligeant à revenir et à se mettre dans la position requise.

Alberto hésita quand Bianca commença à trembler. Quand elle tourna un visage taché de larmes vers lui dans une supplique muette, il sentit tout son désir s'évanouir soudainement. Malgré son jeune âge, il était aussi lubrique que son père, mais il ne pouvait tout simplement pas faire cette chose qu'on exigeait de lui. Elle était sa nouvelle belle-mère, et c'était de l'inceste. Alberto craignait l'Église peut-être encore plus qu'il craignait son père. Son pénis se tassa sur lui-même.

— Je ne peux pas faire cela, *signore*. Je ne peux pas, c'est tout!

Il recula loin de Bianca.

Sebastiano Rovere commença à battre son fils avec ses poings.

— *Cordado*, gronda-t-il. Vous me désobéiriez?

Il roua son fils de coups sans pitié.

Tremblant encore, Bianca se retourna et réussit à adopter une position à moitié assise.

— Sebastiano, je vous supplie de cesser de battre notre fils. Il n'a fait que ce qui est juste.

Ses gentilles paroles coupèrent court à sa fureur, mais il la retourna contre elle, la giflant violemment plusieurs fois tandis qu'Alberto saisissait cette occasion pour descendre discrètement du lit et fuir la pièce.

— Putain! Comment osez-vous me donner des ordres?

Plusieurs coups supplémentaires suivirent sa question.

— Votre mère ne vous a-t-elle pas enseigné à respecter votre mari, Bianca? Vous allez maintenant apprendre votre rôle ou, que Dieu m'en soit témoin, je vais vous tuer de mes mains nues. Vous ne serez pas la première femme désobéissante à qui j'aurai eu affaire.

Il la tira sur ses cuisses et commença à fesser son derrière excitant jusqu'à ce qu'il soit rouge vif et qu'elle sanglote sans pouvoir s'arrêter à cause de la douleur cuisante et brûlante qu'il infligeait à sa chair sans défense.

— Sebastiano, Sebastiano, vous me faites mal, cria Bianca. Arrêtez — je vous en supplie! Arrêtez, je vous en prie!

Elle se tortilla dans une tentative d'échapper à sa punition.

— Putain, siffla-t-il. Je vais vous le dire quand le moment sera venu d'arrêter, dit-il férocement, mais en même temps, il se rendit compte que son pénis était soudainement aussi dur que de l'acier.

La faisant rapidement rouler en bas de ses cuisses et sur le dos, il chevaucha sa nouvelle femme.

Elle gémit quand il plongea en elle et commença à bouger en rythme à l'intérieur d'elle. Elle hurla quand il força son hymen, la douleur abrutissante la submergeant brièvement avant, heureusement, de s'estomper. Le visage de Bianca était mouillé de larmes. Ses yeux étaient fermement clos. Elle était plus serrée que toute autre femme qu'il avait déjà connue. Les murs de son fourreau l'étranglaient presque. C'était merveilleux, et il se découvrit incapable de cesser de la baiser.

– Ouvrez les yeux, lui ordonna-t-il. Je veux que vous me voyiez pendant que je me sers de vous. Vous êtes délicieuse, *cara mia* !

Bianca était maintenant allongée en silence sous lui, les yeux encore fermés.

– Désobéissez-moi, dit-il d'un ton plaisant, et j'ai des moyens de vous punir que vous n'aimerez pas, *cara mia*. Maintenant, ouvrez les yeux pour moi, Bianca, et plus tard, je vous donnerai votre cadeau de mariage en récompense.

Elle ne voulait pas qu'il recommence à la battre. Bianca ouvrit les yeux et le regarda. Elle lutta pour garder le regard neutre afin qu'il ne voie pas la haine qu'elle ressentait à présent pour lui. Elle n'aimerait jamais cet homme. En effet, elle le détesterait toujours. Il l'avait obligée à commettre un péché mortel. Comment pouvait-elle confier un tel secret à un prêtre ? Elle ne lui pardonnerait jamais ni ne se pardonnerait à elle-même d'avoir cédé à sa nature dépravée. Il vaudrait mieux qu'elle soit morte.

– Vous avez les plus beaux yeux du monde, lui dit-il. Je n'ai jamais vu une telle couleur auparavant, *cara mia*.

Il continua à la baiser en lui parlant.

– À l'évidence, il y avait un homme du nord dans votre famille, Bianca. Pensez-vous que votre ancêtre a été violée par l'un d'eux ou qu'elle l'a épousé ? Le savez-vous, *cara mia* ? Y a-t-il une légende sur lui dans l'histoire de votre famille ?

Cette idée l'excitait, mais soudainement, il fut à son paroxysme. Son jus l'inonda, et il tomba à côté d'elle en gémissant.

– Dormez maintenant, lui dit-il. Nous allons refaire l'amour quand j'aurai retrouvé mes forces.

Faire l'amour ? Était-ce ainsi qu'il appelait ce qui venait de se produire ? S'éloignant de lui, elle se recroquevilla en position fœtale et dormit pour refouler sa honte et sa déception. Mais deux fois encore cette nuit-là, Bianca fut réveillée par son mari afin qu'il puisse satisfaire son désir pour elle. Après la troisième fois, il lui dit de retourner à ses propres appartements. Reconnaissante, la fille se couvrit de son peignoir en soie et, se glissant hors de la chambre à coucher, elle retrouva ses propres quartiers où Agata l'attendait.

Voyant le visage de sa jeune maîtresse, Agata ne dit rien. Au lieu de cela, elle entraîna Bianca vers la pièce destinée aux bains, elle la lava et, ensuite, la ramena dans sa chambre où elle lui fit avaler un verre de vin avec une potion pour dormir. Le sommeil allait remonter le moral de la fille ; Agata voyait qu'elle était extrêmement malmenée, mais ce n'était que temporaire. Bianca était une Pietro d'Angelo et elle ne s'effondrerait pas.

Bianca dormit jusqu'au lendemain après-midi. Elle fut réveillée pour revêtir une robe de velours bleu saphir brodée d'or et de cristaux, car leurs invités étaient attendus sous peu. Son mari entra chez elle sans être annoncé, amenant avec lui un boîtier de cuir rouge foncé. Il lui sourit et il hocha la tête en guise d'approbation de sa tenue.

– Je vous ai apporté votre cadeau de mariage, dit-il. Vous le porterez ce soir, lorsque nous recevrons.

Ouvrant le boîtier, il en exposa le contenu pour elle. Niché dans la doublure de satin ivoire du boîtier, il y avait un magnifique collier d'aigues-marines serties dans une monture d'or. Les pierres étaient grosses, d'une taille presque vulgaire, mais la couleur était pure.

— La première fois que j'ai vu vos yeux, j'ai décidé que vous deviez posséder un collier comme celui-ci, lui dit-il en attachant le bijou autour de sa gorge. Plus tard, lorsque nous serons seuls, vous le porterez pour moi, nue, avec vos cheveux flottant librement.

Il l'embrassa sur le côté du cou.

— Si cela vous fait plaisir, Sebastiano, dit doucement Bianca en réprimant un frisson.

Pouvait-il entendre le venin dans sa voix ?

— J'aime le son de mon nom sur vos lèvres, lui dit-il.

Il installa les boutons d'oreilles assortis dans ses oreilles.

— Et, oui, cela me plairait beaucoup.

Là, il lui embrassa les lèvres.

« *Madre di Dio !* Est-ce ainsi que les choses vont se passer ? » s'interrogea Bianca.

Il ignorait totalement son dégoût pour lui. Le collier semblait lui brûler la peau. Ou bien était-ce son baiser ?

— Nos invités vont commencer à arriver. Allons les accueillir ensemble, dit-il, prenant son bras pour l'entraîner hors de la pièce.

C'était sa première véritable fête et, étrangement, ce fut la compagnie qui fit que Bianca y prit plaisir. Ils furent honorés par la présence de Laurent de Médicis, actuel chef de la grande maison de Médicis, qui avait hérité de ce rôle de son père décédé, connu sous le nom de « Pierre le Goutteux », fils de Cosme. Bien qu'il soit considéré comme laid selon les diktats de son époque, avec ses sourcils foncés broussailleux, son long nez plat et sa mâchoire large qui pointait en avant, ses yeux sombres étaient intelligents, et sa longue chevelure noire lisse et épaisse, qu'il portait aux épaules et séparait au milieu, était admirée. Il était connu pour sa bonté, ses prouesses athlétiques et son intellect. La maison de Médicis n'avait jamais eu un tel chef. La fortune des Médicis, leurs talents de banquiers et leurs sages conseils en faisaient la famille la plus influente de Florence.

Il était gentil et courtois. Sachant qu'il s'agissait de la première véritable fête d'adulte de Bianca, il avait insisté pour être assis à sa droite plutôt qu'à la droite de son mari.

– Pourquoi voudrais-je m'asseoir à côté de vous, Sebastiano, quand il y a une aussi belle jeune femme à l'autre bout de la table ?

Bien que déçu, Sebastiano Rovere était content que de Médicis ait remarqué sa nouvelle épouse. Elle donnait déjà de la stature à sa maison.

– Mon seigneur, vous être très bienveillant, lui dit Bianca.

Les yeux sombres de Laurent de Médicis pétillèrent.

– Pendant que je suis avec vous, *signora*, aucun autre homme dans cette salle ne vous fera la cour et, de fait, provoquera la colère de votre mari. Ce moment devrait en être un de bonheur pour vous. Vous êtes outrageusement belle, vous savez. Comment diable Rovere a-t-il obtenu un trésor tel que vous, *cara* ? J'avais entendu dire que votre fière mère souhaitait vous marier à Venise et que votre grand-père princier prenait déjà en considération certaines familles.

– Mon père avait une immense dette envers mon mari, mon seigneur, admit Bianca. Je ne devrais pas dire cela à qui que ce soit, mais pour une raison qui m'échappe, je vous fais confiance. Vous avez un visage bon.

– Vos secrets sont en sécurité avec moi, *cara*, répondit-il avec un petit rire. Vous trouvez donc mon visage bon, hein ? Ni mon frère ni moi ne sommes considérés comme très séduisants. De leur côté, on considère mes enfants comme étant très beaux, particulièrement à cause de leur mère. Ils n'ont pas mon visage.

– Je ne le saurais pas, mon seigneur, admit Bianca. J'ai mené une vie des plus isolées jusqu'à hier. Mon mari dit que je serai bien cloîtrée pour ma propre sécurité, car la ville peut être un endroit rude.

– Je ne peux pas blâmer Rovere de vous garder près de lui, *cara*. Il a raison. Florence est une belle, mais dangereuse ville ; je soupçonne cependant que le monde viendra à vous.

Tendant la main, il tâta son collier.

– Je collectionne les objets rares et beaux, *cara*. Votre collier est tout à fait spectaculaire. Un cadeau ?

– Un cadeau de noces de mon mari, admit Bianca.

– Les pierres sont parfaitement assorties à vos yeux. Il est incroyable qu'il ait pu trouver des pierres aussi parfaites, dit de Médicis. Je les aurais peut-être fait tailler un peu plus délicatement, mais c'est une pièce saisissante, et vous la portez bien.

– Il est vulgaire, s'entendit dire Bianca.

Laurent de Médicis rit.

– Oui, en effet, mais vous ne devez jamais lui dire cela. Je suis certain qu'il s'est donné beaucoup de mal pour trouver les pierres, *cara*.

Après le départ de leurs invités, son mari vint dans ses appartements pour lui dire qu'il était très content de l'excellente impression qu'elle avait faite sur ses invités, particulièrement sur de Médicis.

— Ils sont enviés, mais ils détiendront toujours le pouvoir dans cette ville, aussi longtemps qu'ils le désireront, ma femme. Souvenez-vous-en. Avoir l'amitié des Médicis n'est pas rien.

— Je suis contente de vous avoir satisfait, Sebastiano, lui dit Bianca.

— Vous allez venir dans ma chambre à coucher dans une heure, dit-il avant de la quitter.

— *Madre di Dio !* J'avais espéré être épargnée ce soir, dit Bianca quand il fut parti.

— Vous êtes restée avec lui pendant presque toute votre nuit de noces, remarqua Agata. N'avez-vous pas aimé sa passion ?

— C'est un monstre, répondit Bianca. Penses-tu que ma mère viendra demain ? J'ai vraiment besoin de discuter avec elle.

— Peut-être, dit Agata avant de donner à sa maîtresse un petit verre de vin pour lui calmer les nerfs.

Prendre un homme pour la première fois était toujours difficile, et cela, particulièrement pour une fille qui avait été aussi protégée que les filles Pietro d'Angelo. Avec le temps, Bianca s'habituerait aux attentions de son mari. Il se pouvait même qu'elle finisse par aimer cela. C'était le cas de nombreuses femmes.

Quand l'heure sonna, elle escorta sa maîtresse jusqu'à l'appartement de son mari, où Guido l'attendait pour accompagner sa nouvelle maîtresse dans la chambre à coucher.

En entrant, Bianca fut choquée de voir une femme nue dans le lit de son mari. Était-ce sa maîtresse ? Elle pivota pour partir, mais la voix tranchante de son mari l'arrêta.

— Retirez votre peignoir et venez ici me rejoindre, dit-il.

Il était nu, debout à côté d'une bonne flambée dans le foyer.

Bianca retira le vêtement d'un coup d'épaule et marcha jusqu'à lui.

— Qui est cette femme, Sebastiano ? lui demanda-t-elle.

— Elle s'appelle Nudara, et c'est mon esclave, dit-il.

— J'ignorais que vous gardiez des esclaves dans cette maison, Sebastiano. Ma famille ne garde pas d'esclaves. C'est une pratique cruelle, répondit Bianca.

— Les esclaves sont une partie nécessaire de ma maisonnée, lui répondit-il. Ce n'est pas votre rôle que de critiquer ma manière de la diriger. Nudara me satisfait bien.

— On m'avait dit que vous entreteniez une maîtresse, Sabina Cadenza. Vous en êtes-vous débarrassé pour cette esclave ? s'enquit Bianca, incapable de taire le mépris dans sa voix.

Il l'entendit et il la gifla légèrement sur la joue.

— Soyez prudente, *cara mia*, la prévint-il. Je me séparerais difficilement d'une femme qui m'apporte un prestige public auprès de mes pairs. Je vous ai épousée pour polir encore davantage ma réputation, mais mes appétits sont grands et variés. On doit s'en occuper en privé. Ces appétits sont sous la garde de Nudara. Elle est des plus appliquées dans ses devoirs, dit-il avec un petit rire. Maintenant, mettez-vous au lit avec elle, Bianca. Je vais nous apporter un peu de vin et vous rejoindre.

— Elle veut vous désobéir, mon seigneur, dit Nudara d'une voix embrumée. Ne voulez-vous pas venir ici et vous allonger avec moi, jolie maîtresse ? Je vais vous rendre aussi heureuse que mon maître. Il nous suffit d'apprendre ce qui vous satisfait.

Son ton était doux, mais Bianca entendit le poison sous le murmure suave.

Avant que Bianca puisse même réfléchir à une réponse pour cette créature, elle sentit la piqûre du fouet à chien de son mari sur ses fesses et elle cria en signe de protestation.

– Montez sur le lit, gronda-t-il en la poussant vers le meuble.

Impuissante, elle tomba dessus à la renverse.

Nudara gloussa et tira Bianca afin que tout son corps soit sur le lit.

– Laissez-moi sucer ses seins, maître, supplia l'esclave.

– Tu es tellement avide, rit Rovere. Oui, oui ! Vas-y et donne-toi du plaisir. Tu devras bientôt m'en donner à moi.

– Non ! hurla Bianca, poussant la femme loin d'elle et luttant pour s'asseoir.

Nudara fit la moue, déçue.

– On doit la flageller, maître. Elle ne veut pas jouer avec moi. Lui permettrez-vous de défier vos ordres ?

Sebastiano Rovere rejoignit le lit avec un verre de vin. Il le but goulûment, puis il mit le verre de côté et monta sur le lit pour rejoindre les deux femmes.

– Elle est inexpérimentée, Nudara. Nous devons prendre notre temps pour l'éduquer.

Il s'installa confortablement, mettant des oreillers bien rembourrés dans son dos tandis qu'il adoptait une position assise. Les jambes écartées, il traîna Bianca afin qu'elle soit assise avec le dos appuyé contre lui.

— Vous ferez ce que je vous dis, Bianca, sinon vous serez battue. D'abord avec une lanière en cuir qui enflammera votre derrière, puis si vous n'avez pas encore appris votre leçon, je manierai le fouet à chien avec suffisamment de force pour fendre votre peau. Le résultat sera douloureux, je vous l'assure.

Ses doigts pincèrent ses mamelons en guise d'avertissement.

Bianca grimaça de douleur.

— Me comprenez-vous, *cara mia* ? Obéissez, sinon je vous battrai, murmura-t-il dans son oreille. Savez-vous que la douce jonction entre vos fesses réchauffe mon pénis ?

Il déposa un baiser sur son épaule nue. Puis, son regard se tourna vers Nudara.

— Lèche-la et prépare-la à être baisée. Mon membre commence à remuer vigoureusement. Écartez largement les jambes, Bianca.

Ses pouces commencèrent à caresser ses mamelons.

Bianca avait honte de se découvrir très effrayée. C'était déconcertant, d'apprendre qu'elle n'était pas une fille courageuse. Elle le croyait lorsqu'il disait qu'il allait la battre et rendre sa punition très douloureuse. Elle ne voulait pas être battue. Elle ouvrit les jambes et elle fut horrifiée en voyant Nudara ramper entre elles. C'était pire, et elle ne put retenir le petit cri qui s'échappa d'elle quand la langue de Nudara commença à la lécher sur son endroit le plus intime.

Son mari commença à murmurer à son oreille.

— Je sais à quel point sa langue peut être experte, *cara mia*. Son côté plat caressera l'intérieur de vos lèvres d'en bas, *cara mia*. Son petit bout pointu excitera votre bouton d'amour jusqu'à la passion. Et quand votre jus commencera à couler, et cela se produira, je vais enfoncer profondément mon pénis en vous et vous baiser jusqu'à ce que vous criiez votre plaisir. Vous me donnerez ce plaisir, Bianca, *dolce*, que vous le souhaitiez ou non. Vous ne pouvez pas me le refuser. *Je ne permettrai pas d'en être privé !*

Cependant, elle l'en priva. Son jus coula, c'est ce que la langue taquine de Nudara l'obligea à faire, mais Bianca resta immobile entre ses bras, froide comme de la glace. Elle ne sentit rien d'autre que de la révulsion. Son pénis se flétrit devant son absence de réaction. Il cria son indignation, mais Nudara prit rapidement ce petit bout de chair ratatiné entre ses lèvres et le suça avec force. La repoussant brusquement, il monta ensuite sur Bianca, la baisa jusqu'à ce qu'elle s'évanouisse sous son abus. Il s'activa ensuite à se servir de Nudara, mais après une période satisfaisante de baise, elle l'obligea à jouir, hurlant elle-même son grand plaisir, vantant sa prouesse et le talent de son membre viril.

Quand Bianca reprit enfin ses sens, elle vit son mari et Nudara boire du vin. Les yeux perçants de Nudara virent que sa maîtresse avait repris connaissance. Ils l'obligèrent à boire un petit verre de vin, et Nudara sourit méchamment pendant qu'ils le faisaient.

— Il y a un stimulant dedans, pour vous rendre avide d'être baisée, dit l'esclave à Bianca. Vous avez grandement déçu le maître avec votre hauteur glaciale, mais bientôt, vous le supplierez de vous baiser. Tout d'abord, par contre, vous devez être fouettée pour votre désobéissance, maîtresse.

Et elle rit, très contente d'elle-même d'avoir imaginé ce scénario avec Rovere pendant que la pauvre Bianca était allongée, impuissante et à demi consciente.

– Tuez-moi ! dit Bianca à son mari. J'aimerais mieux être morte que souffrir cet abus de vous et de votre putain.

– Ahh, *cara mia,* Nudara vous bouleverse-t-elle à ce point ? Alors, elle va partir, dit son mari d'une voix bienveillante. Va-t'en, gueuse. Je peux voir que tu t'es beaucoup trop amusée, ce qui ne me plaît pas.

Il poussa l'esclave hors du lit.

Se relevant avec précipitation, Nudara protesta.

– Mais, mon seigneur, je cherchais seulement à vous satisfaire. Nous avons tous bu ce vin épicé maintenant, et j'ai très envie de votre amour !

– Trouve mon fils et laisse-le satisfaire l'envie qui te démange, dit Sebastiano Rovere d'une manière caustique. Pensais-tu que je l'ignorais, Nudara ? Tu es comme une chatte de ruelle. Maintenant, laisse-moi avec ma belle épouse.

Il rit cruellement tandis que la fille quittait sa chambre à coucher en douce. Puis, il se retourna vers Bianca.

– Je ne vous tuerai jamais, *cara mia,* dit-il en se penchant pour embrasser ses lèvres froides. Les épices aideront votre sang à se réchauffer pour moi. Dans mon enthousiasme, je vous ai traitée avec rudesse. Je prends maintenant conscience que vous êtes une créature qui a besoin d'être dorlotée.

Bianca resta allongée en silence. Elle ne trouvait rien à dire pour le moment. Elle ne résista pas quand il commença à caresser son corps. À sa grande honte, le vin commençait à avoir l'effet désiré, mais elle garda les lèvres fermement pressées ensemble, n'émettant pas le moindre son. Elle n'allait pas lui donner la satisfaction de le savoir. S'il croyait que le vin avec son mélange spécial d'épices ne l'avait pas excitée, il n'allait pas, priait-elle, l'utiliser une autre fois avec elle.

Cependant, il lui était difficile de conserver son attitude de détachement. Son corps brûlait soudainement d'un besoin qu'elle ne comprenait pas ni ne désirait. Elle pouvait sentir son endroit secret qui d'abord, s'humidifiait, puis devenait distinctement mouillé à cause de cet étrange besoin. Il semblait embrasser, frotter et caresser chaque centimètre de son corps. Elle se mordit l'intérieur de la lèvre pour empêcher un cri de lui échapper quand il la chevaucha et se poussa dans son fourreau étroit.

– Ah, *cara mia*, gémit-il, comme vous êtes parfaite !

Puis il la baisa jusqu'à ce que son désir personnel explose. Après coup, il remarqua :

– Votre jus était abondant, *cara mia*. À présent, vous voyez à quel point une telle activité peut procurer du plaisir lorsque vous avez très envie de votre mari.

Avec chaque jour qui passait, elle le détestait de plus en plus. Sa mère ne vint pas, et elle apprit par Agata, qui l'avait appris d'Antonio, qu'on avait interdit l'entrée du *palazzo* de Sebastiano Rovere à Orianna d'Angelo chaque fois qu'elle était venue voir sa fille. Bianca était furieuse, mais elle savait que sa colère ne signifiait rien pour son mari.

Il avait le droit de faire tout ce qui lui plaisait et il connaissait bien la loi. Ses droits à elle étaient peu nombreux.

Bianca savait qu'elle devait satisfaire son mari d'une certaine manière particulière afin qu'il lui accorde la permission de voir sa mère. Et elle savait exactement ce qui le satisferait plus que tout autre chose.

Il se faisait un devoir de lui rappeler quotidiennement qu'elle lui appartenait, que c'était lui qui avait son destin entre les mains. Cependant, la seule chose qu'il avait été incapable d'obtenir d'elle après six mois de mariage était ses cris de plaisir. Bianca connaissait bien son mari, à présent. Si elle lui accordait cela, il allait assurément la récompenser, et elle demanderait à voir sa mère. C'était la seule chose qu'elle avait pour négocier.

Cette nuit-là, lorsqu'il la convoqua dans son lit, elle alla à lui, sa longue chevelure sombre et son corps parfumés de l'odeur exotique de la gloire du matin. Elle laissa tomber le peignoir de soie rose qu'elle portait et se glissa dans son lit sans protester. Il fut étonné, haussant un sourcil interrogateur. Bianca haussa nonchalamment les épaules.

– Soudainement, il y a quelque chose de différent en moi, Sebastiano, dit-elle doucement avant de prendre le verre de vin épicé dans sa main, le sirotant lentement jusqu'à ce qu'elle sente la poussée des aphrodisiaques envahir son corps.

Il sourit d'un air entendu.

– Vous voulez quelque chose de moi, dit-il candidement.

– Oui, admit-elle franchement.

– Quoi ? lui demanda-t-il.

– Si je vous satisfais ce soir, vous me donnerez ce que je désire, quoi que ce soit ? dit Bianca.

Ses yeux sombres se plissèrent, mais ensuite, amusé par sa tentative de le manipuler, il accepta. Que pouvait-elle vouloir ? Un bijou ? Une robe neuve ? C'était une fille simple, malgré sa grande beauté.

– Très bien, acquiesça-t-il. Faites-moi plaisir, et je vous donnerai ce que vous voulez, *dolce* Bianca.

Puis, il commença à l'embrasser, et à son grand étonnement, elle fondit dans ses bras, ce qui augmenta au centuple son ardeur. Il ne l'avait jamais connue aussi disposée. Sa main alla sur son sein, et elle émit un murmure de plaisir.

Sebastiano Rovere pouvait difficilement croire ce qui arrivait. Au cours des six mois de leur mariage, elle lui avait résisté. Il avait pris son corps plus de mille fois et, pourtant, il n'avait reçu en retour que de la froideur. Il y avait eu des moments où il avait senti qu'elle n'était pas du tout présente, même après qu'il avait cessé de permettre à Nudara de se joindre à eux pour la faire jouir. Ce soir, elle était malléable entre ses bras, ronronnant presque pendant qu'il l'embrassait et la caressait. Que pouvait-elle bien vouloir pour la conduire jusque-là ?

Il fallut toute sa maîtrise d'elle-même pour ne pas reculer afin d'éviter son contact ce soir.

Bianca détestait les mains qui la caressaient, les doigts qui pinçaient ses mamelons et fouillaient son corps, l'air de possessivité supérieur de son mari. Il la dégoûtait au point où elle dut secrètement ravaler la bile qui lui remontait dans la gorge. Au lieu de cela, elle se concentra sur l'obtention de ce qu'elle voulait ; il lui avait promis n'importe quoi si elle le satisfaisait.

– Oh, Sebastiano ! murmura-t-elle quand sa bouche se ferma sur un mamelon.

C'était sûrement ainsi que se sentait une prostituée, pensa tristement Bianca. Cependant, elle tendit ensuite la main en bas pour prendre ses testicules en coupe dans sa petite paume. Comme elle avait envie d'écraser toute la vie en elles alors que les lèvres et la langue de Sebastiano bavaient sur ses seins et son ventre. Au lieu de cela, elle les pressa délicatement, tendrement, excitant son sac avec ses doigts. Puis, elle le libéra pour caresser son pénis, qui était déjà en pleine croissance à cause de son besoin d'elle.

Il gémit.

– Ahh, *dolce* Bianca, *cara mia*. J'ai tant attendu cette nuit !

Puis, se lançant sur elle, il se poussa dans la chaleur étroite et mouillée et commença à la pistonner vigoureusement.

– Je vous adore, *cara* ! Vous êtes à moi et à moi seul !

Il dut se retenir, car il ne voulait pas laisser son jus couler trop vite. Il ralentit la cadence.

Chapitre 4

Bianca relâcha la poigne de fer qu'elle maintenait sur son corps habituellement dans le lit de son mari. Elle laissa les aphrodisiaques dont il l'avait abreuvée prendre le dessus et elle frissonna tandis que ses désirs naturels explosaient en elle. Elle fut renversée par les émotions qui l'assaillirent et elle pensa que si elle pouvait aimer cet homme, comme ce serait merveilleux pour elle. Mais elle ne voulait pas l'aimer. Elle le détestait. Toutefois, ce qu'elle ressentait n'avait pas d'importance. Il devait être satisfait de sa performance ce soir. Il devait croire qu'il avait enfin vaincu sa résistance.

— Oh, *caro mio,* murmura-t-elle avec son souffle chaud dans son oreille. Baisez-moi ! N'arrêtez pas ! Quelle idiote j'ai été de vous résister, mon Sebastiano ! Ahh oui ! Oui ! Oui !

Comme il avait patienté longtemps pour dompter cette fière beauté, et maintenant, elle le suppliait. Il aurait ri à voix haute, si son désir pour elle n'avait pas été si grand. Pour la première fois, il sentit son fourreau se contracter avec de gros frissons autour de son pénis. Il gémit et força les jambes de Bianca à se relever et se placer par-dessus les épaules de sa femme afin qu'il puisse plonger encore de plus en plus profondément dans sa chaleur. Elle commença à crier, et il hurla son cri de victoire sur elle. Jamais n'avait-il connu un tel plaisir avec une femme comme il en connaissait cette nuit avec Bianca.

Elle s'évanouit tandis qu'il se déversait dans son utérus. Il n'y aurait pas d'enfant issu de cette parodie, elle le savait, car Agata lui donnait à boire chaque matin une potion toxique pour empêcher cela. Elle revint rapidement à elle, ses mains le caressant encore et encore pendant qu'elle louait sa passion. Elle réussit à se lever de son lit pour lui apporter d'autre vin épicé. Puis, elle le lava et se lava elle-même, car elle savait qu'il en voudrait encore plus maintenant.

— Vous ai-je satisfait, Sebastiano, *mio amore* ? dit-elle d'une voix ronronnante tandis qu'elle remontait à côté de lui et commençait à caresser son torse large.

— Vous devrez en faire plus avant que je vous accorde ce que vous voulez, *dolce* Bianca, gronda-t-il.

Il avait encore la tête qui tournait.

Bianca gloussa à la manière d'une petite fille.

— Vous êtes un amant fantastique, *caro mio,* et je sais qu'une fois ne suffit jamais pour vous.

Puis, elle lui donna un rapide baiser et elle se glissa entre ses jambes, attrapant son pénis qu'elle commença à sucer des plus vigoureusement. *Madre di Dio* ! Elle était devenue une vraie putain pour lui ce soir. Elle ne réussirait jamais à effacer son odeur puante de sur son corps. Il commença à gonfler dans sa bouche, et elle joua avec ses bourses, laissant ses ongles courir doucement sur elles.

Il gémit, et sa main s'enroula dans la chevelure d'ébène de Bianca.

— Petite sorcière, dit-il d'un ton accusateur. Je ne peux pas croire que vous m'ayez mis en érection aussi rapidement.

— Êtes-vous prêt ? s'enquit-elle.

— Je le suis, dit-il.

Bianca se releva d'une poussée et se mit à genoux en lui présentant son derrière rond.

Il fondit vite sur elle et poussa dans son fourreau avec enthousiasme.

— Ah, oui, *cara mia* ! murmura-t-il à son oreille. J'adore à quel point vous êtes serrée pour moi. C'est pourquoi j'ai ordonné à votre domestique de laver cette petite partie de vous avec de l'alun et de l'eau chaque jour. Afin que vous restiez étroite pour moi, *dolce* Bianca. Seulement pour moi ! Seulement moi ! Aucun autre ne vous baisera jamais.

— Seulement vous, *caro moi* Sebastiano ! cria-t-elle. Oh ! Oh ! C'est trop parfait ! N'arrêtez pas ! Je vous en prie !

Il fut incapable de s'arrêter avec elle ce soir-là. Il la prit cinq fois et, pourtant, il ne fut pas satisfait. Il lui permit de dormir dans son lit, l'y gardant pendant les deux jours suivants pendant qu'il la baisait jusqu'à ce qu'enfin, elle s'effondre sous son désir, même alors qu'il admettait sa satisfaction. Voir Bianca céder si totalement était une chose qu'il n'avait pas escomptée. En vérité, il commençait à se lasser de sa constante résistance. Seul le fait qu'elle charme ses associés en affaires, particulièrement de Médicis, l'avait sauvée, car il avait songé à sa mort. Il avait attiré l'envie du tout Florence en l'épousant, mais elle n'avait été rien d'autre qu'une grande beauté jusqu'à hier soir. Aujourd'hui, cependant, sa capitulation accordée à la nature amoureuse de son mari avait changé tout cela. Il allait peut-être la garder encore un peu jusqu'à ce qu'elle l'ennuie une dernière fois.

Il l'avait portée jusqu'à ses appartements et il avait entendu les cris de sa femme de chambre, qui était venue avec elle de la maison de son père, quand elle avait vu l'état de sa maîtresse.

Pendant plusieurs jours, il n'entendit rien, et puis son propre serviteur, Guido, lui dit que la femme de chambre de sa femme l'avait envoyé dire que lady Bianca parlerait à son mari. Il apporta un bouquet de roses de ses jardins quand il se rendit dans ses quartiers.

— *Cara mia,* dit-il pour la saluer, avant de se pencher pour embrasser ses lèvres tout en lui tendant les fleurs.

Agata les prit immédiatement.

— Sebastiano, dit Bianca d'une voix suave, votre force m'a tout à fait épuisée, mais pas assez pour que j'oublie de vous demander ma récompense.

Elle lui offrit un petit sourire en parlant, sa main sur son bras tandis qu'il s'assoyait à son chevet.

— Vous avez été superbe, *cara mia* et vous méritez tout ce que vous souhaitez de moi, lui dit-il d'une voix sincère. Qu'aimeriez-vous avoir ? Une robe neuve ? Une bague ?

— Je veux ma mère, lui répondit-elle simplement. On me dit que vous lui avez interdit ma compagnie depuis notre mariage. Je suis certaine d'avoir été mal informée et qu'un serviteur idiot a agi de son propre chef. Je ne demande rien de plus de vous que voir ma mère, *caro mio.* C'est une petite faveur, n'est-ce pas ? Et bien moins compliqués et coûteux que le seraient une robe neuve ou un bijou.

Elle lui offrit un autre sourire.

– Quand me reviendrez-vous, *dolce* Bianca ? dit-il. Venir dans mon lit et vous donner comme vous l'avez fait il y a quelques nuits de cela ?

– Je viendrai chaque fois que cela vous fera plaisir, mentit Bianca. Quand me permettrez-vous d'envoyer chercher ma mère afin qu'elle me rende visite ?

– Dans quelques jours, promit-il.

– Et je me joindrai à vous ce soir, si cela vous plaît, lui promit Bianca.

– Cela me plaît beaucoup ! dit-il avec enthousiasme. Faites dire à votre mère de venir dans trois jours, *cara mia*. Tant que vous continuerez à me satisfaire, comment puis-je vous le refuser ?

Il lui sourit de ce sourire carnassier.

– Je vais maintenant vous laisser vous reposer, car vous devriez savoir que ma vigueur est totalement revenue, dit-il en la lorgnant.

Puis, lui embrassant la main, il la quitta.

– Que lui avez-vous fait pour que son humeur soit à ce point changée ? demanda Agata.

– J'ai joué les prostituées, dit crûment Bianca. Va maintenant me chercher mon bonheur-du-jour et le vélin afin que je puisse écrire à ma mère.

Elle rédigea son invitation et elle fut, à son grand soulagement, rapidement expédiée. Antonio l'emporta lui-même et promit de revenir avec une réponse avant la fin de la journée.

Ce soir-là, Bianca alla dans la chambre à coucher de son mari et trouva l'esclave, Nudara, l'attendant.

– *Caro mio* ?

Son ton était interrogateur.

— Nous devons avoir un peu de variété dans notre passion, *dolce* Bianca. À présent que vous avez accepté vos devoirs dans mon lit, j'ai pensé que je devais introduire Nudara pour notre amusement. Je vais même vous permettre de la battre, car c'est une très vilaine gueuse, n'est-ce pas, Nudara ?

Il rit sombrement et il tendit la main à Bianca.

Cela avait été difficile — non, presque impossible — de jouer son amante enthousiaste quand ils avaient été seuls. Maintenant, elle allait devoir le faire en présence de l'esclave, elle qui faisait partie de la passion de son mari. Elle vit la fille la contempler malicieusement comme si elle savait exactement ce que Bianca avait fait — faisait.

— J'aimerais bien la battre, Sebastiano, s'entendit-elle répondre. Je n'aime pas sa façon de me regarder. Elle est trop polissonne pour une esclave.

Sebastiano Rovere rigola. Il aimait beaucoup la nouvelle femme que devenait sa belle épouse.

— Que voulez-vous ? La lanière de cuir ou le fouet à chien ? lui demanda-t-il, curieux de savoir lequel elle choisirait.

— Le fouet à chien, dit gentiment Bianca.

— Mon seigneur, vous ne pouvez pas laisser faire cela ! protesta Nudara.

— Comment oses-tu remettre ton maître en question, ma fille ! lui dit sèchement Bianca.

Elle prit le petit fouet que lui tendait son mari.

— Allonge-toi sur le lit, le derrière relevé pour moi.

— Mon seigneur !

Nudara se jeta aux pieds de Sebastiano Rovere.

Avec un petit sourire mauvais, il releva la fille et la jeta sur le lit, le visage dans les couvertures, lui claquant les fesses en même temps.

— Relève ! Relève, gueuse. Ta maîtresse va maintenant s'occuper de ton châtiment, et je crois qu'elle a raison. Tu es beaucoup trop polissonne.

Elle ne pouvait pas le faire. Elle ne le pouvait tout simplement pas, pensa Bianca. Cependant, elle vit alors le regard avide et impatient dans les yeux de son mari. Se joindre à lui dans sa décadence le lierait de plus près encore à elle, et elle n'avait pas encore vu sa mère. Le fouet descendit sur la chair nue de la malchanceuse Nudara plusieurs fois. Elle fit attention à ne pas fendre la peau de la fille, mais les coups étaient assez violents pour causer de la douleur et forcer la fille à hurler.

Sebastiano en bavait presque d'excitation. Son pénis s'était rapidement érigé avec chaque coup et sous les cris de l'esclave. Quand Bianca s'arrêta après plusieurs coups, il se déplaça derrière l'esclave, agrippant ses hanches, puis il commença à s'enfoncer en elle. Ce ne fut pas son fourreau, cependant, qui accueillit son pénis. Incapable de se retenir, Bianca cria :

— Que faites-vous, Sebastiano ?

— Il y a plusieurs manières de baiser une femme, *cara mia,* lui dit-il. Nous ferons cela un jour ensemble. Donne-toi à moi, Nudara, gémit-il en se poussant en elle. Donne-toi !

— Ohhh oui, maître ! J'adore cela quand vous vous insérez là ! cria Nudara, et son joli visage s'emplit d'un désir sombre. Faites-le ! Faites-le ! le supplia-t-elle.

« *Madre di Dio !* pensa Bianca. Qu'est-ce qui s'ajoutera encore à cette horreur ? »

– Chatouillez-lui les bourses, maîtresse, lui cria Nudara. Cela multipliera son plaisir par dix.

– Suivez ses instructions, *cara mia*, ordonna son mari à Bianca.

« Je suis une putain. Je dois obéir et faire semblant d'aimer cela. »

Ses doigts commencèrent à caresser le sac poilu tombant qui pendait librement, prêt pour son contact.

– Est-ce agréable, *caro mio* ? lui demanda-t-elle. Est-ce que je vous donne du plaisir ?

Et donc, la décadence et le désir sexuel continuèrent toute la nuit et au cours des deux nuits suivantes. Il n'y eut rien que Sebastiano proposa dans l'intimité de sa chambre à coucher que Bianca n'exécuta pas jusqu'à ce qu'elle pense devenir folle. Mais sa mère allait venir ! Elle avait renvoyé un message verbal par l'entremise d'Antonio qu'elle allait venir, et c'était tout ce qui comptait pour Bianca. Sa mère saurait comment l'aider à échapper à cet enfer sur terre dans lequel elle avait été projetée de force. Et si elle ne pouvait pas fuir, Bianca comptait prendre sa propre vie, car elle ne savait pas pendant combien de temps encore elle pouvait poursuivre cette mascarade avec son mari et son esclave. La nuit dernière, il avait pris plaisir à regarder les deux femmes, leur ordonnant d'embrasser et de sucer, lécher et caresser le corps de l'autre. Et quand il s'était repu, il leur avait parlé d'un homme qui élevait des ânes miniatures qu'il entraînait à monter des femmes et à les pilonner. Il songeait à en acheter un.

Nudara, évidemment, avait tapé des mains en entendant sa suggestion, lui demandant s'il avait vu la taille du pénis du petit âne et curieuse de savoir s'il était gros. Sebastiano Rovere avait ri d'un air entendu et lui avait assuré que le pénis de l'âne était suffisamment gros pour satisfaire même sa gueule avide. Puis, il avait dit à l'esclave de revêtir un faux membre masculin en cuir et il l'avait regardée pendant que Nudara s'en servait pour baiser Bianca. Bianca déçut son mari quand elle ne sembla pas capable d'en tirer du plaisir, mais elle se racheta vite en disant que seul son magnifique pénis pouvait lui donner du plaisir. Il avait ensuite répondu à l'attente qu'elle disait avoir, ses cris apparemment authentiques le ravissant.

Bianca frissonna à ce souvenir. Elle se baigna, s'habilla et demanda à Agata de coiffer simplement sa chevelure foncée. Puis, elle envoya sa femme de chambre attendre l'arrivée de sa mère. Son mari était parti pour la cour ce matin, se préparant à plaider une affaire importante. Il était d'excellente humeur et totalement prêt à gagner. Elle serait libre de son interférence. Agata revint, emmenant Orianna d'Angelo avec elle. Les deux femmes tombèrent dans les bras l'une de l'autre.

Orianna fut bouleversée par l'apparence de sa fille aînée. Elle était anormalement pâle. Il y avait des cernes noirs sous ses yeux. Sa chevelure ébène, bien que joliment coiffée, semblait terne, et elle avait perdu du poids.

— Que vous est-il arrivé, Bianca ? s'écria-t-elle.

Au son de la voix familière de sa mère, Bianca éclata en sanglots.

– *Madre ! Madre* ! Vous devez m'emmener loin de cette maison avant qu'il me tue avec ses excès ! Je ne peux plus en supporter davantage ! J'ai essayé pour le bien de notre père, pour le bien de mon frère, mais je vais mourir si je ne peux pas échapper à cet homme. Vous devez m'aider ! *Vous le devez !*

Et elle se poussa dans les bras de sa mère en continuant de pleurer.

Orianna se tourna vers Agata.

– Qu'est-il arrivé à ma fille ? demanda-t-elle à la femme de chambre.

– Maîtresse, je ne le sais pas, dit Agata. Elle ne veut pas en parler, mais je crois qu'elle est cruellement abusée par son mari quand elle est dans son lit. Il y a une malicieuse esclave mauresque dans la maison, et Antonio me dit qu'il l'emmène dans la chambre à coucher conjugale. Et *il* ne vient jamais dans les appartements de ma jeune maîtresse. On l'envoie toujours chercher pour qu'elle vienne à lui.

– Bianca, dit doucement Orianna, vous devez me raconter tout ce qui s'est produit. Je ne peux pas vous aider si vous ne le faites pas. Me comprenez-vous ?

Elle releva le visage taché de larmes afin que leurs yeux se croisent.

– *Tout.*

– J'ai tellement honte, murmura Bianca. J'ignorais que les gens pouvaient se faire de telles choses les uns aux autres, *madre*. Il ne m'a pas permis de voir un prêtre afin que je puisse me confesser et au moins me soulager de cette culpabilité. Oh, *madre* ! Je ne crois pas que vous avez déjà entendu parler des choses qu'il m'a faites. Cela a commencé le soir de notre mariage.

Puis, la jeune femme expliqua à sa mère en détails minutieux tout ce qui était arrivé dans la chambre à coucher sombre de Sebastiano Rovere.

Orianna, tout comme Agata, écouta avec un degré croissant d'horreur tandis que Bianca parlait. La mère pressa les lèvres ensemble pour retenir ses cris devant le mal dont avait souffert son enfant. La femme de chambre pleura en silence, souhaitant que Bianca se soit confiée à elle et qu'elle ait pu informer les Pietro d'Angelo du méchant abus que subissait sa jeune maîtresse. Après qu'une heure se fut écoulée, Bianca cessa enfin de parler.

— Va chercher la cape de ma fille, dit sèchement Orianna.

Agata bondit pour obéir rapidement, apportant l'article demandé et l'enroulant autour des frêles épaules de Bianca. Puis, elle regarda Orianna.

— Où allons-nous, maîtresse ? demanda-t-elle à la femme plus âgée.

— Nous quittons cette maison, dit Orianna. Vous ne reviendrez jamais à cet homme, Bianca, je le jure ! Je ne le laisserai plus jamais vous toucher.

— Mon père…, dit doucement Bianca.

— Je vais vous cacher dans le couvent de Santa Maria del Fiore, juste à l'extérieur des murs de la ville, dit Orianna. Votre père ne saura pas où vous êtes avant que je lui aie fait entendre raison, mon enfant. Vous aurez un sanctuaire et la protection de la mère supérieure, qui est une de mes parentes éloignées. Venez maintenant !

Elle prit le bras de Bianca.

— Je suis sa femme, dit Bianca d'un ton désespéré. Sa possession. Il peut faire ce qu'il veut de moi, *madre*. Il me l'a dit mille fois depuis le jour de notre mariage. S'il me trouve, il va sûrement me tuer.

— Il ne vous trouvera pas, assura Orianna à son enfant. Maintenant, hâtons-nous. Agata, viens, tu dois aussi être cachée.

Les trois femmes quittèrent les appartements de Bianca et se dépêchèrent de fuir la maison. Antonio surveillait la porte pour l'après-midi. Voyant le trio, il ouvrit le portail du *palazzo*, puis il tourna la tête de l'autre côté. Le trio sortit, mais Orianna dit au domestique :

— Quitte cet endroit avec nous. Je vais te prendre à mon emploi personnel.

— *Grazie*, bonne dame, répondit Antonio, refermant la porte derrière elles et les suivant dans la rue.

Il aida la dame et sa jeune maîtresse à monter dans la litière en attente des Pietro d'Angelo. Puis, marchant à côté d'Agata, ils furent suivis par les domestiques.

La litière se fraya un chemin dans la place du marché occupée, où elle fut posée au sol.

— Il y a des litières de louage, ici, dit doucement Orianna à Agata. Trouve un porteur nommé Ilario et dis-lui que la *signora* Pietro d'Angelo a besoin de ses services.

— Tout de suite, *signora*, répondit la femme de chambre avant de s'éloigner en vitesse.

Elle revint quelques minutes plus tard avec deux porteurs de litière transportant une unique chaise.

L'homme grisonnant plus âgé à l'avant souriait d'une oreille à l'autre.

— *Signora* ! salua-t-il Orianna. Cela fait longtemps. Comment puis-je vous être utile aujourd'hui ?

Orianna sortit de la litière familiale.

— Vous pouvez me ramener chez moi, l'informa-t-elle. Antonio, tu vas t'occuper de moi, s'il te plaît. Agata, monte avec ta maîtresse.

Puis, elle murmura à son porteur de litière en chef :

— Amène ma fille et sa servante à Santa Maria del Fiore. Dis-leur que c'est une parente de la révérende mère Baptista et qu'elle cherche un refuge et un sanctuaire. Dis que je viendrai m'entretenir avec la révérende mère moi-même demain.

Le porteur de litière en chef des Pietro d'Angelo hocha la tête en silence. Orianna monta dans son transport loué. Avec Antonio à côté d'elle, elle fut portée hors de la *piazza* du marché animée pendant que le véhicule de sa famille partait dans une autre direction, les quatre porteurs avançant rapidement à travers les rues étroites et bruyantes vers les portes de la ville. Voyant la ville pour la première fois, Bianca fut fascinée malgré elle. Le bruit était incroyable, les odeurs, nombreuses et variées. Certaines étaient agréables et d'autres pas. Des vendeurs offraient leurs marchandises à la criée. Des enfants jouaient dans des flaques et sur les pavés. Des chiens, certains des bâtards, certains avec des colliers dispendieux, vagabondaient librement. Ses porteurs ne ralentirent pas le rythme, mais progressèrent rapidement à travers les portes de la ville. Ils longèrent l'autoroute et prirent un virage, puis ils s'arrêtèrent devant une enceinte murée. La litière fut déposée, et le porteur de litière en chef frappa à un petit portail presque invisible.

Une minuscule grille s'ouvrit dans la porte.

— Oui ? s'enquit une voix.

— Je viens de la part de la *signora* Pietro d'Angelo, qui est parente avec la révérende mère Baptista. Elle souhaite que la dame que je vous amène, ainsi que sa femme de chambre, ait un sanctuaire. Elle viendra elle-même demain et s'entretiendra avec la révérende mère.

– Attendez ! ordonna la voix.

Plusieurs longues minutes s'écoulèrent, puis le petit portail s'ouvrit, et une grande et sévère religieuse s'avança. Elle rejoignit la litière, écarta les rideaux et demanda :

– Qui êtes-vous, mon enfant ?

– Je suis Bianca Pietro d'Angelo, ma révérende mère, répondit Bianca.

– Vous êtes la fille aînée d'Orianna ?

– Oui, révérende mère.

– La femme de Sebastiano Rovere ?

– Oui, révérende mère.

– Vous désirez trouver un sanctuaire pour vous-même et votre femme de chambre ?

– Oh oui ; je vous en prie, révérende mère !

La voix de Bianca tremblait.

– Entrez donc, mon enfant, et votre femme de chambre également, répondit la religieuse.

– Oh, merci ! s'écria Bianca. Merci !

Agata descendit de la litière et aida sa maîtresse à en sortir, puis ensemble, les trois femmes passèrent la grille et entrèrent dans le couvent en tant que tel.

– Dis à ta maîtresse, dit la révérende mère Baptista au porteur de litière en chef, que j'attends sa visite avec impatience. Et sûrement, vos collègues et vous savez très bien qu'il ne faut dire à personne où vous êtes allés.

– Nous servons notre maître et notre maîtresse depuis plus de vingt ans, ma révérende mère, lui dit-il. Nous comprenons ce que l'on attend de nous.

– Que Dieu et la Sainte Vierge soient avec vous, alors, dit la religieuse en les bénissant.

Puis, elle se retourna, passant la petite porte dans le mur du couvent. Elle se referma derrière elle. Elle se tourna à présent vers ses invités qui patientaient.

– Je vais vous amener dans la maison des invitées qui est réservée aux dames résidant avec nous un certain temps, comme je m'attends à ce que ce soit le cas pour vous. Les terres du couvent à l'intérieur de ces murs sont sûres pour la promenade. Les repas vous seront apportés. On s'attend à ce que vous vous joigniez à nous pour la messe du matin et pour les vêpres le soir. Êtes-vous douée pour la couture ou la broderie, mon enfant ?

– Pour les deux, ma révérende mère, répondit Bianca. Et mon Agata aussi.

– Bien, dit la religieuse. Vous pouvez nous aider avec certaines pièces que des familles riches et des églises ont commandées au couvent. Ou encore, si vous en êtes capables, vous êtes invitées à joindre ceux de notre groupe qui jardinent, mais ni vous ni votre domestique n'aurez la permission de rester sans rien faire pendant votre séjour ici. Trop de paresse ne vous aidera pas à reprendre des forces, et si vous êtes bien la fille de votre mère, vous êtes une femme forte sous cette aura de fragilité et de peur qui vous entoure.

Bianca fut plutôt étonnée par le discours pratique et candide de la religieuse. Elle n'avait pas cru qu'une femme d'un couvent si retiré du monde serait ainsi. Elle avait toujours pensé qu'elles passaient leurs journées uniquement à prier et à jeûner. Elle fut rapidement détrompée de ces idées dans les jours suivants.

La maison d'invitées dans laquelle elles furent amenées, Agata et elle, était confortable sans être ostentatoire. L'ameublement était solide et pratique. Il y avait deux chambres à coucher, une petite salle à manger et un salon. Le lit dans sa chambre à coucher était tendu de rideaux simples en lin bleu. Il y avait un petit lit de camp pour Agata. Il y avait deux fenêtres à battants donnant sur un potager d'herbes aromatiques et un foyer recouvert de tuiles. Le plancher était en bois et avait un petit tapis tressé.

Sur l'un des murs chaulés il y avait un crucifix joliment sculpté. C'était une chambre simple mais confortable.

L'absence de literie fut réglée en début de soirée quand la propre servante de sa mère, Fabia, arriva en apportant avec elle un lit de plumes, de la literie qui embaumait le parfum des roses, un couvre-lit et une petite malle en bois remplie de vêtements propres et frais ; la plupart appartenaient à Bianca, comme elle le constata. Ils avaient été abandonnés derrière elle pour ses beaux atours de mariée plusieurs mois plus tôt. Il y avait même une brosse en bois lisse de poirier, hérissée de poils de sanglier, avec son peigne assorti. Fabia étreignit Bianca avec la familiarité d'une vieille domestique de la famille et salua la jeune Agata, qui était sa nièce.

La cloche des vêpres retentit, et Bianca se hâta de rejoindre les religieuses dans leur petite chapelle pour la messe du soir. Elle savait qu'elle aurait pu être dispensée pour la première soirée, mais elle était tellement soulagée d'avoir été secourue si rapidement qu'elle ressentait un fort besoin d'y aller et d'offrir ses remerciements. De plus, on ne lui avait pas accordé le réconfort des services religieux depuis son mariage, car son mari ne voulait pas qu'elle parle à un prêtre, même si Sebastiano Rovere savait que le secret du confessionnal ne pouvait pas être brisé. Il y avait des moyens de contourner la loi. Même la loi de l'Église, et personne ne savait cela mieux que le meilleur avocat de Florence.

Laissées derrière, les deux domestiques passèrent le temps en rendant la chambre confortable pour Bianca. Fabia avait même apporté un petit vase en verre et quelques roses provenant des jardins des Pietro d'Angelo. Quand le lit et le petit lit de camp furent préparés, les rideaux de lin simples pendus à la fenêtre, la petite malle en bois installée au pied du lit et les quelques vêtements suspendus dans la petite armoire en bois, les deux femmes bavardèrent.

– La dame vous a-t-elle mise au courant? demanda Agata.

Fabia hocha la tête.

– Quoique quelle part de tout cela, je l'ignore, répondit-elle.

Agata récita rapidement ce qu'elle savait, ses yeux bruns se remplissant de larmes tandis qu'elle parlait à sa tante.

– Elle ne s'est jamais confiée à moi, *Zia*. Elle a dit à sa mère qu'elle avait trop honte, comme si elle était à blâmer pour ce qui lui est arrivé, comme si c'était sa faute.

Fabia fit le signe du mauvais œil.

– Que Sebastiano Rovere soit maudit, même si je suis convaincue que cela n'est pas la première malédiction qu'on jette sur sa maison. Ma maîtresse l'a raconté au maître après le repas, et le vacarme a été considérable. Il a crié qu'elle allait provoquer la destruction de leur maison. Elle a crié que si maître Marco s'était servi de l'intelligence dont Dieu lui avait fait don, sa fille n'aurait pas été sacrifiée à ce diable.

– Rovere n'est pas venu ? dit Agata, étonnée.

– Il y a eu un messager juste avant mon départ, répondit Fabia. Ma maîtresse ne veut pas dire au maître où lady Bianca est cachée. Il va hurler et fulminer, mais en fin de compte, elle l'amènera à voir les choses à sa façon dans cette affaire.

La soirée était très avancée quand Giovanni Pietro d'Angelo fut capable d'assimiler ce que sa femme lui disait et, qu'enfin, il fut d'accord avec ce qu'elle avait fait. Sebastiano Rovere avait envoyé un message furieux au marchand de soie, le menaçant de conséquences graves si sa jeune épouse ne rentrait pas immédiatement à son *palazzo*. Il renvoya le messager de Rovere avec un bref message lui disant qu'il ne savait pas du tout où se trouvait Bianca, mais invitait son gendre à venir au matin discuter de l'affaire. Puis, il se mit au lit.

Très tôt le matin, avant même le réveil du marchand de soie, sa femme se glissa hors de la maison. Il faisait encore noir, et l'air d'été était lourd et immobile. En s'assurant que son gendre n'avait pas encore fait surveiller sa maison, elle traversa la *piazza* et chercha le père Bonamico à Santa Anna Dolce. Le prêtre était déjà occupé à ses prières matinales. Elle s'agenouilla et attendit qu'il la reconnaisse.

Enfin, le prêtre aux cheveux blancs se leva. Tournant, il sourit.

– Bonjour, ma fille, l'accueillit-il. Vous êtes levée de bonne heure, je dois donc supposer qu'il y a un but à votre visite. Venez, et nous discuterons en privé.

Elle le suivit hors de l'église et dans un petit cabinet de travail où, elle le savait, il rencontrait ceux qui cherchaient ses conseils. S'assoyant sur une chaise à dos droit qu'il lui offrit, Orianna d'Angelo lui dit tout ce que Bianca lui avait raconté la veille. Elle ne retint rien. Le prêtre devait comprendre la gravité de la situation, s'il devait les aider. Plusieurs fois, elle s'arrêta alors que sa voix se coinçait dans sa gorge. Elle pleurait sans même s'en apercevoir, les larmes glissant lentement sur son beau visage.

Le père Bonamico l'écouta. Son visage, qui était d'abord sérieux, devint choqué, horrifié et colérique tour à tour. Il était très conscient de ce que pouvait faire l'homme mauvais, ayant écouté d'innombrables confessions au cours de ses quarante ans de prêtrise. Plusieurs fois, il murmura un juron bénin avant de se signer. Il avait été franchement surpris quand il avait appris les fiançailles de Bianca Pietro d'Angelo à Sebastiano Rovere, car la réputation de décadence de l'homme était loin d'être un secret, quoique rarement discutée en public. Aujourd'hui, Orianna l'informait de la raison pour laquelle Bianca avait été sacrifiée.

— Je sais, dit-elle, que mon mari a fait ce qu'il a fait pour sauver Marco, pour protéger le nom de la famille. Je ne voulais pas d'un tel mariage pour Bianca. Mon père avait déjà commencé des enquêtes discrètes parmi les familles importantes de Venise pour chercher un mari convenable pour l'aînée de ses petites-filles. Mais ensuite, Giovanni a pris cette décision. Il était convaincu que malgré la réputation de Sebastiano Rovere, il traiterait notre fille avec respect, car, sans les faibles rumeurs de meurtre quand ses deux précédentes épouses sont décédées, il semblait les avoir correctement traitées. Du moins, en public.

» Je me suis inquiétée quand il a refusé de me laisser voir Bianca ces derniers mois, mais Giovanni a dit que c'était parce qu'elle était jeune et belle qu'il ne souhaitait pas la partager avec qui que ce soit, particulièrement avec sa famille. Mon mari croyait que cet homme affreux était tombé amoureux de notre enfant. Et Bianca ! Ah, ma pauvre fille ! Quand elle a appris qu'on m'avait interdit sa compagnie sur ordre de son mari, ce qu'elle a fait alors pour obtenir sa permission de me voir !

Orianna continua son récit.

– Et dès que vous avez découvert les violences dont elle souffrait, vous l'avez enlevée de la maison de son mari ? demanda le père Bonamico.

– Oui ! Je ne pouvais pas la laisser là, mon bon prêtre. Je ne le pouvais pas !

– Où est-elle ? voulut-il savoir.

– À Santa Maria del Fiore, répondit Orianna. Même mon mari l'ignore. La révérende mère Baptista est une parente à moi.

– Bien ! Bien ! lui dit le prêtre. Elle a là un sanctuaire, et même si Rovere devait découvrir où elle se trouve, il n'oserait pas violer les lois d'un sanctuaire.

– Je pense qu'il oserait n'importe quoi, dit Orianna. J'irai la voir maintenant, avant que Rovere commence à surveiller le *palazzo*. Puis, je vais revenir à temps pour sa visite. Il ne tardera pas à venir. J'en suis certaine.

– Comment irez-vous au couvent ?

Le visage du prêtre exprimait son inquiétude pour elle.

– Je connais un porteur de litière proche sur la place du marché. J'ai déjà sauvé sa femme et son enfant de la maladie. Il m'est dévoué depuis ce temps, répondit Orianna. Si vous me permettez de sortir en douce par le jardin derrière l'église, personne ne me verra.

— Revenez en passant par l'église, conseilla le père Bonamico. Vous ne devez courir aucun risque, ma fille, afin que personne ne croie que vous êtes allée ailleurs qu'ici pour prier et assister à la messe. Agenouillez-vous à présent, et je vais vous bénir, ainsi que vos efforts. Vous devez dire à Bianca que vous m'avez parlé et que je viendrai entendre sa confession plus tard aujourd'hui. Après cela, nous n'oserons pas tenter de la voir. Rovere est un homme déterminé. Il voudra la récupérer et il mettra la ville sens dessus dessous pour la trouver. Nous devons être plus intelligents et plus rapides que lui.

Orianna s'agenouilla pour recevoir sa bénédiction. Avant qu'elle se relève, elle prit les deux mains du prêtre entre les siennes et les embrassa.

— Merci, dit-elle simplement.

— Pour votre paix d'esprit, ma fille, sachez que ces conversations que nous avons eues vous et moi, ainsi que celles que nous aurons, sont sous le sceau de la confession, l'informa-t-il.

Orianna quitta alors l'église pour se faufiler discrètement à travers son jardin et par la petite grille au fond de ce dernier. Rabattant le capuchon de sa cape sur ses cheveux châtain pâle, elle avança rapidement dans les rues étroites et sinueuses jusqu'à la place du marché, où elle trouva Ilario et sa litière déjà en attente de clients. Elle monta dans le véhicule à chaise unique et l'informa de sa destination.

— Santa Maria del Fiore.

Ilario la reconnut, mais il ne dit rien. Son assistant et lui soulevèrent la litière et entreprirent le voyage. Comme les rues n'étaient pas encore bondées, ils progressèrent extrêmement vite. Quand ils eurent passé les portes de la ville et atteint le couvent, Ilario dit :

— Voulez-vous que nous attendions, *signora* ?

Elle hocha la tête sans dire un mot, puis traversa en hâte le petit portail qui s'ouvrit après qu'elle eut frappé. Moins d'une heure plus tard, elle sortit, remonta dans la litière et demanda doucement à Ilario de reprendre la direction de la place du marché, où elle lui paya le double du prix de sa course et s'en alla rapidement. Sortant de l'église plusieurs minutes plus tard, le capuchon ne dissimulant plus son visage, elle marcha lentement sur la *piazza* pour rentrer chez elle.

Fabia l'accueillit.

— Vous avez fait vite, *signora,* dit-elle à voix basse. La bête n'est pas encore arrivée, et le maître se lève à l'instant.

Orianna hocha la tête.

— Sait-il que je me suis absentée ? demanda-t-elle.

— Je le pense, car vous avez dormi dans son lit la nuit dernière, répondit Fabia, puis elle gloussa. Son valet a dit qu'il s'est réveillé le sourire aux lèvres et de bonne humeur.

— Dis aux domestiques de bien le nourrir, car il voudra avoir le ventre plein quand il devra traiter avec ce monstre. Ensuite, viens m'aider à changer de robe.

— Oui, *signora,* dit Fabia. La jeune maîtresse allait-elle bien ce matin ?

— Elle dit qu'elle a bien dormi pour la première fois depuis des mois, sachant qu'elle était en sécurité, dit Orianna.

Puis, elle partit en hâte vers ses appartements. Voyant Francesca traîner secrètement dans les alentours, elle appela sa deuxième fille et celle-ci la rejoignit.

— Vous allez rester dans les appartements des enfants avec vos sœurs et vos petits frères jusqu'à ce que je vous informe que vous pouvez en sortir. Je vais prévenir les domestiques de vous surveiller. Si l'on vous voit à l'extérieur de vos quartiers, Francesca, je vais personnellement vous fouetter et pas votre père, qui a le cœur trop tendre. Je vais moi-même manier la badine. Me comprenez-vous, ma fille ?

La mère regarda sévèrement sa jeune fille.

— Est-ce à propos de Bianca ? demanda Francesca.

— Me comprenez-vous ? répéta doucement Orianna.

— Oui, *madre*, vint la réponse à contrecœur.

— Je vais marcher avec vous jusqu'à vos quartiers.

Prenant la main de Francesca, la mère conduisit la fille là où elle devait être. Entrant dans la pouponnière de sa maison, elle instruisit les trois bonnes d'enfants de ce qu'elle souhaitait en distribuant un blâme particulier à la domestique de Francesca.

— Si on la surprend à l'extérieur de cette chambre, vous recevrez vous aussi des coups de fouet, prévint-elle la femme, qui adorait sa protégée et lui cédait pour lui faire plaisir.

— Oui, *signora*, dit la femme, mais parfois, l'enfant peut se montrer tellement persuasive.

— Lorsque vous sentirez que vous êtes sur le point de céder, dit Orianna avec un petit sourire amusé au bord des lèvres, songez à la coupure de la badine sur votre derrière généreux.

— Oui, *signora* !

— Bien ! Il est important que la maisonnée reste silencieuse, dit-elle pour finir.

Puis, elle quitta les appartements des enfants de sa maison pour rejoindre les siens, où Fabia l'attendait déjà.

La femme de chambre avait étendu trois robes pour l'approbation de sa maîtresse.

— La noire me donne un teint cireux et malade, remarqua Orianna. Le bourgogne est trop festif pour cette occasion. J'aime la robe d'un bleu moyen, mais elle est trop joliment ornée. Trouve-moi une robe simple qui est élégante, mais ne laissera pas entendre que sa visite dans ma maison est un honneur.

— Vous avez une robe en velours brun qui est ordinaire. La broderie autour du décolleté est noire, dit Fabia. Elle vous donne un air sévère et peut-être un peu plus âgé que la réalité. Avec le crucifix en or que votre père vous a envoyé l'an dernier pour commémorer votre jour de naissance, elle vous donnera un aspect imposant.

— Oui, cela fera, acquiesça Orianna.

Quand Fabia eut fini d'habiller sa maîtresse et de coiffer sa chevelure châtaine en un élégant chignon, elle aida sa dame à attacher le crucifix autour de son cou. Puis, reculant d'un pas, elle hocha la tête.

— Elle est parfaite, *signora.*

Un coup léger résonna à la porte de la chambre à coucher, et Giovanni Pietro d'Angelo entra dans la pièce. Il était vêtu avec autant de sobriété que sa femme, mais en noir. Il hocha la tête, satisfait de l'apparence d'Orianna. Puis, il lui tendit la main.

— Venez, *cara mia*. Il est ici et nous attend dans la bibliothèque.

Elle prit sa main, et ensemble, ils allèrent rencontrer Sebastiano Rovere.

Chapitre 5

Quand ils entrèrent dans la pièce où il était debout, il put voir qu'ils étaient habillés pour livrer combat.

« Bon, songea Sebastiano Rovere, la loi est de mon côté. J'aurai de nouveau leur fille dans ma maison avant midi aujourd'hui. Je vais bien la battre pour ce bris de confiance conjugale. Puis, elle recevra mon pénis avant d'accueillir celui de mon petit âne. Nudara dit que la bête est très compétente et aussi douée que n'importe quel homme. »

Il fusilla les Pietro d'Angelo du regard.

– Où est ma femme ? demanda-t-il.

– Je n'en ai pas la moindre idée, dit doucement le marchand de soie.

Le visage de Rovere devint rouge de colère.

– Je doute que votre femme fourbe puisse prétendre la même ignorance.

Il se tourna vers Orianna.

– Où est ma femme, espèce de mégère vénitienne ?

– En sécurité, répondit Orianna. En sécurité, là où vous ne pouvez plus lui faire du mal avec vos perversions dégoûtantes et votre mauvaise haleine.

– J'ai la loi derrière ma requête, lui dit-il à travers des dents serrées.

– Alors, servez-vous de la loi pour obtenir ce que vous voulez, dit Orianna. Mais si vous le faites, soyez certain que l'Église sera informée de votre décadence scandaleuse ; de ce que vous avez fait à notre enfant innocente pendant sa nuit de noces. Je doute que même la loi approuve votre comportement quand on apprendra à quel niveau vous êtes descendu dans votre immoralité pour vouloir accoupler votre cadet avec ma fille comme si vous éleviez des animaux, le prévint-elle.

– Ne me menacez pas avec l'Église, *signora,* dit-il. Dois-je vous rappeler que mon parent est le cardinal Rovere ? Je vais nier devant lui tout ce que votre fille a dit sur moi. L'Église ne croira pas les délires hystériques d'une jeune femme au détriment d'un homme de ma réputation. Les femmes sont reconnues pour mentir la plupart du temps.

– Si la parole d'un homme est si sacro-sainte, dit Orianna, pourquoi avez-vous permis à votre fils de disposer du cadavre d'une courtisane plutôt que simplement la laisser dans son lit pour qu'on l'y trouve ? Si votre fils vous a dit la vérité, *signore,* et que la femme est juste morte d'excès, il n'y aurait eu aucune marque de violence sur son corps pour dire le contraire. Une fois que Stefano et notre Marco sont venus vous voir et vous ont raconté ce qui s'est passé, vous êtes devenu complice de leurs actions comme si vous étiez personnellement impliqué. Je ne crois pas que c'est le comportement adéquat d'un homme de la cour, non ?

– Est-ce votre habitude de laisser une femme parler pour vous, Pietro d'Angelo ? demanda Rovere avec colère.

La putain était beaucoup trop intelligente.

Giovanni Pietro d'Angelo ressentit presque de la pitié pour son gendre. Il savait mieux que la plupart des gens que si le sexe de sa femme ne l'avait pas reléguée dans le rôle d'épouse et mère, son Orianna aurait pu régner sur Venise et Florence tout à la fois.

— Je suis un homme de peu de mots, Rovere, dit-il sèchement. Ma femme, par contre, présente un point de vue intéressant.

— Vous allez accorder une annulation à Bianca, dit Orianna à leur invité.

— Pour quels motifs ? demanda furieusement Rovere. Je me suis bien servi de votre fille ces derniers mois. Et vous ne pouvez pas prétendre que je suis à blâmer ! Je suis connu pour ma passion et pour ma prouesse. Il n'y a pas une courtisane à Florence qui peut dire le contraire, se vanta-t-il avec un petit sourire satisfait.

— Le monde est-il dans la confidence de ce qui se passe dans votre lit conjugal ? voulut savoir Orianna. Vous direz que Bianca vous a refusé vos droits d'époux. Qu'elle a dit qu'elle ne vous donnera pas d'enfants. L'Église sera satisfaite, et nos généreux cadeaux paieront pour aplanir la voie. Il n'y a aucun besoin de faire tomber la honte sur vous, *signore*. Vous n'aimez pas Bianca, et assurément, elle n'a pas d'amour pour vous. Vous avez eu ce que vous vouliez d'elle. Maintenant, laissez-la partir.

— Elle va se remarier, elle aura des enfants et démentira ainsi ces motifs, dit Rovere. C'est à ce moment-là que les gens parleront, et c'est moi qui aurai l'air d'un fou.

— Vous avez gâché ma fille pour le mariage, dit Orianna. Il est peu probable qu'elle se remarie, sauf si elle est amoureuse, et si c'était le cas, ce ne serait pas à Florence. Quand l'annulation sera accordée, elle ira vivre avec l'une de mes sœurs. Elle aura quitté la ville et ses excès.

— Vous avez tout résolu de manière à satisfaire vos objectifs, *signora* ; mais Bianca est à *moi*. Je ne vais pas la laisser partir. Vous allez me la rendre, et elle vivra dans mon *palazzo* jusqu'à ce qu'elle y meure, gronda Rovere en direction d'Orianna.

Ce fut à ce moment-là que Giovanni Pietro d'Angelo parla d'une voix calme mais autoritaire.

— Ma fille aînée ne vous sera jamais rendue, Rovere. Si aujourd'hui, vous accusez mon fils Marco de la mort de cette courtisane, sachez que je vais accuser Stefano. Votre fils aîné est à présent marié dans une bonne famille. On me dit que sa femme attend son premier enfant. Allez-vous dénoncer une indiscrétion stupide de jeunesse uniquement dans le but d'obliger une femme non disposée à le faire à revenir dans votre lit ?

» Je dois accepter un certain degré de responsabilité dans cette parodie, car je n'aurais pas dû consentir à ce mariage entre vous et ma fille. Ma femme m'a supplié d'y réfléchir à deux fois, mais je ne pensais pas clairement et je pouvais voir mon malheur si je n'acquiesçais pas à votre demande. J'avais tort, et Bianca a payé pour mon erreur de jugement. Je ne permettrai pas qu'elle subisse davantage d'abus. Accordez-lui l'annulation, et qu'on en finisse avec tout cela.

— *Jamais !* cracha Sebastiano Rovere. Je vais la trouver ! Peu importe où vous l'avez cachée. Je vais la trouver ! Vous ne pouvez pas la garder loin de moi. Elle est ma femme. La *mienne* ! Je vais m'assurer qu'elle paie pour sa duplicité à mon égard. Sa punition sera lente et elle sera douloureuse. Je vais mettre à genoux cet esprit fier, et elle ne me défiera jamais plus.

Plus il parlait, plus son visage devenait noir de rage. Il y avait un peu de salive aux coins de ses lèvres tandis que sa voix s'élevait jusqu'à ce qu'il crie après eux.

– Vous êtes un idiot, *signore*, dit Giovanni Pietro d'Angelo.

Puis, il appela ses domestiques afin qu'ils escortent l'homme furieux hors de sa maison.

– Mettez-le à la rue, là où est sa place. Il ne doit plus jamais être admis dans cette maison.

Deux domestiques forts traînèrent littéralement Sebastiano Rovere hors du *palazzo*. Ayant perdu tout sens de la dignité dans son indignation, l'homme se débattit et leur lança des jurons. Eux, en retour, n'étaient pas enclins à le traiter avec douceur ou respect. En fait, l'un des hommes mit le pied au derrière de Rovere, lui donnant une dernière poussée violente pour l'expulser par la porte d'entrée du *palazzo*, et Rovere alla s'étaler le visage sur les pavés.

Il se releva précipitamment, criant et secouant le poing.

– Vous allez regretter cela, Pietro d'Angelo ! Je vais prendre ma revanche sur vous et votre famille ! Vous verrez bien !

Ils ne l'entendirent pas à l'intérieur du *palazzo*, car les murs du bâtiment avaient au moins un mètre d'épaisseur. Après avoir traîné un Rovere hurlant hors de la pièce où ils étaient tous, Orianna s'effondra sur une chaise, le visage entre les mains. Son mari entendit un sanglot, un seul ; après un instant, elle exposa son beau visage. Elle avait un air déterminé. Giovanni avait vu plusieurs fois cet air au cours de leur mariage. Il signifiait qu'elle était prête à se battre et qu'elle ne perdrait pas.

– C'est un chien enragé, dit Orianna à voix basse. On devrait l'abattre pour mettre fin à ses misères, comme on le ferait pour un chien enragé.

– Dans les circonstances, le crime serait de notre côté, lui dit son mari d'un ton pragmatique. Il y a un autre moyen, j'en suis convaincu, et nous allons le trouver, *cara mia*.

– Il n'a aucune entreprise à ruiner, répondit Orianna. Tous les juges et les avocats à Florence acceptent des pots-de-vin. C'est considéré comme normal pour que les affaires de la loi restent efficaces. Ce sont les pires de ses vices que nous devons exposer à la lumière du jour.

– Il y a de nombreuses rumeurs, remarqua Giovanni, mais il a été raisonnablement discret. Tellement que l'Église a fermé les yeux.

– Nous ne pouvons pas le laisser reprendre la garde de Bianca, dit Orianna. Et maintenant, avec son intransigeance, personne dans cette maison ne peut aller la voir, car il aura déjà fait surveiller notre résidence.

– N'y êtes-vous pas allée tôt ce matin ? demanda son mari en souriant.

– Gio ! Comment pouvez-vous le savoir ?

– Parce que je vous connais, *cara*. Et pensiez-vous réellement qu'après cette merveilleuse nuit que nous avons passée ensemble, vous ne me manqueriez pas dès que vous quitteriez mon lit ?

Elle rit.

– J'ai assisté à une messe de bonne heure et après, je me suis entretenue avec le père Bonamico. Il a suggéré que j'emprunte le chemin à l'arrière du petit jardin de l'église et passe par ce portail pour mes allées et venues, expliqua Orianna à Giovanni.

— Vous ne pouvez pas y retourner, dit-il. Le danger est trop grand pour Bianca.

— Je sais, acquiesça-t-elle, et c'est ce que j'ai dit à Bianca. J'ai parlé à la révérende mère Baptista. Bianca sera gardée à l'intérieur des murs du couvent. Même si Rovere découvre en fin de compte où elle se trouve, il ne violera pas la loi du sanctuaire.

Giovanni hocha la tête.

— Je suis d'accord, répondit-il à sa femme. Nous devons lui trouver un nouvel endroit, loin de la ville, *cara*. Pour l'instant, cependant, elle doit rester là où elle est. Notre occasion se présentera, si nous sommes patients.

Les Pietro d'Angelo quittèrent Florence peu de temps après pour leur villa dans la campagne toscane. C'était plus frais, et les enfants avaient plus d'espace pour courir librement pendant les longues journées ensoleillées. Ils savaient que Sebastiano Rovere avait installé des gardes pour surveiller leur résidence d'été. Marco, qui était resté derrière pour superviser les entrepôts de son père, leur envoyait des nouvelles de leur gendre. La culpabilité qu'il avait ressentie avait été grande quand il avait appris les épreuves de sa sœur.

Au début de l'automne, la famille revint en ville juste au moment où un important scandale impliquant Rovere explosa au grand jour, leur donnant l'occasion de transférer Bianca de Santa Maria del Fiore à une nouvelle cachette à plusieurs kilomètres de Florence. L'avocat avait organisé une fête pour un grand groupe d'hommes éminents de la ville. Il y avait eu des rumeurs pendant des semaines à propos d'une nouvelle perversion qu'avait trouvée Rovere, et les invités étaient venus avides de prendre part à ce que c'était, car l'avocat était connu pour son originalité.

Personne ne savait que la femme de Rovere avait fui sa maison. Comme les dames de la haute société de Florence étaient rarement observées à l'extérieur de leurs maisons, la fuite de Bianca n'était pas de notoriété publique ; et elle ne serait certainement pas présente, ni même vue par les invités de son mari dans un rassemblement comme celui auquel ils s'attendaient à assister.

La nuit suivant ce qui serait qualifié d'orgie d'une proportion spectaculaire, l'avocat fut arrêté pour une plainte portée contre lui par le chef de l'*Arte dei Medici, Speziali e Merciai*. Sa nièce de seize ans avait été kidnappée l'après-midi précédent alors qu'elle quittait son échoppe d'apothicaire pour apporter une poudre contre le mal de tête à sa mère veuve, qui vivait dans une maison voisine. La distance ne totalisait pas plus d'une douzaine de pas, mais deux malfrats s'étaient emparés de la fille et l'avaient enlevée. Elle avait été retrouvée battue, couverte de contusions et à peine consciente sur les rives de la rivière Arno tôt le lendemain matin par un pêcheur. Avec un grand effort, la fille avait crié pour appeler son oncle.

Enveloppant la fille dans une couverture, le pêcheur l'avait portée jusqu'à l'échoppe d'apothicaire où, après avoir bu un peu de vin et d'herbes pour lui redonner des forces, elle lui avait raconté son histoire.

Les deux hommes qui l'avaient enlevée lui avaient couvert la tête d'une étoffe afin qu'elle ne puisse pas voir et l'avaient amenée dans une maison. Elle avait alors été prise en charge par une belle femme au teint olivâtre pour être baignée et parfumée. On lui avait fait boire du vin, ce qui avait provoqué des sensations étranges en elle. La femme avait été gentille avec elle et avait laissé la fille caresser son animal de compagnie, un minuscule âne gris. Mais ensuite, elle l'avait emmenée dans une grande salle remplie d'hommes vêtus de robes de qualité, la plupart avec un verre en main, certains déjà à moitié ivres.

Ils avaient hurlé leur grand plaisir à voir la fille nue. Quand ils en eurent fini avec elle, elle avait été traînée hors de la salle, de la maison, puis abandonnée sur le rivage où elle avait été trouvée.

Parce qu'elle avait entendu son nom et vu son visage, la malheureuse fut capable d'identifier son kidnappeur. On la transporta jusqu'à son *palazzo*, et elle l'identifia comme étant la demeure d'où on l'avait tirée après l'avoir couverte de honte. On amena cinq hommes devant elle, et elle pointa Sebastiano Rovere. Il fut immédiatement arrêté et emprisonné, avec les deux domestiques qui avaient enlevé la fille et avaient été les premiers à la violer. La ville bourdonnait autour de ce scandale honteux d'une vierge innocente ainsi maltraitée.

— C'est notre occasion de mettre Bianca en sécurité, dit Giovanni à sa femme.

— Il paiera pour se sortir de là sans difficulté, répondit Orianna.

— Oui, il le fera, acquiesça son mari, mais pas facilement ni trop vite, ce qui explique pourquoi nous devons agir promptement, *cara*.

— Qu'en est-il de ceux qui surveillent la maison ? voulut-elle savoir.

— Ils sont loin de s'être montrés discrets. Je sais où ils sont, et ils seront enlevés de là afin que nous ayons le temps de faire ce qui doit l'être, lui répondit-il. Je vais envoyer Georgio à Santa Maria del Fiore dire à la révérende mère Baptista de veiller à ce qu'Agata et Bianca soient prêtes à partir dans un jour.

Georgio était le second fils des Pietro d'Angelo.

— Si vite ? demanda Orianna.

— Le plus vite sera le mieux, *cara*. Elle sera en sécurité à la villa Luce Stellare, répondit Giovanni. Très peu de personnes connaissent son existence. Elle faisait partie de la dot de ma mère, mais celle-ci quittait rarement Florence et elle préférait la campagne à la mer. Ces dernières semaines, je l'ai fait ouvrir et nettoyée afin que Bianca puisse être confortable. J'ai engagé des gens du coin pour la servir, et ils n'attendent plus que son arrivée, dit-il à sa femme.

Puis, il appela une servante et lui dit :

— Trouve Georgio et informe-le que son père fait dire qu'il est temps.

— Oui, maître, dit la femme avant de partir en vitesse.

Deux jours plus tard, la rumeur se répandit en ville que la victime de la perversion de Sebastiano Rovere était morte des excès qu'on lui avait imposés. L'avocat emprisonné demanda sa libération puisqu'il n'y avait plus de témoin contre lui. Il était appuyé par les membres de sa propre guilde, l'*Arte dei Giudici e Notai*. Cependant, l'*Arte dei Medici, Speziali e Merciai*, les apothicaires et les médecins, se rangèrent avec leur chef et sa famille. Le témoignage de la fille avait déjà été entendu par l'Église et enregistré. Ils voulaient que le meurtre soit ajouté aux accusations d'enlèvement et de viol.

Rovere déclara qu'il avait envoyé ses hommes lui trouver une putain disposée à venir que l'on paierait pour ses services. Ses deux domestiques, cependant, désireux d'éviter d'autres tortures, dirent qu'il leur avait demandé de trouver une jeune jouvencelle, une vierge s'ils le pouvaient. Il leur avait promis qu'ils auraient l'occasion de lui prendre sa virginité afin qu'elle soit libre de toute contrainte limitant leur plaisir quand elle divertirait ses invités. Les hommes savaient que l'apothicaire avait une nièce qu'il adorait. Elle devait certainement être vierge, et cela avait été le cas.

Rovere dit que la fille n'avait aucune valeur pour sa famille. Ils auraient de la chance de lui trouver un mari, car peu de choses la recommandaient. Grandement insulté, l'apothicaire déclara que sa nièce était plus jolie que la plupart des filles et qu'il avait déjà reçu plusieurs demandes de pères cherchant une bonne épouse pour leurs fils. Il dit qu'il la formait, car c'était une herboriste naturellement douée. Elle prenait également soin de sa mère souffrante et veuve. Sa famille l'aimait. Sans la débauche de Sebastiano Rovere, la fille aurait vécu une belle vie. L'apothicaire, sa guilde derrière lui, voulait que justice soit faite.

Le jour précédent la mort de la victime et pendant que Rovere était en prison, Bianca fut déménagée de Santa Maria del Fiore à plusieurs kilomètres de la ville de Florence, dans une petite villa côtière du nom absurde mais charmant de Luce Stellare, ce qui signifiait simplement « scintillante ». Ses parents vinrent lui dire au revoir, mais ils ne l'accompagnèrent pas. Même si Rovere était emprisonné pour le moment et que Giovanni s'était débarrassé des hommes de main qu'il avait envoyés pour surveiller le *palazzo*, les Pietro d'Angelo attireraient l'attention sur eux en quittant la ville. Bianca voyagea à dos de cheval avec Agata, entourée par un groupe d'hommes d'armes dépêché par son grand-père à Venise. Il n'y avait personne qui reviendrait à Florence et cancanerait. Toutes les précautions avaient été prises pour assurer sa sécurité.

Elle pleura, sachant qu'elle ne reverrait pas sa famille pendant longtemps.

— Pourrez-vous un jour venir me voir, *madre* ? demanda-t-elle à Orianna.

— Pas avant que Rovere vous accorde une annulation ou qu'il soit mort, fut la réponse. Nous ne pouvons pas courir le risque qu'il vous trouve, ma fille. Chaque jour qu'il ne vous a pas entre ses griffes en est un où sa colère et son besoin de vengeance contre vous augmentent.

Bianca hocha la tête.

— Je comprends, dit-elle tristement — et c'était vrai.

Elle avait convaincu son mari qu'elle devenait enfin sa putain enthousiaste. Maintenant, il savait qu'elle l'avait fait pour obtenir une victoire et le fuir. Il ne serait pas clément.

— Je me suiciderais avant de lui permettre de me prendre à nouveau, dit-elle à ses parents.

— Nous ne devrions pas en arriver là, lui dit son père. Personne ne connaît l'existence de la villa de ma mère, pas même vos frères. Vous vivrez paisiblement et en sécurité, là-bas.

Cela avait été difficile de les voir partir. Toujours prudents, ils étaient venus et repartis sous le couvert de l'obscurité pendant les heures précédant l'aube. Agata et elle étaient parties tout de suite après, faisant leurs adieux à la révérende mère Baptista, lui offrant leurs remerciements pour les avoir prises sous sa protection.

— Je vais prier pour vous chaque jour, Bianca, mon enfant, dit la religieuse. La Sainte Vierge vous protégera, j'en suis certaine.

Puis, elles furent englouties au milieu d'une troupe de cavaliers armés sur leurs chevaux pour entreprendre le voyage vers la côte. Le marchand de soie avait donné pour instruction au capitaine de la garde de ne pas laisser voir Bianca s'il pouvait l'éviter. Ils ne devaient s'arrêter dans aucun endroit public. Par conséquent, un petit pavillon fut installé pour les deux femmes quand ils stoppèrent pour la nuit. Le capitaine lui-même leur apporta le dîner et s'assura que le brasero de charbons qui chauffait la tente était correctement allumé.

— Nous devrions atteindre la côte demain, *madonna,* dit-il à Bianca. Vous n'aurez pas besoin de passer une autre nuit dans la nature. Votre grand-père ne serait pas du tout content de ces arrangements.

Bianca ne put s'empêcher de sourire de cette remarque. Elle avait rencontré son grand-père deux fois seulement, mais elle comprenait exactement ce que le soldat lui disait.

— Je vous prie de dire au *principe* que je lui suis très reconnaissante de son aide, répondit-elle.

— Il aurait souhaité que vous veniez à Venise, *madonna,* dit le capitaine. Il vous aurait protégée.

— Mais alors, cette affaire avec mon mari serait devenue de notoriété publique, dit Bianca. Mon père ne souhaite pas cela. Peut-être qu'un jour, je viendrai à Venise.

— Cela plairait beaucoup au *principe, madonna,* fut la réponse.

Puis, le capitaine se retira poliment, laissant les deux femmes seules.

– Les cloches me manquent, dit Bianca à Agata. Et le calme incroyable du couvent. Je m'y sentais en paix, bien que je ne désire pas me faire religieuse. C'est étrange d'être à nouveau libre et de retour dans le monde.

– Nous ne serons pas tellement dans le monde autant que nous pourrions l'être, dit Agata. La villa est aussi un endroit paisible.

Elle aida sa maîtresse à retirer ses habits et lui apporta une petite bassine d'eau pour se laver.

– Il y aura des bruits nouveaux, remarqua Bianca. La mer, le vent, les oiseaux et les bêtes de la ferme.

Elle se lava rapidement le visage et les mains, les séchant sur un linge en lin que lui tendait Agata. Puis, elle s'allongea sur le petit lit de camp qu'on lui avait fourni tandis qu'Agata remontait l'édredon de soie sur elle.

– J'espère que nous pouvons dormir sur ces choses, dit-elle en prenant place sur le deuxième lit de camp étroit, avant de remonter le couvre-lit. Ils n'ont pas été construits en pensant au confort.

Mais de fait, les deux femmes dormirent. La journée avait été longue, leur voyage ayant commencé à l'aube et s'étant achevé après le coucher du soleil. Agata se réveilla avant l'aube, car elle entendait remuer dans le campement autour d'elles. Elle se leva et s'habilla rapidement, sortant pour héler le capitaine.

– Dois-je réveiller ma maîtresse ? lui demanda-t-elle.

Il acquiesça d'un signe de tête.

– Si nous partons avant le premier rayon de soleil, nous atteindrons notre destination tôt cet après-midi. Va chercher quelque chose à manger.

Agata suivit son conseil, prenant du pain, des fruits et du fromage pour elle-même et pour Bianca. Puis, elle revint au pavillon pour réveiller la jeune femme. Comme sa maîtresse, elle avait vécu à Florence toute sa vie et, à l'exception de séjours dans la villa de campagne des Pietro d'Angelo, elle ne l'avait jamais quittée jusqu'à aujourd'hui. Elle était curieuse de voir la mer.

Ils arrivèrent à la villa Luce Stellare en milieu d'après-midi, comme le capitaine l'avait promis. Leur groupe descendit la route sur le flanc de la colline sur laquelle ils voyageaient pour découvrir les eaux bleues de la mer Ligurienne étalée devant et sous eux. Ils n'avaient pas traversé un seul village ce jour-là. Maintenant, ils virèrent sur une étroite piste de terre qui descendait sur une pente rocailleuse. En bas de la piste il y avait une petite villa peinturée en jaune. Ils s'arrêtèrent.

Le capitaine se dépêcha d'aider les deux femmes à descendre de leurs chevaux.

— Nous y voici, *madonna*. Cela sera votre refuge.

Il marcha jusqu'à la grande porte en chêne et y frappa.

Bianca regarda autour d'elle. C'était certainement isolé, et la petite villa ne pouvait pas être aperçue de la route.

« Je serai peut-être prémunie contre Sebastiano, ici, songea-t-elle. Je peux enfin me bâtir une vie. »

— Voici la maîtresse de maison, entendit-elle le capitaine déclarer.

Bianca tourna les yeux vers la porte de la villa.

Une petite femme rondelette était debout dans l'embrasure de la porte, souriant largement.

— Bienvenue à Luce Stellare, *signora*. Votre père nous a envoyé un mot pour nous prévenir de vous attendre. Entrez ! Entrez !

Bianca se tourna vers le capitaine vénitien.

— Resterez-vous pour la nuit ? demanda-t-elle.

– Nenni, *signora*. Nous avons reçu l'ordre de vous amener ici en sécurité, mais ensuite, nous devions repartir immédiatement afin de ne pas attirer d'attention malvenue sur votre arrivée. Le *principe* et votre père ont été très fermes dans leurs instructions. Nous allons entreprendre notre retour aujourd'hui et suivre la route en haut le long de la côte jusqu'à Modène. Son *duca* a accordé la permission à votre grand-père de nous laisser voyager à travers son domaine jusqu'en territoire vénitien. Je vous remercie pour votre offre d'hospitalité. Je vais parler de votre bonté à votre grand-père, *signora*.

– *Mille grazie*, dit Bianca. Je vous prie de dire au *principe* que je lui suis reconnaissante de sa protection, capitaine.

Il s'inclina devant elle avec élégance, puis il monta son cheval et guida ses hommes en haut de la piste vers la route côtière qu'ils emprunteraient.

Bianca resta là un moment et regarda autour d'elle. C'était calme, et l'air était si doux. Il y avait une plage en contrebas de la maison. C'était une bande de sable étroite qui courait dans une étendue encore plus étroite de cailloux. Elle demanderait aux domestiques si on pouvait y marcher et la manière de descendre à la plage. Elle tourna et vit que la porte d'entrée de la villa était flanquée de chaque côté d'un gros pot bleu lustré. Des rosiers blancs y étaient plantés – ses préférés. Elle était certaine que son père avait veillé à cela.

Giovanni Pietro d'Angelo pouvait être un homme sentimental. Les roses, soupçonnait-elle, était un gage de paix. Il lui avait présenté ses excuses pour l'avoir obligée à se marier au lieu de chercher une autre solution au chantage de

Sebastiano Rovere. Elle lui avait facilement pardonné, car il n'aurait pas pu savoir à quel point Rovere se montrerait brutal avec sa femme. Le marchand de soie était très conscient de la réputation de décadence que possédait son gendre, mais il avait supposé que Rovere ne passerait pas ses vices sur sa jeune épouse, une fille innocente d'une bonne famille. Qu'il l'ait fait perturberait sa conscience pour le reste de sa vie.

Bianca s'arrêta pour sentir une des belles roses. Son parfum presque exotique était enivrant.

— Fais-la couper et emporter dans ma chambre à coucher, dit-elle à la domestique patiente, qui attendait encore qu'elle entre dans la villa.

— *Si, signora,* dit la servante. Vous aimez les fleurs ?

— Oui, lui dit Bianca. Beaucoup.

— Je m'appelle Filomena, *signora.* C'est ma responsabilité de gérer vos domestiques. Tous, à l'exception de votre femme de chambre, évidemment, se corrigea-t-elle prudemment. Entrez, à présent. Entrez ! Ils vous attendent tous. C'est un petit personnel, car le *signore,* votre père, a dit que vous préférez l'intimité et que vous êtes peu exigeante.

Bianca gloussa en entendant cette observation.

— Mon père me connaît bien, approuva-t-elle.

Les domestiques étaient tous alignés dans le beau vestibule de la maison pour l'accueillir.

Il y avait Gemma, la cuisinière et deux jeunes servantes : l'une pour aider Filomena et l'autre pour assister la cuisinière. Avec Agata, elles formaient le personnel de maison. Il n'y aurait pas d'homme dans la villa, et encore une fois, Bianca vit la main de son père dans cet arrangement. Le personnel externe était constitué seulement de deux frères d'un âge indéterminé, Primo et Ugo. Ils s'occuperaient des jardins et des animaux.

— Nous cultivons une bonne partie de notre nourriture, expliqua Filomena. Quand votre père est venu ouvrir la villa après tant d'années, les vieux potagers étaient encore visibles parmi les mauvaises herbes. Les frères ont repris leurs droits sur une bonne partie au cours des derniers mois et reprendront tout le reste d'ici l'an prochain. Il y a une petite oliveraie et des citronniers. Primo dit qu'il est possible de planter un petit vignoble très haut à flanc de colline. Il dit qu'il y en a déjà eu un autrefois, il y a longtemps. Certaines des vignes poussent encore. Il a apporté un peu des raisins pour vous ce matin.

Bianca se tourna et sourit à Primo.

— Merci, dit-elle.

Filomena fit un signe de tête au petit groupe de domestiques pour qu'ils retournent à leurs affaires.

— Je vais vous montrer votre nouvelle demeure, dit-elle. J'imagine qu'elle est plus petite que ce à quoi vous êtes habituée, *signora,* mais vous serez confortable. Votre estimé père m'a dit que vous avez été malade et que la vie en ville n'était plus pour vous. Votre mari est-il décédé ?

— Non, dit Bianca.

« Mais j'aimerais qu'il le soit », songea-t-elle silencieusement.

— Je cherche à obtenir une annulation, Filomena. On a découvert quel homme mauvais était mon époux après la célébration du mariage. Il est maintenant en prison, en attente de son sort.

— Ils vont peut-être l'exécuter, et ensuite, vous n'aurez plus à vous soucier d'une annulation, dit joyeusement Filomena.

C'était une femme de la campagne, et pour elle, les solutions simples étaient toujours les meilleures résolutions à n'importe quel problème.

Bianca éclata de rire.

— Oui, cela serait une bonne conséquence, mais sa réalisation est peu probable. Mon mari est un homme riche et puissant à Florence. Il échappera à son juste châtiment, mais je vais un jour obtenir mon annulation. Pour l'instant, j'espère que je suis bien cachée.

— Nous allons vous protéger, *signora*, dit Filomena.

Ensuite, elle montra à Bianca sa nouvelle maison et elle fut satisfaite de voir que sa *signora* était très contente.

Le vestibule de la villa était ouvert et spacieux. Il y avait un escalier central menant au deuxième étage. Le rez-de-chaussée de la maison comptait deux petits salons qui étaient meublés avec des chaises en bois tapissées et des tables. Il y avait une petite bibliothèque avec une longue table et une chaise à dos droit, ainsi qu'une salle à manger qui contenait une table pour six avec les chaises assorties. Toutes les pièces avaient des portes ouvrant sur les jardins à l'extérieur. Les murs étaient lambrissés de bois d'arbres fruitiers pâle, et les planchers étaient en carreaux beiges. Les murs de la salle à manger, cependant, étaient peints d'une fresque illustrant une chasse au cerf. Les murs de la bibliothèque étaient formés d'étagères de livres encastrées. Son plafond était à caissons.

Bianca suivit Filomena en haut du large escalier jusqu'au deuxième étage. Il y avait là trois chambres à coucher, chacune avec un foyer en tuiles. Deux des chambres à coucher avaient des alcôves pour abriter un domestique. Cependant, la chambre qui devait être celle de Bianca avait une petite chambre fenêtrée indépendante pour Agata. Le lit à baldaquin de Bianca avait des tentures en brocart de soie rose pâle. Ses fenêtres surplombaient les jardins et la mer. Il y avait une grande armoire peinturée sur un mur et un coffre assorti au pied du lit.

— J'espère que cette chambre vous conviendra, *signora,* dit la gouvernante.

Bianca balaya la pièce du regard. Les tuiles entourant son foyer étaient peintes d'une plante grimpante ornée de fleurs magenta. La tige avec sa flore se déployant d'une tuile à l'autre donnait l'impression d'une plante vivante.

— C'est charmant! dit-elle en souriant.

— Je vais vous laisser vous installer, *signora.* Agata vous rejoindra sous peu.

Puis, Filomena partit en hâte.

Bianca constata rapidement que les fenêtres donnant sur la mer étaient en fait des portes ouvrant sur un balcon avec une balustrade décorative en fer noir. Ouvrant les portes, elle sortit et regarda autour d'elle. À sa gauche, elle ne pouvait voir que les collines escarpées, rocailleuses et vertes, mais à sa droite et peut-être à un demi-kilomètre de distance, il y avait une autre villa. Elle se demanda si elle était habitée.

Agata entra d'un pas affairé dans la chambre à coucher, l'appelant pour qu'elle rentre.

— Ce n'est pas le *palazzo* de votre père à Florence, mais c'est charmant, maîtresse. Pouvez-vous être heureuse, ici?

Elle regarda anxieusement Bianca, ses yeux bruns chaleureux remplis d'inquiétude.

— Oui, dit Bianca, je peux être heureuse ici. Je pourrais être heureuse dans la cabane d'un paysan tant que je n'ai pas à supporter Sebastiano Rovere, Agata.

– Qu'il brûle en enfer, et vite ! dit Agata en faisant le signe du mauvais œil.

Bianca s'habitua facilement à la vie campagnarde à Luce Stellare. Elle avait en fait plus de liberté dans sa vie que jamais auparavant. Elle passa du temps à explorer les jardins que revitalisaient Primo et Ugo. Contrairement au *palazzo* de son père qui avait ses cuisines à l'étage inférieur de la maison, les cuisines de la villa étaient à l'arrière de l'étage principal. Devant sa porte il y avait un jardin d'herbes aromatiques florissant avec des herbes sucrées et salées. Il y avait un petit potager pour la cuisine, mais il y avait aussi un grand potager dans un autre endroit qui abritait deux abricotiers.

Le jardin de fleurs était un délice, non seulement pour les yeux, mais aussi pour le nez.

Tandis que l'automne avançait, bien sûr, les jardins s'endormirent, mais les rosiers continueraient à fleurir jusqu'à ce qu'un gel leur signale qu'il était temps de se reposer. Les gels étaient légers ici, sur la côte, car la mer réchauffait l'air. À Florence, le temps deviendrait pluvieux et froid, mais ici, à Luce Stellare, il resterait doux.

La plage était sécuritaire pour la promenade, avait dit Filomena à Bianca. Elle pouvait même monter son cheval, mais la vérité était que Bianca aimait marcher au bord de l'eau. Pour le grand soulagement d'Agata, elle ne voulait pas d'une compagne. La femme de chambre aimait les jardins, mais ayant à présent vu la mer, elle s'en méfiait. Elle était satisfaite d'aider avec la volaille et elle aimait beaucoup rassembler le troupeau de chèvres. C'était un don qu'elle n'aurait jamais imaginé posséder.

– Il y a une campagnarde quelque part en toi, la taquina Filomena.

– Bah ! Même ma vieille grand-mère est née à Florence, dit Agata.

Sa première nuit à la villa, Bianca se tint sur le balcon de sa chambre à coucher à admirer le premier quartier de lune. Le ciel noir dégagé était tellement rempli d'étoiles qu'elle comprit rapidement pourquoi Luce Stellare avait reçu ce nom. Une légère brise chaude lui apportait le parfum des roses du jardin. Elle ferma les yeux et inspira profondément. Puis, se souvenant de la villa au loin, elle tourna la tête et elle vit qu'il y avait de la lumière. À l'évidence, quelqu'un était en résidence.

La curiosité de Bianca se réveilla. Qui, se demanda-t-elle, était son voisin ? Était-ce un vieux gentleman ou une dame qui y vivait là ses derniers jours ? Ou bien s'agissait-il d'une famille ? Comme elle n'allait pas entretenir des liens sociaux, il était peu probable qu'elle le découvre un jour. Cependant, le lendemain matin, elle s'informa auprès de Filomena sur l'autre villa. Sa gouvernante le saurait, elle en était convaincue.

– Qui vit dans cette villa à flanc de coteau ? demanda-t-elle. Le sais-tu ?

– Je n'en suis pas tout à fait sûre, dit Filomena, mais on me dit qu'il s'agit d'un prince étranger. Il va et vient, car il fait des affaires en ville. On dit que les Médicis le tiennent en très haute estime.

Elle haussa les épaules et ajouta :

– Je ne l'ai jamais vu.

– Moi, je l'ai vu.

La petite servante Rufina intervint.

— Vraiment ?

Filomena fusilla la fille du regard.

— Et où étais-tu exactement lorsque tu as vu cet homme ? exigea-t-elle de savoir.

— À flanc de coteau, dit Rufina. Il est très grand et il a des cheveux foncés. Il marchait sur la plage, comme le fait notre *signora*. Il ne m'a pas vue, Filomena. Il semblait réfléchir.

— Je ne me rappelle pas avoir entendu mon père parler d'un prince étranger qui fait des affaires en ville. Ce n'est pas un marchand de tissus, peu importe lequel, car si c'était le cas, mon père le connaîtrait, particulièrement s'il conclut des échanges commerciaux avec la famille de Médicis. Il ne peut pas être une personne d'une grande importance, dit Bianca.

— Il se tient à l'écart, remarqua Filomena. Quand nous avons commencé les travaux de rénovation à Luce Stellare, il n'a montré aucune curiosité et il n'a pas envoyé ses serviteurs pour fouiner lorsque nous étions dans les parages. C'est une bonne chose pour vous, *signora*. Notamment, s'il fait des allers-retours entre ici et la ville. Vous ne voulez pas qu'il cancane à propos de la femme solitaire qui est sa nouvelle voisine.

— Que Dieu nous en garde ! s'exclama Bianca.

Filomena avait raison. Elle n'avait pas besoin d'un voisin trop curieux ou de sa femme, car il avait certainement une femme si c'était un homme respectable, quelqu'un qui tenterait de devenir son ami ou se demanderait pourquoi elle était à la villa sans un homme pour la protéger. Non. Sa curiosité était satisfaite, et il vaudrait mieux qu'elle-même et sa voisine ne se mêlent pas.

Les jours prirent une tournure confortable avec sa routine de repas, de siestes et de projets à l'extérieur.

Les domestiques étaient gentils et faciles à gérer. Bianca découvrit qu'elle n'avait rien à redire. C'était paisible, et ils ne voyaient personne. Tandis que les jours s'écoulaient, elle remarqua qu'elle recommençait vraiment à se sentir en sécurité pour la première fois depuis presque deux ans.

Chapitre 6

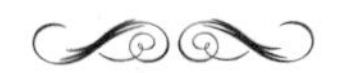

L'hiver s'était déroulé sans incident. Bianca ne reçut aucun visiteur ni aucune communication de sa famille. La route étroite au-dessus de la villa restait libre d'hommes et de bêtes. Il y avait le son de la mer, et de temps à autre, celui du vent ou du cri d'une mouette, mais cela mis à part, tout était silencieux. Particulièrement pendant la nuit. En ville, les nuits étaient bruyantes jusqu'au petit matin, les sons s'infiltrant à travers les murs épais de la maison de son père. Ici, dans sa petite villa, les nuits d'hiver étaient calmes. C'était comme si elle vivait dans un autre monde. Elle célébra son seizième anniversaire avec ses servantes et oublia l'anniversaire de ce mariage qui lui avait apporté tant de misères.

Puis, un après-midi de printemps, tandis qu'elle marchait sur la plage, elle vit un homme avancer à grands pas dans sa direction. Bianca pivota rapidement et retraça vite ses pas sur la plage, atteignant le sentier abrupt qui menait à la villa. Une fois dessus, elle regarda en bas. L'homme marchait encore, mais ne montrait absolument aucun signe de l'avoir vue ni d'avoir envie de parler avec elle. Elle découvrit qu'elle ressentait un mélange de soulagement et de déception.

Le lendemain, l'homme marchait encore à la même heure que Bianca. Son premier réflexe fut de fuir, mais ensuite, elle décida qu'elle n'en ferait rien. Elle n'avait absolument aucune raison d'éviter son voisin. Il n'avait montré aucun signe d'intention hostile, et s'enfuir comme un animal apeuré avait l'air stupide et soulèverait des questions. Elle serra un peu plus le capuchon de sa cape autour de son visage et continua à avancer, les cailloux de la plage crissant légèrement sous ses pas. Il y avait un vent doux dans son dos.

Il s'approcha de plus en plus, marchant d'un pas décidé. D'après la description que lui avait donnée Rufina, cela devait certainement être son voisin. Il n'avait pas particulièrement l'air d'un étranger, pensa Bianca tandis qu'il se rapprochait. Elle était capable de voir son visage sous ses propres cils baissés. Cela serait impoli de le dévisager ou de croiser son regard, malgré sa curiosité. Seule une femme du peuple agirait ainsi.

Il était très grand et solidement bâti. Ses jambes lui parurent très longues. Il ne possédait pas cet air doux des marchands, mais il avait plutôt l'air d'un soldat. Il avait la peau claire avec un visage ovale qui semblait entièrement formé d'angles et de surfaces planes. Son nez était long et d'apparence aristocratique, sa bouche était grande avec des lèvres minces. Elle ne pouvait pas voir la couleur de ses yeux, mais les sourcils épais au-dessus étaient aussi noirs que la nuit.

Il avait une démarche assurée et régulière qu'il n'interrompit pas comme s'il voulait l'observer lorsqu'ils passèrent l'un à côté de l'autre. Il était vêtu d'une belle robe de brocart bleu foncé et doré qui ondoyait très légèrement autour de lui, mais à savoir si c'était à cause de son propre puissant mouvement en avant ou de la brise légère, Bianca n'aurait pas pu le dire.

Il était très conscient de l'examen poli de sa personne, mais il ne montra absolument aucun signe de la voir alors qu'il passait rapidement à côté d'elle. Cependant, il se découvrit amusé de la concentration qu'elle mettait à ne pas avoir l'air curieuse. Comme toutes les femmes, elle l'était, évidemment, mais elle semblait s'efforcer de cultiver une attitude désintéressée.

Voici donc qui était sa voisine, pensa le prince Amir ibn Jem. Qui était-elle ? Tout ce que ses propres serviteurs avaient été capables d'apprendre était qu'il s'agissait d'une lady d'une famille distinguée. Le peu qu'il avait été en mesure d'apercevoir d'elle avait révélé à ses yeux une belle femme. Que faisait une belle femme à vivre seule dans une villa isolée au bord de la mer ? Avait-elle provoqué un scandale impardonnable, après quoi on l'avait exilée ici ?

La fois précédente, elle avait fui à son approche, mais aujourd'hui, elle avait continué à marcher. Qu'est-ce qui l'avait fait changer d'avis pour ne plus le considérer comme une menace ? Il était un homme direct, et habituellement, les mystères ne l'intéressaient pas. Il avait passé une trop grande partie de sa jeune vie entouré de mystères. Quand il rebroussa enfin chemin pour revenir à sa propre villa, elle n'était plus sur la plage. Était-elle restée aujourd'hui simplement pour satisfaire sa curiosité ?

Et qu'en était-il de sa propre curiosité ? Il allait à nouveau s'informer auprès de ses serviteurs. Ils étaient toujours au courant de tout. Au grand étonnement d'Amir, toutefois, ils ne purent rien lui apprendre de plus sur les habitants de la villa proche. Leurs brefs contacts avaient été avec deux jardiniers avant l'arrivée de la dame. Les hommes avaient dit aux siens qu'ils attendaient une lady, une parente du propriétaire de la villa. Les domestiques du prince savaient bien, par contre, que la villa s'appelait « Luce Stellare ».

— Dis-leur de découvrir qui vit là ou, du moins, le nom du propriétaire de la villa, dit-il à son esclave personnel, Krikor.

— Oui, mon prince, dit Krikor d'un ton sec avec l'assurance d'un serviteur de longue date. Je vais faire l'impossible pour vous, comme toujours.

C'était un homme petit, dodu à cause de la bonne chère, et il était avec le prince depuis sa jeunesse.

— Pourquoi vous intéressez-vous autant aux habitants de cette petite villa ? Ah ! Vous avez vu la dame ! Est-elle belle, mon seigneur ?

— Je l'ai peu vue, répondit le prince, taquinant son serviteur. Elle était très bien enveloppée dans sa cape, comme une femme bien devrait l'être en public.

— Est-elle jeune ? Vieille ? insista Krikor, sachant bien qu'il y avait davantage.

— Jeune, je pense, répondit le prince. Elle a gardé la tête baissée et les yeux au sol, mais elle n'était pas voûtée, et son pas était assuré. Elle est un mystère, Krikor, et tu sais comme je hais les mystères. Je dois les résoudre.

— Mystère et intrigue, dit Krikor. C'est ce qui arrive quand on a été élevé dans un harem jusqu'à l'âge de sept ans. Si seulement votre mère avait vécu plus longtemps. Elle était sage au-delà de son âge, mon seigneur.

– Le harem de mon père était loin d'être animé, dit Amir. Le prince rebelle qui m'a engendré était une grande déception pour les quelques femmes qu'il gardait. Il avait trop peu de temps pour elles ou pour moi ; se quereller avec mon oncle Bayezit pour savoir qui héritera du trône du sultan Mohammed est plus important pour lui. Je vais toujours croire que ma mère est morte d'ennui pur et simple, Krikor, car c'était une femme intelligente entourée d'une demi-douzaine de beautés insipides dont le seul intérêt était d'attirer leur seigneur et maître.

– Pourtant, vous avez réussi à conserver la faveur de votre grand-père malgré le mauvais comportement de votre père, mon seigneur.

Amir rit.

– Je n'ai aucune envie de régner sur l'empire ou de mener nos armées comme mon père le fait. Mon oncle finira par gagner la bataille, car il est plus déterminé et beaucoup plus intelligent. Les janissaires sont favorables à Bayezit. Il ne dirige pas les armées, mais il trouve plutôt les meilleurs hommes pour le faire pour lui, se garantissant ainsi les victoires. Les hommes de ma famille peuvent bien avoir une attitude martiale, mais je garde toujours à l'esprit le penchant de mes parents à disposer des héritiers mâles pénibles, dit Amir en riant tristement.

Krikor hocha la tête en souriant largement.

– En tant que marchand à Florence, je suis loin d'être une menace pour les bâtisseurs d'empire à qui je suis apparenté. L'information que j'envoie à l'aga concernant les affaires florentines et leurs voisins l'aide dans ses décisions sur sa façon de traiter avec ces États italiens. J'ai prouvé ma valeur au sultan dans ce rôle. Mon grand-père n'a pas besoin d'un autre guerrier. Je sais que mon oncle Bayezit, bien que se méfiant de n'importe quel fils de Jem, n'agira pas contre moi tant que je poursuis paisiblement mes entreprises comme vendeur d'antiquités et de beaux tapis pour la fortune. Souviens-toi, Krikor, que les parents de ma mère étaient des marchands ; c'est ainsi qu'elle a fini dans un harem.

— Cela vous a rendu riche, remarqua Krikor. Cependant, Constantinople ne vous manque-t-elle pas ? Et qu'en est-il de vos deux belles femmes, mon seigneur ?

— Oui, parfois, cette ville dorée me manque, admit Amir. Souviens-toi, par contre, que ma maison est à présent sur la mer Noire, loin de la ville et de mon petit palais. Quant à lady Shahdi et lady Maysun, je les ai prises comme épouses à la demande du sultan, car il souhaitait honorer leurs familles. Ce sont de gentilles femmes, mais je n'éprouve pas de passion pour elles, sinon je les aurais emmenées avec moi. Les courtisanes de Florence me divertissent bien.

— Néanmoins, la femme sur la plage attise votre curiosité, mon seigneur, observa Krikor avec perspicacité.

— En effet, et parce qu'elle le fait, tu découvriras son identité pour moi, dit le prince. Je dois la savoir !

— Je ferai de mon mieux, mon seigneur, promit son serviteur.

Le lendemain, Bianca se promena plus tôt afin d'éviter son voisin.

— Je ne peux pas courir le risque qu'il découvre qui je suis. Il est peut-être l'un de ces hommes qui assistent aux épouvantables orgies organisées par mon mari.

— Peu savent à quoi ressemble la jeune épouse de ce démon, car il vous permettait rarement de vous faire voir après que de Médicis a montré son intérêt pour vous. Votre mari est un homme jaloux. Comme si vous alliez lui être infidèle ! dit Agata avec indignation.

— Laurent de Médicis aurait pu être mon frère. Il était mon ami, sans plus, dit Bianca. Je chérissais son amitié. Cependant, je n'ai jamais connu la plupart des hommes qui assistaient à ces soupers. Au moins, il s'agissait des relations les plus respectables de Sebastiano. Cet homme qui m'a dépassée sur la plage n'a pas l'air d'un débauché et il ne m'a pas non plus dévisagée impoliment, comme un homme lubrique pourrait le faire.

— Il n'a pas parlé du tout ? demanda Agata.

— Nenni, il est simplement passé sans jamais ralentir son pas. J'étais très soulagée, je dois te le dire, admit Bianca. Faire connaissance aurait exigé que nous échangions nos noms. Même si personne n'est au courant que j'ai quitté mon mari et que je cherche à obtenir une annulation, quelqu'un qui apprend mon nom peut poser des questions en ville. Mon mari en entendrait sûrement parler et il fondrait sur moi avant que je puisse lui échapper. Je ne peux pas y retourner, Agata ! Je ne peux pas !

— Vous ne serez pas obligée de le faire, maîtresse, assura Agata à la jeune femme.

« Comment elle arrive à supporter cette vie de solitude, par contre, je l'ignore », pensa-t-elle.

Elle aussi se sentait seule, mais au moins, elle avait la compagnie de Filomena et des autres femmes de la maison. Bianca n'avait vraiment personne de son âge et de son rang avec qui converser. Et quand les Pietro d'Angelo finiraient-ils par communiquer avec elles ?

Lors de sa promenade suivante, Bianca fut soudainement approchée par un beau chien de chasse aux poils longs. Il était d'une couleur dorée et il était différent de tous ceux qu'elle avait vus auparavant. Il vint vers elle en bondissant et en remuant sa queue douce comme une plume et il plaça immédiatement son long nez mouillé dans sa main. Bianca rit et flatta la tête élégante et aristocratique du chien. Sa fourrure était douce, bien qu'épaisse ; même ses jambes étaient couvertes d'une longue fourrure, également douce comme la plume.

— D'où viens-tu, mon bel ami ? demanda Bianca à voix haute, comme si elle s'attendait à ce que cette créature exotique lui réponde.

À sa grande surprise, le chien lui emboîta le pas quand elle reprit sa randonnée. Elle découvrit qu'elle aimait la compagnie de l'animal. Puis, elle vit que la bête portait un étroit collier d'or autour de son cou mince. Bianca s'arrêta et s'agenouilla, scrutant attentivement le collier. Il y avait ces mots gravés dessus : « je m'appelle Darius, et mon maître est le prince Amir. » Pouvait-il s'agir du prince qui était son voisin ? Puis, elle entendit quelqu'un appeler le chien. Se relevant rapidement, elle vit un petit homme se hâter vers eux.

Essoufflé, il s'inclina bien bas devant elle.

— J'espère que Darius ne vous a pas offensée, *madonna*, dit l'homme dans un italien avec un fort accent. Il n'a pas l'habitude de s'enfuir comme il l'a fait aujourd'hui.

— Non, répondit Bianca. J'ai beaucoup aimé sa compagnie, mais je suis contente que vous l'ayez trouvé et soulagée de savoir qu'il a une maison. C'est un bel animal.

— Je m'appelle Krikor, *madonna*. Je suis l'esclave du prince Amir, qui est votre voisin, répondit-il en exécutant une nouvelle révérence.

Bianca le remercia de sa politesse d'un minuscule mouvement de la tête, mais ensuite, elle se détourna.

— Je dois partir, dit-elle.

— Le prince voudra savoir qui remercier d'avoir trouvé son chien. Il est très attaché à Darius, dit Krikor.

— Aucun remerciement n'est nécessaire, lui assura Bianca et elle partit en hâte.

Le prince rit quand son serviteur lui raconta sa rencontre avec Bianca.

— La dame souhaite rester anonyme, dit-il, ce qui ne fait qu'augmenter ma curiosité. Y a-t-il des visiteurs à la villa Luce Stellare, Krikor ? La dame a peut-être un amant important qu'elle ne souhaite pas exposer.

Krikor secoua la tête.

— D'après ce que je sais, mon seigneur, elle vit seule avec un petit personnel. Je n'ai jamais vu quelqu'un sur la route s'arrêter chez elle, mais je ne reste pas assis toute la journée et toute la nuit à surveiller. Mon instinct me dit qu'elle a peur de quelque chose, ce qui explique qu'elle garde aussi jalousement son intimité.

— Laisse Darius libre chaque jour quand elle marche, lui ordonna Amir. Il rentrera sans que tu doives aller le chercher. Je vois que je dois être patient afin de démêler cette intrigue que représente ma belle voisine, mais je vais la résoudre.

Bianca fut étonnée de voir Darius venir à sa rencontre le lendemain après-midi quand elle atteignit la plage. Il accepta volontiers ses caresses, puis il trotta à côté d'elle pendant sa promenade. Bianca n'était pas stupide. Après quelques jours, elle comprit que l'apparition de Darius n'était pas une coïncidence. Sûrement, le chien ne s'était pas libéré seul encore une fois. Il avait été lâché pour qu'il la rejoigne. Son voisin était curieux, ce qui présentait un problème.

– Marcher sur la plage est l'un de mes rares plaisirs, dit-elle à Agata. Un jour, ce prince suivra son animal. Il posera des questions auxquelles je ne souhaite pas répondre. Et s'il me reconnaît? Je ne peux pas me promener sur la route. Il me gâche tout.

Elle commençait à devenir agitée juste à y penser.

– Mettez une note sous le collier du chien informant son maître de votre désir de préserver votre intimité, suggéra Agata. S'il s'agit d'un gentleman, il se pliera à votre volonté.

La femme de chambre passait lentement et régulièrement une brosse à travers la longue chevelure d'ébène de sa maîtresse dans un effort pour l'apaiser. Elle savait que Bianca prenait plaisir à la compagnie du chien. Ils devaient lui trouver un animal de compagnie ou deux pour la distraire de sa situation. Filomena saurait comment s'occuper d'une tâche semblable. Elle aurait dû y penser avant.

– Si seulement ma mère m'écrivait, se tracassa Bianca. Nous sommes tellement isolées.

– Quand il y aura quelque chose à communiquer, votre mère vous écrira, dit Agata à la jeune femme. Il vaut mieux qu'elle soit prudente que de nous attirer la visite de votre mari.

Bianca accepta la proposition d'Agata, et le lendemain, quand elle rentra à la maison après sa promenade, elle commença par s'arrêter pour glisser avec précaution le mot qu'elle avait écrit sous le collier d'or de Darius.

— Rentre chez toi, à présent, dit-elle au chien en mettant le pied sur le sentier menant à sa villa.

Elle stoppa brièvement en route pour regarder le chien courir à grandes enjambées sur la plage vers sa propre maison.

Le prince savait toujours à quelle heure approximative son chien de chasse revenait et il l'attendait. En voyant son maître, Darius trottina vers lui, poussant son long nez dans la main de l'homme.

— Bien, bien, déjà de retour de ta promenade, remarqua Amir. S'est-elle informée de moi ? Est-elle aussi belle que je le crois ou est-ce mon imagination ?

Puis, il vit le petit parchemin glissé sous le collier du chien.

— Ahh, elle m'a envoyé un message d'amour, dit-il en riant avant de retirer le parchemin sous le collier et de l'ouvrir soigneusement.

Signore, commençait-il. *Bien que je tire vraiment du plaisir de la compagnie de votre chien, j'espère que vous ne prendrez pas cela comme prétexte pour vous immiscer davantage dans ma vie privée.* C'était signé *La dame de Luce Stellare.* Amir rit avec regret. Sa voisine n'avait-elle pas songé que sa demande ne ferait que le mettre en appétit et qu'il voudrait en apprendre encore plus sur elle ?

Le lendemain après-midi, Bianca trouva une nouvelle note sous le collier de Darius. Incapable de refouler sa curiosité, elle tira dessus et l'ouvrit. *Qui êtes-vous ?* disait le mot. Elle écrasa le parchemin et le fourra dans la poche de sa cape. L'après-midi suivant, il y avait un autre message attaché au chien. *Dites-moi votre nom,* suppliait-il. Elle sourit, incapable de se retenir.

– Il vous fait la cour, dit Agata en gloussant.

– Il ne le devrait pas. Jusqu'à ce que l'on me dise le contraire, je suis une femme mariée, dit Bianca.

– Mais il l'ignore, et peut-être cela n'a-t-il pas d'importance pour lui. Les hommes sont comme ça, maîtresse, répondit Agata.

– Il ne peut pas savoir qui je suis, répondit Bianca. Dois-je cesser de marcher sur ma propre plage parce qu'un homme me harcelle ?

– Vous pouvez marcher, lui dit Agata. Il se lassera de ce jeu, si vous n'y jouez pas avec lui. Les hommes ressemblent tellement à des enfants.

Donc, Bianca marcha, et chaque jour, Darius la rejoignait, mais il n'y eut plus de note sous son collier. Puis, un après-midi, le chien apparut devant elle en transportant un petit panier fermé dans sa gueule. Il s'arrêta, le déposa devant elle sur la plage de galets et s'assit, levant un regard anxieux vers elle. Elle entendit un son angoissé venant de l'intérieur du contenant en osier et elle souleva le couvercle. Là, à l'intérieur se trouvait un petit chaton blanc très poilu.

– *Oh*! s'exclama Bianca, incapable de s'empêcher de prendre le chaton dans le panier. Comme tu es adorable !

La petite créature tremblait et miaulait pitoyablement dans sa direction. Bianca la serra contre elle en faisant de petits bruits apaisants, dans l'espoir de la réconforter. C'était la plus belle bête qu'elle avait jamais vue. Après un examen plus approfondi, elle vit qu'il portait un collier en cuir doré clouté de minuscules perles d'eau douce. Elle embrassa la tête du chaton et, voyant une note dans le panier, elle la prit avec sa main libre et la lut : *Je m'appelle Jamila. S'il vous plaît, donnez-moi une maison, bienveillante dame de Luce Stellare.*

Bianca rit doucement. Que devait-elle faire ? Elle pouvait difficilement refuser une demande aussi charmante.

Jamila réussit à s'échapper des limites de sa main et rampa sur son épaule. Une fois là, elle se pelotonna dans le creux du cou de Bianca et commença à ronronner. Après une telle stratégie féline, Bianca ne savait plus quoi faire.

— Tu es une petite chose vraiment malicieuse, dit-elle doucement sur le ton de la réprimande à la chatonne.

Puis, la cueillant de son perchoir et la remettant dans le panier, elle recommença à marcher vers sa maison pendant que Jamila se plaignait et pleurait pour qu'elle la reprenne dans ses mains et lui fasse des câlins. La maisonnée de femmes tomba immédiatement amoureuse de la chatonne.

— Comment puis-je refuser de l'accueillir ? leur demanda une Bianca impuissante.

Elles tombèrent toutes d'accord pour dire qu'elle ne le pouvait pas, même Agata.

Jamila s'établit rapidement comme la reine de la maisonnée, et Bianca fut plus heureuse en sa présence. Elle glissa un mot sous le collier de Darius le lendemain, remerciant son voisin pour la chatte.

L'été arriva, et encore, elle resta sans aucune nouvelle de sa famille. Bianca ne pouvait qu'en déduire que Sebastiano Rovere refusait de permettre l'annulation. Le fait qu'il avait encore le pouvoir de vie et de mort sur elle était perturbant. Néanmoins, elle tira du réconfort du fait qu'il ignorait où elle se trouvait ; s'il le savait, il viendrait la chercher. La pensée de rentrer dans son grand et sombre *palazzo* avec tous ses secrets l'effrayait. Elle évitait d'y penser, se délectant plutôt de la chaleur et du soleil des mois d'été.

Un après-midi, tandis qu'elle se promenait sur la plage, elle vit son voisin debout sur les hauteurs. Il agita la main, et avant qu'elle puisse se retenir, Bianca le salua à son tour. Puis, elle se réprimanda pour sa stupidité, mais il n'avait pas pris le mouvement nonchalant de sa main pour une invitation à venir la rejoindre, ce en quoi elle fut soulagée. Il ne fut pas là de nouveau avant quelques jours, mais la deuxième fois qu'il la salua de la main, elle fut liée par ses premières actions à lui répondre à son tour. Puis, elle tourna et marcha rapidement vers Luce Stellare.

Bianca devait admettre qu'elle était aussi curieuse à propos de son voisin que lui à son sujet. Qui était-il réellement, cet homme qu'ils appelaient « le prince » ? Était-il véritablement prince ? Un étranger, lui avaient dit Filomena et Gemma d'un air renfrogné. Un étranger – et les étrangers étaient dangereux. Il était prince, avait assuré la petite Rufina à sa maîtresse. Elle avait parlé avec un serviteur de la villa voisine qui était son cousin. Le prince, avait dit Rufina, allait et venait entre ici et Florence.

Fascinée malgré elle, Bianca demanda à la fille :

– Que fait-il, en ville ?

– Luigi dit que c'est un marchand de tapis et d'objets rares, lui dit Rufina. Le grand Médicis lui-même est un client de l'entreprise du prince.

« Que peut bien acheter Laurent de Médicis à ce prince ? » se demanda Bianca.

Mais ensuite, elle se rappela que Laurent avait une passion pour les antiquités et les objets rares, ainsi que pour les belles femmes. Si ce prince étranger pourvoyait aux goûts des Médicis, alors il ferait fortune, si ce n'était pas déjà fait, car les Médicis ne chicanaient pas sur le prix d'un objet qu'ils désiraient. Leurs différentes maisons étaient remplies de belles peintures, de sculptures et d'autres objets de grande valeur. Et les autres riches de la ville suivraient les Médicis et achèteraient du prince marchand eux aussi.

Bianca songea que son voisin pouvait être aussi intéressant que le vieux marchand de soie que son père avait l'habitude d'inviter à la maison pour un repas de temps à autre avant la mort du vieillard. Dans sa jeunesse et dans la fleur de l'âge, cet homme avait voyagé en Chine, rapportant des rouleaux de tissu très prisés par les riches de Florence. Il racontait de merveilleuses histoires sur ses aventures ; Marco et elle avaient reçu la permission de les écouter.

Cela avait été le premier aperçu du monde extérieur à la maison de son père qu'avait eu Bianca. Elle avait même une fois déjà dit à ses parents qu'elle aurait souhaité pouvoir voyager, mais ils avaient ri et lui avaient dit que son avenir était un merveilleux mariage et une famille à elle.

« Eh bien, songea Bianca, cela ne s'est pas réalisé tout à fait comme mes parents l'avaient prévu. »

Elle aurait mieux fait de voyager dans des endroits lointains. Peut-être ce prince avait-il des histoires merveilleuses à raconter ; mais alors, elle n'était plus une enfant. Elle était une femme se cachant d'un mari brutal et dangereux qui la tuerait certainement s'il pouvait la trouver.

« Tout de même, se raisonna Bianca, je n'ai pas parlé à un autre humain sauf Agata et les domestiques depuis des mois. »

Elle n'avait jamais entendu parler de ce prince étranger avant de découvrir qu'il était son voisin. Sûrement, elle aurait eu vent de lui s'il avait été connu de sa famille ou de son mari. Et comme sa villa à elle, la sienne était toujours calme et paisible, sans invité ou autre visiteur. Peut-être, seulement peut-être, allait-elle lui permettre de lui parler. Elle allait peut-être même discuter avec lui.

Mais comment pouvait-elle lancer la discussion avec lui après l'avoir rabroué si fermement ? Évidemment ! Quelle *idiota* elle était ! Elle allait lui écrire et faire livrer le message par Darius. Le lendemain, elle glissa un bout de parchemin sous le collier du chien de chasse quand elle fut prête à le renvoyer chez son maître. Bianca aurait pu jurer que l'animal souriait, la bouche ouverte, la langue pendante quand il partit en courant à grandes enjambées.

Amir sourit. Quand il prit le message, il lut : *Êtes-vous réellement un prince ?*

Le lendemain, Bianca ouvrit sa réponse. *Je suis Amir ibn Jem, le petit-fils du sultan. Oui, je suis vraiment un prince.*

Une correspondance quotidienne commença à transiter entre eux.

Est-ce vrai que vous vendez des antiquités à Laurent de Médicis ?

Un Florentin qui n'est pas un marchand ne bénéficie d'aucune estime, répondit-il en citant le célèbre dicton circulant parmi les Florentins.

Bianca sourit en lisant sa réponse, puis elle lui répondit : *Mais vous êtes un étranger. Vous n'êtes pas né à Florence.*

Je suis un Florentin par choix, milady.

Je pensais que tous les Turcs étaient des guerriers.

Quand vous êtes le petit-fils du sultan, il vaut mieux être marchand.

Pourquoi ? Votre père était-il marchand ?

Mon père est un guerrier. Il se dispute constamment avec son frère pour savoir qui héritera un jour du trône de mon grand-père.

Un jour, mon oncle tuera mon père, car il est plus déterminé à devenir sultan et mieux fait pour ce rôle. Les Turcs royaux tuent tout le monde, y compris leurs familles qu'ils considèrent comme des rivaux pour leurs ambitions personnelles.

Si vous ne voulez pas devenir sultan un jour, alors je comprends votre désir d'anonymat et d'intimité.

Ne pourriez-vous pas me dire votre nom ?

C'était une demande si simple, et il lui avait révélé le sien. Elle n'était pas obligée de lui dire son nom en entier. Elle pouvait lui dire son prénom. Bianca n'était pas un nom rare. *Je m'appelle Bianca,* écrivit-elle.

À présent que nous sommes amis, Bianca, et j'espère que vous me considérez comme tel, pouvons-nous nous rencontrer un après-midi sur notre plage et parler face à face ?

Je suis une femme respectable, prince Amir. Si vous comprenez que je ne cherche pas une aventure, alors peut-être puis-je accepter votre proposition, lui répondit Bianca par écrit.

Emmenez une femme de chambre avec vous si vous craignez pour votre bon nom, Bianca. Je ne serai pas offensé. J'aimerais que vous soyez à l'aise avec moi et non que vous ayez peur que je me lance sur vous avec un comportement honteux.

— Eh bien, eh bien, dit Agata, qui était au courant de la correspondance de sa maîtresse avec le prince, il se montre attentionné envers vous. Si vous étiez une jeune fille, bien sûr, vous devriez refuser, mais vous ne l'êtes pas. Vous vous êtes sentie très seule. Je le sais. Tant que cet homme et vous adoptez un comportement acceptable — et je suis là pour m'en assurer —, je ne vois pas de raison pour vous empêcher de discuter avec lui, maîtresse. Il aura peut-être même des nouvelles de ce qui se passe en ville, puisque votre mère ne s'est pas sentie assez sûre pour vous écrire.

Demain, lut-il plus tard ce jour-là quand il ouvrit le petit morceau de parchemin qu'il découvrit sous le collier de Darius. Amir se sourit à lui-même. Il n'avait pas été à ce point intrigué par une femme depuis longtemps, mais comme le chasseur talentueux qu'il était, il l'avait laissée venir à lui à ses propres conditions. Il ne fut pas étonné de la voir s'approcher de lui le lendemain en compagnie d'une autre femme. Elle était peut-être vraiment une femme respectable, mais à quel point, cela restait à voir. Il pensait maintenant qu'elle était la maîtresse abandonnée d'un homme riche et puissant à qui l'on avait offert une villa et renvoyée parce qu'elle était devenue un inconvénient pour une raison inconnue. Certainement, la femme d'une maison de qualité ne serait pas seule comme elle l'était.

Il portait un pantalon blanc et une tunique blanche qui s'allongeait jusque sous ses genoux alors qu'il s'avançait vers elle, ses bottes foncées écrasant les galets sous elles et les enfonçant dans le sable. Le blanc convenait bien à son teint bronzé et à sa chevelure noire et ondulée. Le chien était avec lui.

— Maintenant, il ressemble à un Turc, dit doucement Agata. Et il est très séduisant.

« Elle est belle, pensa Amir pendant qu'elles s'approchaient, et jeune aussi. Quel Florentin fou et imbu de lui-même l'a rejetée avec autant de nonchalance ? »

Elle portait une robe de soie lavande. Les manches bouffantes étaient ordinaires, et la robe n'avait pas de traîne. C'était un vêtement simple, mais le tissu était de la meilleure qualité, il le voyait. De taille moyenne, elle se tenait bien. Le petit visage aristocratique n'était pas celui d'une paysanne. Sa chevelure était d'ébène. Elle n'était pas teinte pour accommoder la mode florentine pour le blond ou le roux. Sa peau était claire et très pâle. Ses yeux étaient pâles, même si en ce moment, il était incapable d'en déterminer la couleur, car elle les baissait poliment. Oui, qui qu'elle soit, elle était de la haute société et avait des manières.

– Vos yeux sont bleus ! s'exclama-t-elle avec étonnement quand ils arrivèrent assez près pour se voir réellement. J'ignorais que les Turcs avaient les yeux bleus.

– Ma mère était anglaise, dit-il.

Puis, il s'inclina poliment devant elle et, prenant sa petite main dans la sienne, il l'embrassa.

– Votre présence m'honore, *madonna*.

Une étrange pensée frappa Bianca tandis qu'il libérait sa main. Son baiser lui avait donné l'impression qu'il marquait sa chair au fer rouge. Elle sentit ses joues devenir chaudes en rougissant.

– Vos yeux sont comme des aigues-marines, dit-il, mais alors, je suis certain qu'on vous l'a déjà dit. Je vous présente mes excuses pour mon incapacité à être plus original pour vous, Bianca.

– On me dit que la couleur de mes yeux me vient d'un ancêtre nordique, *signore*, répondit-elle.

– Marchons, l'invita-t-il. Darius et votre servante nous serviront de chaperons.

C'était la mi-septembre. L'air chaud contenait un soupçon d'automne ce jour-là. La mer turquoise était calme, ses vagues, petites et délicates, formant à peine une ondulation sur l'eau quand elles retombaient dans un doux soupir sur le sable de la plage. Au-dessus d'eux, les mouettes toujours présentes volaient haut dans le ciel, lançant des plaintes les unes vers les autres dans le vent léger. Bianca et le prince marchèrent en silence pendant un moment, puis Bianca parla.

— Pourquoi vivez-vous ici plutôt qu'à Florence ?

— Je n'aime pas votre ville de Florence, admit-il. Je n'y ai même pas un *palazzo* là-bas. Quand je suis obligé d'y passer la nuit, je dors dans un petit appartement au-dessus de mon entrepôt, mais peu de gens le savent. Cela me fournit un prétexte pour éviter de recevoir chez moi. Mes goûts sont simples, et j'ai peu de patience pour l'ostentation. Je laisse cela aux autres qui semblent avoir besoin d'acclamer en public ce que ces excès leur apportent.

— Appartenez-vous à une guilde ? lui demanda-t-elle.

— Pas vraiment, bien que l'*Arte di Calimala* a dit qu'on m'y considère comme l'un des leurs, malgré mes origines étrangères, lui dit Amir avec un sourire amusé.

— Les marchands de tissus sont très importants, dit Bianca, et vos tapis sont fabriqués avec de la laine et un peu de soie, lui fit-elle remarquer.

Elle était assez éduquée pour savoir cela, et il était plus intrigué que jamais.

— Qui êtes-vous ? lui demanda-t-il.

Bianca s'arrêta un moment avant de reprendre son mouvement.

— Je ne peux pas vous dire cela, *signore* ; et je vous supplie de ne plus insister. Je vais vous dire qu'il est devenu nécessaire pour moi de fuir la ville. Ma vie elle-même était en jeu, elle l'est encore aujourd'hui. La villa dans laquelle je réside appartient à ma famille. Je suis une femme respectable et non une courtisane, mais pour que je reste en sécurité, je dois demeurer une inconnue pour vous.

– Je vais respecter vos désirs, Bianca, si vous acceptez de continuer à marcher avec moi, dit-il avec un sourire.

– Je vais accepter, car je trouve votre compagnie agréable, *signore*.

Pendant plusieurs semaines, Agata accompagna sa maîtresse chaque jour tandis qu'elle se promenait avec le prince. Puis, vint une journée où Agata reniflait, éternuait et avait les yeux larmoyants.

Bianca lui proposa de rester à la maison, car c'était une journée venteuse.

– Je peux y aller sans toi. Je crois que tu seras d'accord pour dire que le prince Amir a fait ses preuves maintenant.

Agata se sentait si mal qu'elle ne suggéra même pas que Bianca permette à l'une des domestiques de la maison de lui servir de chaperon. Elle se contenta d'agiter la main pour saluer sa maîtresse.

Il l'interrogea là-dessus, évidemment.

– Où est votre dragon ? la taquina-t-il.

– Malade, mais pas gravement, dit Bianca.

Elle se pencha et caressa Darius.

– Sa fourrure est si belle. Comment réussissez-vous à l'entretenir ainsi ?

– Krikor le brosse quotidiennement, répondit le prince, et il prit la main de Bianca dans la sienne pour la toute première fois.

Même si elle sursauta quand ses doigts chauds se fermèrent soudainement sur les siens, elle décida qu'elle aimait cela et ne dit rien. Agata ne les accompagna plus, et chaque jour, Amir prenait la main de Bianca dans la sienne pendant qu'ils marchaient. Mais bientôt, le temps deviendrait pluvieux et froid en cette fin d'automne. Ils ne pourraient plus se promener ensemble, et cette idée rendait Bianca très triste. Cela faisait tout juste un an qu'elle avait échappé à son mari et était venue à Luce Stellare. Elle avait fini par aimer la compagnie du prince.

Puis, un jour, un orage soudain tomba sur eux, venant de la mer pendant qu'ils se promenaient. Ils étaient trop loin de l'une ou l'autre des villas. Amir les entraîna rapidement dans la bouche d'une caverne qui bordait la plage sous les falaises basses. Ils restèrent debout à regarder la pluie tomber dru comme un rideau argenté. C'était déjà froid. À présent, la pluie refroidissait l'air encore davantage.

Bianca serra sa cape fermement autour d'elle, mais elle était incapable de réprimer ses frissons. Il mit un bras autour d'elle, l'attirant plus près de lui et ensuite, il parla, brisant le silence profond qui planait entre eux.

— Dites-moi pourquoi vous avez fui Florence.

Et à son propre étonnement, Bianca expliqua les actions stupides de son frère qui avait amené Sebastiano Rovere à faire littéralement chanter son père afin qu'il la donne à l'avocat dissolu pour en faire sa troisième épouse.

— Quand ma mère a finalement reçu la permission de me voir après des mois de mariage, je lui ai révélé ce que j'avais souffert auprès de Sebastiano. Elle m'a immédiatement amenée loin de sa maison. Ma famille m'a cachée au couvent de Santa Maria del Fiore jusqu'à ce qu'ils puissent me faire rapidement disparaître en m'amenant ici, à Stellare, cette maison qui appartenait à la famille de ma grand-mère paternelle. J'ai vécu ici cette dernière année pendant qu'ils essayaient de m'obtenir une annulation. Ma famille m'a prévenue qu'elle ne communiquerait pas avec moi avant d'avoir de bonnes nouvelles, car Rovere avait fait surveiller notre *palazzo* en ville, expliqua Bianca. Je n'ai pas eu de nouvelles et donc, je dois supposer que jusqu'ici leurs efforts ont été vains. Je suis certaine qu'il s'est servi de son parent, le cardinal Rovere, pour bloquer leurs tentatives, mais la famille de ma mère n'est pas sans influence au sein de l'Église. Je sais que mon grand-père à Venise s'efforcera de me faire rendre ma liberté. Maintenant, vous comprenez pourquoi j'ai été si prudente, Amir.

— Vous m'avez suffisamment fait confiance pour me révéler ceci, dit-il doucement, soudainement heureux.

Il connaissait Sebastiano Rovere de réputation. Il était tristement célèbre. Penser que cette magnifique fille avait souffert aux mains d'un tel homme était insupportable, et il comprenait beaucoup mieux à présent.

— Vous ne m'avez pas donné de raison de vous refuser ma confiance, dit Bianca. Mais maintenant que je vous l'ai accordée, ma vie même est entre vos mains. Si vous m'exposez, Sebastiano me tuera certainement. Il peut dissimuler mon absence pendant quelques mois, mais avec le temps, il sera de notoriété publique que je l'ai quitté et que je demande une annulation. Et s'il me trouve, je vais grandement souffrir entre ses mains avant que le soulagement de ma libération par la mort n'arrive. C'est un homme diabolique.

— Je ne le connais pas, lui dit Amir, mais son personnage en est un de mauvaise réputation aux dires des potins. Il a été récemment emprisonné pour un acte méprisable, mais sa victime est morte avant de pouvoir témoigner en cour contre lui. Ses pairs ont finalement veillé à sa libération, car il ne restait plus aucun témoin à l'exception des hommes eux-mêmes qui, dit-on, étaient impliqués dans le crime. La famille de la fille était d'une guilde moins importante.

— Je soupçonne que j'étais déjà hors de la ville à ce moment-là, dit Bianca. Qu'a-t-il fait ?

— Ce n'est pas une chose qui devrait être discutée avec une femme honnête, lui dit le prince. Je vous dirai que la victime était une vierge innocente d'une famille respectable, qu'on l'a kidnappée et emmenée dans le *palazzo* de votre mari où elle a été violée de nombreuses fois par ses invités et par d'autres. Il y avait des rumeurs d'une autre chose, mais ce n'est pas convenable pour vos oreilles.

— Le petit âne, murmura craintivement Bianca malgré elle.

— Oui, dit le prince. Comment êtes-vous au courant d'une telle chose ? Par Allah ! Il n'a pas commis un acte aussi monstrueux et sauvage sur vous, non ?

— Il y pensait, mais je lui ai échappé avant que la créature entre dans la maison. Il a une esclave mauresque qui est très dissolue. Encore plus même que mon mari. Je suis certaine qu'elle était impliquée, dit Bianca à Amir.

Son bras se resserra autour d'elle. Pas étonnant qu'elle vive dans la peur de Sebastiano Rovere. C'était un monstre, et il ne méritait pas de vivre. Il ne méritait pas Bianca non plus. Elle, cependant, était liée par la loi de son église chrétienne à cette brute jusqu'à ce qu'elle obtienne une annulation — ou qu'elle ou lui meure. L'avocat, toutefois, était un type fuyant. Il pouvait retarder et retarderait sûrement tout projet de divorce jusqu'à ce qu'il se soit vengé d'elle. La pluie continuait à tomber.

Qui Rovere avait-il épousé ? Elle lui avait tout dit, sauf son nom de famille. Il se creusa la cervelle pour s'en souvenir. *La plus belle fille de Florence,* avait-on dit à cette époque. Qui était-elle ? Qui était… La fille du marchand de soie ! Bien sûr ! Bianca était la fille de Giovanni Pietro d'Angelo. La famille était grande et plus que respectable. Pas surprenant que l'homme avait paniqué et sacrifié sa fille aînée pour protéger sa propre femme et ses autres enfants. Il se ferait un point d'honneur d'en apprendre plus sur cette famille la prochaine fois qu'il se rendrait en ville.

Il y eut un grondement de tonnerre, et Darius gémit.

– Je sais qui vous êtes, Bianca. Je ne vais pas vous trahir, lui dit le prince.

Elle leva les yeux vers lui, et il eut envie de se noyer dans ses yeux couleur d'aigue-marine.

– Merci, dit-elle doucement.

Incapable de se retenir, il effleura ses lèvres avec les siennes, mais quand il songea à approfondir le baiser, elle posa deux doigts sur sa bouche.

– Non, *signore,* le réprimanda-t-elle, ses beaux yeux rencontrant les siens. Souvenez-vous que je suis une femme respectable. Bien que je cherche à me libérer de Sebastiano Rovere, je suis toujours, malheureusement, sa femme. Je ne vais pas ajouter l'adultère à mes péchés.

– Vous n'avez pas de péchés, déclara-t-il passionnément en lui attrapant la main, qu'il embrassa.

Bianca sourit.

– La pluie s'arrête, lui dit-elle. Je dois partir, à présent.

Elle retira délicatement le bras protecteur qu'il avait mis autour de ses épaules et ressentit une perte soudaine. Elle était tellement en sûreté avec ce bras autour d'elle. Plus en sécurité qu'elle avait cru l'être au cours de l'année. Elle fit une caresse à Darius, elle se glissa par l'entrée de la caverne pour descendre en hâte sur la plage et remonter ensuite le sentier qui menait à sa villa.

Il resta debout à l'observer, le goût de Bianca encore sur ses lèvres. Il avait deux épouses là-bas, en Turquie. Des femmes prises à la demande de son grand-père, mais il n'avait jamais été amoureux. Il n'avait pas de harem pour satisfaire ses désirs. Cela l'étonna de prendre conscience qu'il était tombé amoureux de la belle fille du marchand de soie. Il comprit qu'elle n'était pas femme à se lancer dans une aventure amoureuse, peu importe à quel point elle était seule et malheureuse. Elle ne le prendrait jamais pendant que Rovere restait son mari. Quelque chose devait être fait à ce sujet.

Un jour, quand elle serait libre, il avait l'intention de l'emmener chez lui dans son palais, qui était situé sur de vertes collines au-dessus de la mer Noire. Il l'y garderait en sécurité au sérail du Clair de lune. Il ne permettrait jamais à Bianca d'avoir peur à nouveau.

— Je l'aime, Darius, dit-il à son chien et compagnon. Je vais l'aimer toujours, peu importe ce que diront son peuple ou le mien. Je ne peux que prier pour qu'elle ressente la même chose. Elle est la seconde moitié de mon âme. Je le sais maintenant.

Chapitre 7

– Bénie soit la Sainte Vierge ! dit Agata quand Bianca entra dans la maison. Je suis tellement soulagée que vous soyez de retour. Où étiez-vous pendant cet orage ?

– Debout à l'entrée de l'une des cavernes en bas, car la pluie nous a surpris, lui répondit Bianca. Je pensais qu'elle ne cesserait jamais. Je plains le prince Amir, car il avait plus loin à marcher pour rejoindre sa maison, et l'averse a repris.

Bianca ne vit pas le prince pendant plusieurs jours, car la pluie continua.

« C'est mieux ainsi », décida-t-elle.

Ce bref et innocent baiser avait mis ses sens en alerte. Elle avait voulu qu'il continue à l'embrasser ; mais bénie soit Sainte Anne qu'elle priait chaque jour, elle avait réussi à conserver son sens des convenances quand elle n'avait pas eu envie de le faire. La bouche d'Amir était chaude et son haleine, parfumée. Elle n'avait jamais su qu'un simple baiser pouvait être si doux, si tendre, si tentant, mais son baiser avait été exactement cela. Il lui avait offert bien plus qu'elle n'était en droit d'accepter en ce moment. Cela changerait-il un jour ?

Les lèvres de Sebastiano étaient froides et dures, son haleine, fétide. Le baiser de son mari exigeait qu'elle abandonne tout ce qu'elle était afin qu'il puisse la posséder. Pendant le contact bref et délicieux des lèvres du prince, il y avait eu la mystérieuse promesse d'une extase prochaine à partager. Bianca pleura silencieusement dans son oreiller cette nuit-là et, pour la première fois de sa vie, elle désira un homme. Si seulement sa famille pouvait obtenir l'annulation qu'ils demandaient pour elle. Dans ce cas, elle ne serait plus jamais l'esclave d'un homme.

Elle accepterait Amir comme amant, car chacune de ses actions ces derniers jours lui disait qu'il la désirait. L'aimait-il ? Comme ce serait bon si c'était le cas, mais cela n'avait aucune importance pour elle. Elle deviendrait sa maîtresse avec plaisir, peu importe ce que le monde pensait d'elle. Toutefois, elle ne prendrait pas un second mari, et personne ne la ferait changer d'avis.

Le lendemain, à sa grande surprise et pour sa plus grande joie, un messager arriva de Florence avec un mot de sa famille. Le courrier n'était pas l'un des serviteurs des Pietro d'Angelo, mais il était plutôt au service des Médicis, comme le révélait son insigne fièrement arboré. Il accepta un repas chaud de Gemma dans la cuisine et, ensuite, il lui dit qu'il partait pour Pise, car il transportait des messages pour la banque des Médicis là-bas de la part de Laurent en personne.

Bianca appela Agata afin qu'elle puisse partager ces nouvelles qui arrivaient. Brisant le sceau de cire rouge qui portait la marque de la chevalière de sa mère, le dôme de San Marco, imprimée dessus, elle ouvrit le parchemin et lut à voix haute.

Ma chère fille, commençait Orianna de sa main élégante et familière. *Les nouvelles ne sont pas celles que j'avais espéré vous envoyer après tout ce temps, mais tout n'est pas perdu. Le fait que vous ayez quitté Sebastiano Rovere est à présent connu, tout comme notre demande d'annulation en votre nom.* Padre *Bonamico a présenté notre requête pour la dissolution de votre mariage au Saint-Père en personne, voyageant jusqu'à Rome pour ce faire. Votre mari a fait appel à un parent à lui, le cardinal Rovere, pour qu'il bloque toute action de ce genre. Votre grand-père à Venise l'a contré avec ses propres suppliques présentées à deux cardinaux de sa ville. Malheureusement, ces affaires exigent du temps, et les pots-de-vin qu'ont payés les deux camps jusqu'ici pour avoir l'attention de l'Église ont été considérables. Par malheur, il nous faut plus de temps de notre côté pour obtenir un résultat favorable. Laurent de Médicis lui-même est sympathique à votre demande et il a offert son propre courrier pour vous faire porter un message. Cependant, notre famille n'est pas sans ressources personnelles, ni influence et amis. Votre mari poursuit sa vie, organisant comme d'habitude des orgies pour lesquelles il est devenu tristement célèbre et il est de moins en moins souvent dans les cours de justice de la ville. Les gens honnêtes en sont venus à se méfier de lui. Il est possible que sa vie de plus en plus dissolue le tue plus tôt que tard. L'entreprise de votre père continue de prospérer, tout comme vos frères et sœurs. Francesca aura treize ans au printemps, et j'ai décidé de lui permettre de m'accompagner à la messe maintenant plutôt que d'attendre l'an prochain. Votre grand-père désire la marier dans une famille vénitienne, et donc, elle devrait aller le rejoindre, ainsi que ma belle-mère, une fois qu'elle aura atteint treize ans afin qu'elle puisse s'habituer aux coutumes vénitiennes et à Venise elle-même. J'aurais aimé que vous soyez ici pour la voir, Bianca. Vous lui manquez grandement.*

Vous nous manquez aussi à moi et à votre père, mais je tire du réconfort du fait que vous êtes en sécurité à Luce Stellare. Que Dieu vous bénisse jusqu'à notre prochaine rencontre. Votre tendre mère, Orianna Pietro d'Angelo.

Bianca mit le parchemin de côté avec un soupir.

— Bien, dit Agata, ce n'est pas ce que vous aviez espéré, je le sais, mais cela pourrait être pire.

Bianca rit.

— Non, ce n'est pas ce que j'avais espéré, mais au moins, maintenant, nous avons une idée de l'état des choses pour nous.

— Nous sommes coincées à la campagne, c'est là que nous en sommes, râla Agata.

— Je pensais que tu te divertissais un peu avec Ugo, la taquina Bianca.

Agata rougit.

— *Signora* ! dit-elle.

— J'ai des yeux, lui dit Bianca.

— Filomena parle trop, dit Agata.

— C'est un homme gentil, dit Bianca à sa femme de chambre. Si tu décidais que tu veux un mari, tu ne pourrais pas faire aussi bien à Florence. Je comprends qu'Ugo possède son propre cottage.

— Avec une vieille mère installée dedans, dit amèrement Agata. Je ne crois pas du tout qu'il soit un homme fait pour le mariage.

— Ahh, dit Bianca, voilà donc où est le problème. Bien, il se résoudra avec le temps, j'en suis convaincue.

Le prince vint à la villa tôt le lendemain après-midi, arrivant à cheval par la plage sur un imposant étalon gris avec une crinière et une queue noires. L'animal escalada le sentier abrupt pour être mis dans l'écurie à l'abri de la pluie par Primo. Agata remarqua la manière dont s'illuminait Bianca tandis que le prince entrait dans sa petite bibliothèque, où un feu brûlait à présent pour chasser le froid de la journée.

— Amir ! s'exclama-t-elle alors qu'il était introduit en sa présence.

Il transportait quelque chose sous son bras.

— Je ne savais pas si vous possédiez un jeu d'échecs, dit-il pendant que la boîte qu'il apportait était ouverte pour dévoiler exactement cela.

Il y avait également une petite boîte qui contenait deux séries de pièces, une en marbre blanc et l'autre en marbre rouge.

— Vous ne savez pas si je joue, lui dit-elle.

En vérité, elle était une joueuse d'échecs très douée.

— Sinon, je vais vous enseigner, répondit-il. Je n'ai aucune envie de me rendre en ville par un temps aussi peu clément et je m'ennuie, seul avec mes serviteurs. Est-ce que vous vous ennuyez ?

Elle rit.

— Oui, admit-elle.

Ils jouèrent plusieurs parties d'échecs cet après-midi-là, mais quand il remarqua que la lumière commençait à baisser, il se leva.

— Je dois partir avant d'être incapable de retrouver mon chemin jusque chez moi et que mon cheval et moi finissions dans la mer, lui dit-il. Je vais revenir plus tôt demain, si la pluie continue. Si le temps s'éclaircit, nous nous promènerons ensemble.

— Votre humeur s'est améliorée grâce à sa visite, remarqua Agata avec un sourire. C'est un homme bon, malgré qu'il soit étranger. Gemma est déçue de ne pas avoir eu l'occasion de le nourrir.

— Quand il reviendra la prochaine fois, je vais l'inviter à dîner, répondit Bianca.

Cette nuit-là, elle s'endormit en écoutant la pluie qui tombait sur le toit en tuile et martelait les volets qui avaient été refermés sur ses fenêtres. Bianca était au chaud et douillettement installée sous son édredon de plumes. Jamila dormait près de sa tête, ronronnant avec satisfaction, calmant sa maîtresse jusqu'à ce qu'elle entre dans un délicieux état de rêve où elle était libre d'être avec le prince.

Ils commencèrent à chevaucher ensemble sur la plage les jours ensoleillés et jouèrent aux échecs quand le temps était mauvais. Les jours raccourcirent, les nuits s'allongèrent et le jour du dix-septième anniversaire de Bianca arriva. Le jour de son quinzième anniversaire avait été le premier de son existence qu'elle avait passé loin de sa famille. Elle était alors dans la maison de son mari. Mais l'an dernier, et à présent cette année, elle célébra dans le calme à Luce Stellare. À sa grande surprise, le prince Amir lui apporta un cadeau.

— Comment le saviez-vous ? lui demanda-t-elle, impatiente d'ouvrir le sac en soie blanche qu'il lui donna. Qu'y a-t-il à l'intérieur ?

— Un petit oiseau me l'a dit en passant, répondit-il avec un sourire.

Son ravissement était un plaisir à voir.

— Ouvrez votre cadeau, Bianca.

Elle s'exécuta, versant son contenu dans sa paume. Le rang de perles noires coupa le souffle de sa gorge délicate.

Elle lâcha le sac, laissant les perles s'allonger sur toute leur longueur entre ses doigts.

— Ohh, *signore*, elles sont belles ! s'exclama-t-elle.

Puis, elle soupira à contrecœur.

— Mais je ne peux pas les accepter, et vous en connaissez sûrement la raison, lui dit Bianca.

Ramassant le sac, elle allait remettre les perles dedans, mais il lui ôta le collier des mains. Debout devant elle, il les fit passer par-dessus sa tête.

— Laissez-moi les voir une fois à leur avantage, comme elles devraient l'être, lui dit-il. Je vais m'en remettre à votre honneur et je les conserverai pour le jour où vous pourrez les accepter librement. J'ai moi-même sélectionné chaque perle pour être certain qu'elle soit parfaite et sans tache, comme vous l'êtes.

Il recula d'un pas pour regarder le collier et imaginer de quoi il aurait l'air sur son corps dévêtu.

Comme si elle pouvait entendre ses pensées, Bianca rougit. Son regard était beaucoup trop chaleureux, et ses yeux bleu foncé s'attardaient sur les perles où elles touchaient délicatement le renflement de ses seins. Elle souleva le bijou pour le retirer et le remit avec précaution dans le sac en soie blanche, qu'elle lui remit ensuite avec réticence.

— Je vous remercie vraiment pour cette pensée, lui dit Bianca. Je ne crois pas avoir déjà possédé quelque chose de si beau.

— Rovere ne vous couvrait-il donc pas de bijoux ? voulut savoir Amir.

Bianca rit.

— À l'exception de pièces imposantes et laides, que j'ai abandonnées avec plaisir lorsque j'ai fui sa maison, non. Il achetait ce qui était le plus coûteux et non ce qui était de bon goût ou beau. Tous les bijoutiers savaient cela. Tout ce qui était fabriqué avec délicatesse, il le dédaignait pour les bijoux plus gros qui pouvaient le montrer à son avantage et non avantager celle qui les portait.

Sur invitation de Bianca, Amir resta pour le repas de l'après-midi. Gemma servit un beau poisson blanc grillé dans le beurre et le citron, ainsi qu'un plat de petites pâtes alimentaires mélangées à du riz et parfumées à l'huile d'olive et aux herbes. Il y avait des artichauts et un chapon rôti qui avait été farci de sauge et d'oignon. Il y avait du pain, qu'ils trempèrent dans l'huile d'olive et un vin délicieux à boire. C'était simple, mais étonnamment satisfaisant. Ils terminaient tout juste leur repas, quand ils entendirent le bruit de sabots à l'extérieur.

Bianca blêmit et bondit sur ses pieds, appelant Agata. L'avait-il trouvée ? Elle devait fuir la villa. Elle ne permettrait pas à Sebastiano de l'obliger à rentrer à Florence et à être sa femme.

— Agata ! Agata ! Où es-tu ?

La peur la mettait dans tous ses états.

Le prince Amir vit la terreur dans ses yeux, sur son visage. Se levant brusquement, il lui dit :

— Je vais vous protéger, Bianca ! Je vais vous protéger !

Agata courut dans la *sala da pranzo.*

— Dis à Primo de seller mon cheval, cria Bianca. Je dois partir ! Il ne peut pas me trouver, Agata ! Il ne peut pas ! Dépêche-toi ! Dépêche-toi !

Il y eut un coup bruyant frappé sur les portes en chêne.

— Va voir qui est à la porte, dit sévèrement le prince Amir.

— Non ! Non ! Je dois m'enfuir ! Il le faut ! sanglotait à présent Bianca, complètement effrayée.

Un autre coup résonna.

— *Vas-y* ! dit le prince à Agata.

Blême elle aussi, la femme de chambre fila pour obéir à son ordre. Atteignant la porte, Agata l'ouvrit avant de perdre son courage.

— *Signora* ! Oh, *signora* ! Vous nous avez fait tellement peur, dit-elle à Orianna Pietro d'Angelo, qui se tenait devant elle. Entrez ! Entrez ! Maîtresse ! Maîtresse ! Venez vite ! C'est votre mère !

Bianca sortit en flèche de la salle à manger, courant droit dans les bras tendus de sa mère.

— *Madre* ! Oh, *madre* !

Puis, elle commença à pleurer.

Orianna serra sa fille aînée dans ses bras tandis que des larmes lui picotaient les yeux derrière ses paupières, mais elle ne voulait pas les laisser couler.

— Bianca, Bianca, murmura-t-elle dans la chevelure sombre de sa fille. Je ne pouvais pas laisser votre anniversaire passer encore sans vous voir.

Elle embrassa les larmes sur le visage de sa fille.

— J'aimerais seulement vous apporter de meilleures nouvelles.

— Avez-vous mangé, *signora* ? demanda Agata avant de répondre à sa propre question. Bien sûr que non. Je vais demander à Gemma de vous préparer immédiatement quelque chose.

— Mes hommes…, commença Orianna.

— Primo ou Ugo les auront amenés à la cuisine. Leurs chevaux seront installés dans l'écurie et ils dormiront au sec et au chaud dans la grange, *signora*.

Bianca fit entrer sa mère dans la salle à manger.

Le prince s'avança tout de suite pour la saluer.

— *Signora* Pietro d'Angelo, je suis le prince Amir ibn Jem.

Il l'aida poliment à s'asseoir à la droite de Bianca.

— Je suis le voisin de votre fille.

Orianna était rarement étonnée, mais la présence du prince Amir était totalement inattendue. Elle s'assit à la table en chêne rectangulaire. Sûrement, Bianca n'avait pas pris un amant.

— Nous marchons ensemble, nous chevauchons, et occasionnellement, il peut même me battre aux échecs, dit Bianca en souriant au prince.

C'était le sourire chaleureux qu'une femme offrait à l'homme dont elle était amoureuse, et Orianna entendit dans la voix de sa fille quelque chose qu'elle n'avait jamais perçu auparavant.

« *Madre di Dio* ! J'espère que vous ne l'avez pas laissé agir bêtement. »

— Est-ce tout ce que vous faites ensemble ? s'entendit-elle demander.

Bianca eut l'air perplexe, ne comprenant pas bien sa mère.

Le prince la saisit, par contre.

— Vous avez élevé votre fille de manière à ce qu'elle devienne une femme d'une grande moralité, *signora*, dit-il. Et je n'ai pas besoin de la séduire ou de faire tomber la honte sur votre nom.

Il rejoignit Bianca qui, soudainement, saisissait ce que sa mère voulait dire. Humiliée, elle ne savait pas trop quoi faire maintenant. Amir prit sa main et la leva, puis l'embrassa.

— Merci pour votre hospitalité, Bianca, lui dit-il.

— Viendrez-vous demain ? demanda-t-elle en levant les yeux vers lui.

— Après-demain, peut-être. Vous avez à présent la compagnie de votre mère, et je suis certain qu'elle a beaucoup à vous dire, sinon elle n'aurait pas couru le risque de faire ce voyage, répondit le prince.

Puis, il regarda Orianna droit dans les yeux.

— Pouvez-vous être sûre de ne pas avoir été suivie ? Vous avez possiblement mis la sécurité de Bianca en danger en venant ici, *signora*.

— Rovere est à Rome, dit Orianna. Mon voyage a été planifié, et je ne suis pas partie de notre *palazzo, signore*. Je n'exposerais jamais sciemment Bianca.

Amir hocha la tête, puis tournant les talons, il partit.

— Vous avez été impolie avec lui, dit doucement Bianca.

— Est-il votre amant ? demanda crûment Orianna.

— Bien sûr que non, *madre*. Je suis une femme mariée, peu importe mes difficultés avec Sebastiano. Vous ne m'avez pas élevée de sorte que je devienne une femme de mœurs légères, répondit Bianca avec indignation.

— Alors pourquoi est-il dans votre maison et seul avec vous ? voulut savoir Orianna.

— Parce qu'il est mon ami, dit Bianca. C'est mon anniversaire, et il m'a apporté un cadeau que, pour le bien de ma réputation, j'ai été obligée de refuser. Je lui ai demandé de partager mon repas. Je ne suis jamais vraiment seule avec lui. Je suis entourée de mes domestiques. Il n'y a rien d'inconvenant dans notre amitié, bien que, je vous le dis, j'aimerais qu'il en soit autrement, *madre*. Il est gentil, une chose que mon mari n'a jamais été, la Sainte Vierge en est témoin. Il me traite avec respect, ce que Sebastiano n'a jamais fait, en commençant par cette parodie qu'a été notre nuit de noces. Je suis une femme adulte, *madre*, et non une fille innocente qui est éblouie par un homme séduisant.

— Il est très séduisant, remarqua Orianna. Et fier aussi. Cependant, vous avez raison de dire qu'il vous respecte, Bianca. Je veux bien admettre que je suis impressionnée par le soin qu'il prend à protéger votre nom sans tache. Connaît-il la situation dans laquelle vous vous retrouvez ?

— Sait-il que je suis une femme mariée et que je cherche à obtenir la dissolution de mon mariage ? Oui, *madre*, il le sait, dit Bianca.

Orianna hocha la tête.

— Je vais rester avec vous jusqu'à demain et ensuite, je dois rentrer à Florence. Votre père ne voulait pas que je vienne ; il craignait pour nous deux, mais je ne pouvais plus supporter notre séparation. Avec Rovere à Rome, c'était l'occasion parfaite. Mon père a envoyé une demi-douzaine d'hommes de Venise pour m'accompagner. Je me suis faufilée par le jardin de l'église et je les ai rejoints devant le portail. Je vais rentrer de la même façon. Mon absence a été expliquée par une retraite de quelques jours que je ferais dans un couvent à proximité.

— Vous avez dit que les nouvelles que vous m'apportiez ne sont pas bonnes, *madre*, rappela Bianca à sa mère. Que sont-elles ?

Orianna soupira de douleur.

— L'influence de votre grand-père est limitée à deux vieux cardinaux. Rovere, d'un autre côté, a son parent, et on me dit qu'en raison de sa prédilection pour la débauche, même à Rome, il a attiré l'intérêt de plusieurs ecclésiastiques haut placés qui ont des goûts similaires. La question de votre annulation est devenue une affaire qui doit être étudiée et à laquelle on doit réfléchir davantage.

— En d'autres mots, mon mari a gagné, dit Bianca.

Orianna ne dit rien. Elle ne pouvait pas le nier.

— Je mourrai plutôt que de lui revenir, dit doucement Bianca à sa mère.

— Il s'en moquera, répondit sa mère. C'est un joueur, et son unique intérêt est de gagner. Voir la plus belle fille de Florence le fuir après six mois de mariage et demander une annulation a été un coup sérieux porté à sa fierté. Mais que l'Église remette à plus tard la demande de son épouse de reprendre sa liberté lui donne la victoire dont il a besoin pour sauver sa réputation entachée. Et avoir cette influence auprès de l'Église le rend plus puissant à Florence. Les Médicis ne sont pas contents du tout.

— Mais les Médicis ne peuvent pas légalement me protéger de mon mari, répondit Bianca. Ils doivent veiller à leur propre réputation, car nous savons tous que certaines familles les renverseraient de leur situation de pouvoir et d'influence si elles en avaient l'occasion. Il ne me reste plus rien à présent si je ne peux pas me libérer de Sebastiano Rovere, *madre*. Je vais rester ici, à Luce Stellare. Un jour, on peut espérer qu'il meure de ses excès ou qu'il décide de me laisser partir. S'il devait découvrir où je me cache, je trouverai un moyen de me suicider, mais je ne reviendrai pas à cet homme ni dans sa maison, jamais.

Bien qu'elle prit plaisir à la compagnie d'Orianna le lendemain, elle aurait aimé que sa mère s'en aille afin qu'elle puisse parler à Amir. Cependant, quand Orianna finit par partir le lendemain matin, Bianca ressentit un sentiment de tristesse encore plus intense, car elle ne savait pas si elle reverrait sa mère un jour ou même le reste de sa famille. Prenant son cheval, elle le guida en bas du sentier abrupt jusqu'à la plage et chevaucha vers la villa du prince. Elle avait besoin du réconfort de la présence d'Amir et de sa force.

À sa grande surprise, Darius descendit en courant à grandes enjambées sur la plage pour l'accueillir, sa fourrure dorée brillant sous le soleil, la longue courbe élancée de sa queue remuant alors qu'il la rejoignait. Puis, elle vit Amir sur sa propre monture, l'attendant dans l'ombre des cavernes. Elle pressa sa jument à leur rencontre et, sautant presque en bas de son cheval, elle se lança sur le prince en affichant son désespoir total.

— Que s'est-il passé, Bianca ? demanda-t-il tandis que ses bras se refermaient sur elle.

« Allah ! »

Elle devait être en plein désarroi pour se comporter si imprudemment. Incapable de se retenir avec le corps chaud de Bianca pressé contre le sien, il enfouit son visage dans sa chevelure, qui s'était décoiffée dans sa course pour le rejoindre. Il respira son odeur personnelle.

« *Suave* ! *Suave* ! Allah ! »

Il la désirait tellement. S'il était un autre homme, il pourrait facilement profiter de son malheur, mais il ne le ferait pas.

— Dites-moi ce qui ne va pas, Bianca, s'entendit-il répéter.

Puis, il l'écarta de lui, regardant son visage taché de larmes.

– Que vous a dit votre mère ?

– Rovere a gagné, commença-t-elle sur un sanglot, mais ensuite, elle reprit son calme. L'Église à Rome a décidé que ma demande d'annulation de notre mariage est une question qui doit être davantage étudiée. Il semble que lui et son parent, le cardinal, ont trouvé parmi les hommes saints d'église plusieurs qui possèdent la même nature que mon mari. Ceux-là, à leur tour, ont usé de leur influence pour bloquer celle de ma famille. Même le prestige de mon grand-père princier ne suffit pas à me sauver. Maintenant, Sebastiano va me trouver et quand il y arrivera, il me tuera. Il a ce droit marital, et personne ne peut le contredire, Amir.

Elle recommença à pleurer.

– Partez avec moi ! s'entendit-il dire.

– Quoi ?

Elle ne l'avait pas bien entendu.

– Partez avec moi, répéta-t-il. Je vais vous emmener chez moi au bord de la mer Noire. Il ne vous trouvera jamais, et je vais vous y garder en sécurité pour toujours, Bianca.

Elle ferma brièvement les yeux, imaginant une vie avec cet homme doux et séduisant. Ce serait une bonne vie, Bianca le savait d'instinct et, pour la première fois, elle fut tentée au-delà du raisonnable. Elle était tellement lasse d'avoir peur. Puis, elle entendit la voix d'Amir.

– Je vous aime, dit le prince. Je vous ai aimée dès l'instant où je vous ai vue la première fois. Je vous aimerai toujours, ma bien-aimée !

– Je vous aime aussi, s'entendit admettre Bianca.

Et c'était vrai.

Puis, elle prit une longue et profonde respiration.

— Mais nous sommes des gens honorables, Amir. Je ne pourrais jamais être véritablement heureuse en sachant que je me suis enfuie et que j'ai fait honte au nom de ma famille. Je ne deviendrai pas votre amante avant d'être libre de Sebastiano Rovere. La religion et la nationalité ont peu de signification pour moi. Je suis une Florentine chrétienne, et vous êtes un Turc infidèle, mais nous nous aimons quand même. Toutefois, vous ne pouvez pas déshonorer votre nom plus que moi, le mien.

Elle se sentit soudainement plus forte et sut que c'était la certitude de l'amour d'Amir pour elle qui l'avait rendue ainsi.

— Si Rovere vous trouve et vient pour vous ramener, je vais le tuer moi-même, lui dit Amir. Alors, vous serez à moi.

— Ils vous arrêteraient, dit-elle doucement.

Il tuerait pour elle. Il l'aimait. Aucun homme ne lui avait dit des choses semblables. Le cœur de Bianca battait la chamade autant de peur que d'excitation.

— Pas s'ils ne trouvent pas son corps, répondit Amir. Et ils ne nous trouveraient pas non plus.

— Nous devrions attendre plusieurs années avant qu'on le déclare mort s'il n'y a aucun cadavre, répliqua Bianca. Je serais une vieille femme, et vous ne voudriez plus de moi alors.

— Je vais toujours vouloir de vous, ma bien-aimée, lui promit-il.

Il retourna avec Bianca à cheval à la villa, y restant pour manger et jouer quelques parties d'échecs avec elle. Quand le temps vint pour lui de partir, Bianca se sentait beaucoup mieux. Si Sebastiano venait, Amir le tuerait. Elle croyait que cela allait se produire et elle était plus tranquille maintenant. La saison des pluies revint à nouveau, et tout demeura paisible à Luce Stellare. L'hiver achevait quand ses peurs se réalisèrent finalement et qu'elle dut affronter son mari pour la première fois en plus de deux ans.

Il surgit par la porte d'entrée de la villa avec un petit groupe d'hommes à la nuit tombante. Sa voix gronda à travers la modeste villa quand il cria son nom, exigeant sa présence immédiate devant lui.

– Bianca ! Vous allez vous montrer immédiatement, mon épouse désobéissante. Je suis venu pour vous ramener à la maison, putain !

Bianca avait entendu le chahut alors que ses portes étaient mises en pièces. Elle se trouvait dans la petite bibliothèque près du feu à coudre une chemise en soie pour le prince. Mettant son ouvrage de côté, elle entendit la voix de son mari l'appeler. Elle n'allait pas se cacher, se dit-elle. Amir allait venir, et Rovere rencontrerait enfin son destin. Elle se leva, pâle et effrayée, mais elle était décidée à lui résister. Il serait bien étonné.

Agata la rejoignit dans la pièce. Son visage était contracté par la peur.

– J'ai envoyé Ugo pour chercher le prince. Il n'y a que quatre hommes avec votre mari.

– Gemma et toi, cachez-vous avec les filles, dit Bianca. Si vous ne le faites pas, je crains qu'elles ne soient violées, car il lancera ses hommes aux trousses de mes femmes, et je ne veux pas cela.

– Je dois rester avec vous, maîtresse, dit loyalement Agata.

— Je vais m'occuper de Rovere du mieux que je le peux, dit Bianca à sa femme de chambre. Veille sur les autres femmes par amour pour moi, sinon pour ton propre bien.

À contrecœur, Agata partit discrètement; se redressant de toute sa hauteur, Bianca sortit de sa bibliothèque pour entrer dans le luxueux vestibule de sa maison.

— Vous êtes loin d'être le bienvenu ici, *signore*, lui dit-elle avec audace. Mon absence de votre maison ces dernières années a sûrement indiqué clairement, même pour vous, que je ne choisis pas de cohabiter avec un mari tel que vous. Vous n'auriez pas dû vous opposer à l'annulation que je cherchais à obtenir de vous.

« *Madre di Dio,* il a changé. »

Le visage, autrefois séduisant, était à présent boursouflé, bouffi, marqué encore plus par des veines éclatées près de son nez. Sa chevelure s'était considérablement éclaircie.

Il s'avança vers elle d'un air menaçant.

— Espèce de petite putain, siffla-t-il dans sa direction. Comment osez-vous faire de moi la risée de Florence en me quittant?

Il était enragé par sa beauté calme. Même dans une robe modeste de velours vert foncé, elle l'attirait, et cela le rendait furieux. Sa main surgit comme un éclair pour entrer en contact durement avec sa joue pâle.

Elle fut prise de court par le coup inattendu, mais bien que son cœur batte la chamade dans sa poitrine, Bianca resta sur ses positions.

— Comment osez-vous traiter votre femme comme une prostituée? riposta-t-elle.

Sa joue brûlait, et elle savait qu'elle était maintenant rouge vif à cause de la gifle. Un minuscule frisson de peur commença à germer en elle. Bianca le repoussa furieusement. Elle n'allait plus permettre à cette brute de la terroriser.

– Vous êtes une putain, cria-t-il. Toutes les femmes sont des putains, même celles venant de familles respectables, comme vous.

Il se tourna vers ses hommes.

– Trouvez les gens qu'il y a dans cette maison et faites-les sortir. Amusez-vous avec les femmes s'il le faut. Ma femme et moi avons une affaire à conclure ce soir.

Il se tourna vers Bianca.

– Sortez de ma villa et emmenez ces bandits à votre solde avec vous, dit bravement Bianca. Il n'y a plus rien à discuter entre nous, Sebastiano. Je vous déteste et je vous méprise. Sortez ! Sortez ! Sortez !

Et elle tapa furieusement du pied devant lui.

– Comprenez que je ne serai jamais votre femme à nouveau, d'aucune façon.

Le visage de Sebastiano devint violet de rage. Quand elle tourna pour le laisser là seul sur place, sa colère éclata. S'avançant rapidement, ses doigts s'enfoncèrent dans la chevelure de Bianca dont le chignon soigné s'en trouva ainsi défait. Enroulant les longues mèches ébène autour de sa main, il la tira en arrière et la fit pivoter de sorte qu'elle se retrouva de nouveau en face de lui. Son haleine, toujours désagréable, était à présent totalement nauséabonde tandis qu'il lui criait :

– Vous êtes à moi ! À moi, putain ! À moi, pour faire de vous ce que je désire.

Sa main s'abattit plusieurs fois, la battant autour de son visage et de ses épaules.

– Tout d'abord, j'ai l'intention de vous punir de mes mains de votre désobéissance. Ensuite, je vais passer un peu de temps à vous baiser jusqu'à ce que vous respectiez mes désirs. Enfin, je vais vous donner une si bonne rossée qu'il n'y aura pas un endroit sur votre corps blanc soyeux qui ne portera pas ma marque. Au matin, nous rentrerons à Florence où mon petit âne vous attend avec impatience. Je vous ai prévenue il y a longtemps, Bianca ; vous êtes ma propriété et je peux faire ce que je veux de vous. Mais avant de vous tuer, *cara mia*, vous allez ramper à mes pieds et me remercier de mettre fin à vos tortures. Que dites-vous de cela, putain ?

Elle leva les yeux vers lui, un œil enflant déjà, le nez ensanglanté.

– Puissiez-vous pourrir en enfer à cause de la vérole, mon mari, réussit-elle à dire avant de le frapper de ses deux poings.

Tout son corps souffrait à cause des coups de Sebastiano, mais elle ne céderait pas devant ce mauvais simulacre d'être humain. Elle le griffa et lui cracha dessus. Elle l'ensevelit sous les pires malédictions auxquelles elle pouvait penser, voyant la courte surprise sur son visage. Puis, il rit d'elle et recommença à la battre avec ses mains vindicatives pendant que Bianca tentait de se défendre de son attaque.

Soudainement, à son grand étonnement et à son grand soulagement, ses cinq servantes se précipitèrent dans le grand vestibule, armées de balais et de casseroles. Tout d'abord, elles tirèrent Rovere loin de Bianca et commencèrent à le frapper avec leurs armes domestiques et elles le couvrirent d'imprécations, le poussant sans ménagement par la porte d'entrée de la villa. Là, Primo les attendait pour obliger l'homme ébahi à monter sur son cheval et le renvoyer dans la nuit devenant de plus en plus sombre avec une claque violente sur les flancs rebondis de son cheval.

Cela avait été fait si rapidement que Rovere pouvait à peine croire ce qui s'était produit. Où étaient ses hommes ? Que leur était-il arrivé ? Les lâches avaient probablement fui. Mais sans leurs gages ? Il les retrouverait sûrement plus loin sur la route. La nuit était froide et humide. Il fut finalement forcé de s'arrêter à découvert, car il ne pouvait plus voir la route devant lui. Il se recroquevilla dans l'obscurité, maudissant son destin tandis qu'une légère pluie commençait à tomber. Dès qu'il lui devint tout juste possible de progresser, il monta sur sa bête et il retourna sur la route de campagne.

Ses hommes n'étaient toujours nulle part en vue, et il était encore à des kilomètres de la route principale menant à Florence. Il avait faim et soif, mais sans autre choix, il dut continuer à chevaucher lentement. Chaque petit boisé qu'il traversait, il le faisait avec nervosité. Et soudainement, devant lui, sur la route accidentée, il vit un petit groupe de cavaliers. Ses hommes ? Non, ils étaient au moins une douzaine. Bien, ils pouvaient prendre le peu d'argent qu'il avait sur lui tant qu'il réussissait à rejoindre la route principale pour Florence. Comme prévu, les cavaliers masqués l'encerclèrent.

— Je suis Sebastiano Rovere de Florence, dit-il audacieusement. Vous pouvez avoir l'argent que je porte sur moi, mais permettez-moi de passer afin que je puisse atteindre une auberge respectable ce soir.

— Descendez de votre cheval, lui ordonna une voix grave.

– Ne soyez pas déraisonnables, dit Rovere. L'animal a peu de valeur, mais je ne peux pas marcher jusqu'à Florence.

Puis, à sa grande stupéfaction, il fut rudement tiré en bas de sa bête.

– Nous ne voulons pas votre cheval ni votre argent, Rovere, dit la voix grave. Nous voulons votre vie en échange de vos nombreux péchés.

La bouche de Sebastiano Rovere s'ouvrit sous la surprise en entendant les paroles du bandit.

– Qui êtes-vous ? demanda-t-il, à présent réellement effrayé.

Ils allaient l'assassiner. Il ne devrait pas mourir comme cela, sur la route.

– Je vais vous donner tout ce que vous désirez, commença-t-il, si vous épargnez ma vie.

Le groupe de bandits masqués rit de bon cœur ; leur porte-parole lui dit :

– Il n'y a aucune quantité d'or qui pourrait acheter votre vie, Rovere. Vos péchés sont trop nombreux et trop grands, je le crains. Non. Votre heure est venue, et comme vos nombreuses victimes, aucune pitié ne vous sera accordée.

– De l'or ! Des femmes ! Tout ce que vous voulez, bredouilla Rovere et il urina sur lui-même alors que sa peur s'intensifiait devant sa mort imminente.

Encore une fois, les bandits rirent.

– Nous ne sommes pas des barbares, Rovere. Prononcez les prières nécessaires afin que nous puissions en finir avec ceci et que justice soit rendue.

– Dites-moi au moins qui vous êtes, supplia Rovere. Je veux savoir qui rend ce que vous osez appeler la justice contre un homme respecté de Florence.

— Vous n'êtes pas respecté, Rovere. Vous êtes craint par les faibles et méprisé par vos supérieurs, et ces derniers sont nombreux. Vous êtes tombé trop bas pour être sauvé aujourd'hui. Vos diableries sont arrivées à terme, et il est temps pour vous d'aller rejoindre votre maître, Satan.

Deux hommes se tinrent de chaque côté du malheureux homme. Ils tenaient fermement ses bras, l'empêchant de se débattre.

— Je veux savoir qui vous êtes ! hurla Sebastiano Rovere tandis que ses bourreaux s'avançaient.

— Vous avez été jugé par les bons et trouvé coupable de vos péchés, dit l'homme à la voix grave sur son cheval. Vous êtes condamné à mort. Le bout de l'arme a été empoisonné, car même si nous savons que vous n'avez pas de cœur, nous vous avons accordé la clémence que vous n'avez jamais montrée envers vos nombreuses et malchanceuses victimes.

— Noooon ! cria Rovere d'une voix perçante alors qu'il sentait le poignard s'enfoncer profondément dans son torse.

Il hurla pendant que la lame était tournée plusieurs fois et il sentit le poison commencer à faire son effet alors que ses poumons cessaient de se dilater et qu'il ne pouvait plus inspirer. Son bourreau baissa l'étoffe qui dissimulait son visage.

— Vous ? haleta-t-il, n'y croyant pas jusqu'à son dernier souffle.

Il s'effondra sur la route, quand il fut libéré de la poigne des deux hommes.

— Vérifiez pour vous assurer qu'il est mort, ordonna le chef. Tranchez-lui la gorge pour faire bonne mesure, dit-il aux hommes qui avaient retenu le prisonnier. Coupez-lui aussi le pénis et les testicules. Fourrez-les-lui dans la bouche afin que la personne qui le trouve voie cela. C'est une fin tout indiquée pour celui qui corrompt les femmes.

Un des hommes obéit immédiatement. Le sang de Rovere forma une flaque dans la poussière sur la route étroite, puis commença à coaguler. Sa bouche fut pleine à craquer quand ses parties génitales furent poussées entre ses lèvres qui en ce moment même prenaient une teinte bleue.

Son bourreau se détourna sans un mot, replaçant son masque.

– Ne touchez pas à son cheval et à sa bourse, dit le cavalier à la voix grave. Laissez la personne qui le découvrira comprendre que le meurtre a été commis dans un but personnel et non par profit.

Puis, voyant tous ses compagnons de retour sur le dos des chevaux, il donna le signal, et ils se remirent en route. Au-dessus du corps de l'homme mort, des oiseaux charognards commencèrent à arriver avec des cris bruyants d'anticipation dans le ciel gris.

Ce fut presque un mois plus tard que la nouvelle que Sebastiano Rovere avait été assailli sur la route et tué pendant son retour à Florence atteignit Bianca. Elle était presque guérie à ce moment-là de la rossée qu'il lui avait administrée avant que ses servantes le poussent hors de la villa. Elle avait appris par Agata qu'elles s'étaient vite débarrassées des quatre hommes d'armes qui avaient accompagné son mari à présent décédé. Rufina et Pia, les deux jolies domestiques, les avaient attirés avec leurs seins nus et leurs jupes relevées pendant que Filomena et Gemma avaient tranché la gorge de chaque homme alors qu'il tombait avec enthousiasme sur une fille.

– Elles ne m'ont pas permis de les aider avec ces hommes, dit Agata, l'air soulagé. Elles ont dit qu'une citadine avait une conscience trop aiguë, alors qu'une campagnarde faisait ce qui devait l'être sans regret.

– Qu'est-il arrivé aux corps ? voulut savoir Bianca.

– Nous les avons glissés dans des sacs alourdis de pierres. Un cousin de Gemma est le pêcheur qui nous fournit en poissons. Il a emporté les corps les uns après les autres sur la mer et les y a laissés tomber. C'étaient des vauriens embauchés par Rovere et non ses propres hommes. Ils ne manqueront à personne, assura Agata à Bianca.

Elles avaient vécu dans la peur que le mari brutal de Bianca revienne avec une force plus imposante pour récupérer sa femme et se venger sur les femmes de la villa. Puis, la nouvelle de sa mort était tombée. Cela avait été un choc, car Bianca n'avait jamais pensé que son mari puisse être assassiné par un ennemi, quoiqu'une telle chose ne soit pas inhabituelle à Florence. Cependant, tandis que la surprise bouleversante s'évanouissait rapidement, remplacée par le soulagement, Bianca prit conscience qu'elle était enfin libre.

– Envoie Ugo chez le prince pour lui dire que je dois le voir urgemment, dit Agata à Bianca.

C'est une Agata souriante qui dépêcha le domestique sans tarder.

Cette nuit fatidique où Rovere était arrivé à Luce Stellare, Ugo avait pris un cheval et filé sur la plage jusqu'à la villa du prince pour aller le chercher. Quand il était arrivé, il avait appris que le prince et son valet, Krikor, étaient partis en ville depuis plusieurs jours. Il était vite rentré porter la nouvelle à Agata, et c'est à ce moment-là que les femmes avaient agi de manière à chasser Sebastiano Rovere de la maison et à sauver Bianca.

Après coup, Agata avait informé Bianca de l'absence du prince afin qu'elle sache qu'il ne l'avait pas abandonnée au moment où elle avait eu besoin de lui. Amir était venu immédiatement lorsqu'il était rentré et, voyant son état, il avait juré tant en italien qu'en turc de voir à ce que Rovere meure la prochaine fois qu'il reviendrait à la villa. Aujourd'hui, en apprenant le décès de son mari, Bianca se demanda si son prince n'avait pas attendu que Rovere revienne à Luce Stellare, mais qu'il s'était plutôt lancé à la poursuite de son mari et qu'il l'avait tué sur la route.

Elle vit l'étalon gris galoper sur la plage depuis la terrasse de la villa où elle était debout à l'attendre en l'observant. Elle le salua d'un geste de la main, son cœur battant rapidement tandis qu'elle songeait à ce que sa nouvelle liberté signifiait pour eux.

Amir la vit sur la terrasse, et quand elle agita la main, son cœur se coinça dans sa gorge. Elle n'avait pas l'air effrayée ni malheureuse. Qu'est-ce qui était à ce point urgent pour qu'elle envoie Ugo le chercher ? Il poussa son étalon en haut de la piste et, rendu au sommet, il sauta en bas de l'animal pour courir jusqu'à elle.

— Qu'est-ce qui ne va pas, Bianca ? Est-ce que vous allez bien ?

Il la regarda avec inquiétude.

— Mon mari est mort, lui dit Bianca.

— Quoi ?

— Sebastiano Rovere est mort. Je suis libérée de lui, Amir. Libre !

— Comment ? Quand ? Allah est grand !

C'était une bonne nouvelle.

– Le jour où mes femmes l'ont chassé de la villa, dit Bianca. On lui a tendu une embuscade alors qu'il retournait à Florence. Il n'y a pas de doute qu'il s'agissait d'un assassinat, Amir. Ni son cheval ni sa bourse n'ont été volés.

On n'avait pas révélé à Bianca la mutilation dont avait été victime son mari décédé.

– Les autorités savent-elles qui a fait cela? s'enquit le prince.

Bianca secoua la tête.

– Personne n'a admis le crime, et aucune preuve ne désigne une personne en particulier. Je ne crois pas que quelqu'un s'en soucie assez pour creuser l'affaire, même ses propres fils. Ils ont ramené le cadavre en ville et ils l'ont enterré. J'ignore encore comment il m'a trouvée en premier lieu, mais cela n'a plus aucune importance.

– Non, dit lentement le prince.

Puis, il attira Bianca dans ses bras. Sa main caressa son visage, le prenant en coupe tendrement tandis que sa bouche descendait sur la sienne dans un baiser profond et passionné. Levant la tête, il regarda dans ses yeux.

– La seule chose qui importe maintenant, ma bien-aimée, c'est vous et moi.

Puis, il recommença à l'embrasser.

Chapitre 8

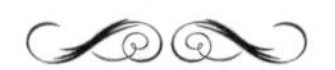

Elle avait la tête qui tournait de plaisir et d'excitation tandis que les lèvres d'Amir l'effleuraient, la pressaient et incitaient doucement ses réactions timides mais enthousiastes. Bianca n'avait jamais été embrassée avant ce jour. Feu son mari n'avait pas été un homme aux baisers romantiques. Ses baisers rudes servaient à imprimer son droit de propriété sur elle. Elle découvrait qu'embrasser était un art délicat alors qu'elle suivait l'exemple d'Amir et lui rendait ses baisers.

Quand il fit courir le bout de sa langue sur ses lèvres humides, Bianca haleta de surprise. Sa langue tira immédiatement avantage de sa bouche ouverte, se glissant à l'intérieur pour jouer avec celle de Bianca. La sensation était exquise, et elle noua avec enthousiasme sa langue autour de la sienne. Les jeux de langue avec Rovere avaient été dégoûtants, car il s'en servait comme de tout : pour réclamer son droit de propriétaire. Amir, lui, taquinait et jouait, leurs deux langues dansant joyeusement, son haleine parfumée se mêlant à celle de Bianca. Elle faillit s'évanouir sous cette sensation.

Son érection fut instantanée. Il interrompit rapidement leur baiser dans un effort pour refroidir sa propre ardeur. Il ne voulait pas que la première véritable expérience de la passion de Bianca soit rapide ou rude étant donné ce qu'elle avait souffert aux mains de Rovere, mais il continua de la serrer dans ses bras. La douceur de ses seins contre son torse était presque douloureuse, dans les circonstances. Toutefois, il la prendrait lentement la première fois. Et avec précaution.

Puis, elle le surprit en lui disant :

— Je sais, je sais, mon bien-aimé. Vous me traitez comme une fleur délicate, mais je ne suis pas une fleur délicate. Je vous ai attendu toute ma vie, Amir. Il n'y a rien que vous puissiez faire qui me rappellera Sebastiano Rovere. Je vous désire aussi violemment que vous me désirez. Comprenez-vous ce que je vous dis, Amir ?

Puis, elle le prit par la main et l'entraîna dans la villa, en haut de l'escalier de tuiles et dans sa chambre à coucher. Elle ferma la porte derrière eux une fois qu'ils furent entrés dans la pièce.

— Bianca, ma bien-aimée, vous n'avez jamais connu la passion d'un homme qui vous aime véritablement, dit-il pendant qu'elle délaçait sa chemise.

Il gémit quand ses mains chaudes glissèrent sur son torse chaud et lisse. Sa tête sombre se pencha pour embrasser un mamelon.

— Je suis contente que vous ayez omis de porter une tunique, lui dit-elle, ses mains descendant sur sa culotte large, qu'elle desserra.

Il émit un rire bas.

— Oh, ma douce Bianca, vous ignorez totalement la bête que vous éveillez en moi en ce moment. Elle meurt d'envie de vous dévorer, ma bien-aimée.

Elle se pencha en avant et lui murmura passionnément à l'oreille :

– Je veux vous voir nu, Amir, mon amour. J'ai attendu si longtemps et j'ai craint de me languir toujours. Maintenant, Sebastiano est mort, et je suis libre d'agir à ma guise. Cela me plairait de vous voir nu, *signore*. Cela me plairait beaucoup, pour dire la vérité. Pensiez-vous que parce que je suis une femme respectable, je ne pouvais pas ressentir de désir ? Que je ne pouvais pas ressentir le besoin de vous ?

La vérité était qu'il l'avait pensé. Amir avait supposé qu'il lui reviendrait d'attiser le désir en elle, mais à présent, il voyait que ce n'était pas le cas et il était plutôt content.

– Je veux aussi vous voir nue, gronda-t-il.

Ses doigts passèrent dans son dos et commencèrent à délacer sa robe.

Il tira lentement sur le vêtement pour dévoiler ses seins exquis sous le tissu transparent de sa chemise. Se penchant, il frotta son visage sur les douces rondeurs de chair à peine couvertes. Elle frissonna, ses mamelons se plissant comme des boutons de fleur.

– Je vénérerais le lieu saint qu'est votre corps, ma bien-aimée, lui dit-il passionnément tandis qu'ils continuaient à se dévêtir l'un l'autre jusqu'à ce qu'ils soient dans la tenue que le Créateur avait créée pour eux.

Il s'agenouilla ensuite devant elle, tirant son corps vers son visage. Sa peau était satinée, chaude, douce et parfumée. Il ferma les yeux, frotta sa joue contre la chair tendre. La sensation était presque douloureusement délicieuse. Elle était, pensa-t-il, totalement et complètement parfaite de toutes les façons. Son désir d'unir leurs deux corps s'éveilla, mais avec une maîtrise de soi suprême, il le retint. Ce n'était pas encore tout à fait le moment.

Bianca faillit perdre connaissance simplement à cause de la joie du contact de sa joue sur sa peau. Ses expériences avec son mari avaient été horribles, mais d'après la passion que ses parents semblaient avoir l'un pour l'autre, elle savait que la possession de son corps par Rovere n'était pas ce qu'elle devait être. Avec Amir, c'était une chose très différente. C'était ce qu'elle avait toujours imaginé dans ses rêves de petite fille. Il se leva lentement et la porta dans son lit.

Elle pouvait voir l'état de son érection maintenant et elle sourit.

— N'attendez pas, lui dit-elle. Après, il y aura du temps pour le reste. Vous me voulez maintenant, et je connaîtrais le goût de la véritable passion et pas uniquement la possession d'un homme qui me croit sa propriété.

Elle s'allongea sur le dos et lui ouvrit les bras en souriant.

Amir ne pouvait pas rejeter sa supplique franche. Il aimait cette belle femme, et elle avait admis l'aimer également.

— Laissez-moi faire de vous ce que je veux juste encore un peu, dit-il.

Puis, il couvrit ses seins de baisers, ses lèvres glissant brièvement sur son torse. Bianca soupira du délicieux plaisir procuré par ses doux baisers. Enfin, il couvrit son corps avec le sien.

— J'admets ne plus être capable d'attendre davantage, dit-il en se glissant entre ses cuisses accueillantes, guidant son membre à l'endroit où il pouvait pénétrer son corps.

Puis, il se poussa lentement en elle, lentement, lentement, car il savait qu'elle n'avait pas eu de relations sexuelles depuis un certain temps. Elle était, comme il s'y attendait, très étroite, mais son fourreau était glissant d'une humidité chaude et enthousiaste de le recevoir. Les muscles de cette cavité le pressèrent pour l'étreindre. Il gémit à voix haute devant le plaisir incroyable qu'elle lui offrait. Il embrassa sa bouche voracement, et elle l'embrassa à son tour tout aussi passionnément.

— *Baisez-moi* !

Elle l'étonna, lui murmurant urgemment à l'oreille quand il la perça la première fois, puis qu'il s'enfonça plus loin en elle.

— Ne me traitez pas comme si j'allais me briser, je vous désire autant que vous me désirez, mon prince bien-aimé. Je ne vais pas me briser. Votre passion honnête ne ressemble pas du tout au traitement brutal que j'ai reçu aux mains de mon mari. Maintenant, faites-moi l'amour comme vous le sentez ! Montrez-moi la profondeur de vos sentiments — je vous en supplie, Amir !

Son désir le consumait. Il commença à se servir d'elle avec rudesse, son pénis apparaissant et disparaissant rapidement de son corps accueillant. Il sentit son fourreau se resserrer et éclater autour de son membre, mais il continua, un coup de reins pour chacune des longues nuits où on lui avait refusé la passion de Bianca, même s'il constatait qu'une telle chose était impossible. Encore, il se poussa à l'intérieur et recula, dedans, dehors, dedans, dehors, apparemment incapable d'interrompre son va-et-vient.

Le sentiment d'urgence brièvement disparu de son propre désir, Bianca enroula ses jambes autour de lui, l'encourageant à atteindre des sommets de plus en plus hauts. Elle se laissa elle-même monter au ciel et s'émerveilla de ne pas exploser de plaisir. Elle n'était jamais montée si haut. Elle volait parmi les étoiles. Ce n'était pas une passion forcée par son mari brutal. Cette fois, sa passion était librement donnée à l'homme sans qui elle ne pouvait pas survivre. Ils ne faisaient qu'un ! Elle cria son nom encore et encore, jusqu'à ce que sa gorge brûle.

— Oh, Amir, mon amour, mon amour !

Il s'enfonça et s'enfonça et s'enfonça dans sa douceur, mais quand il sentit que la passion de Bianca atteignait son sommet une seconde fois, il donna libre cours à sa propre joie, car il ne pouvait plus se retenir. Enfouissant son visage dans sa longue chevelure d'ébène, il hurla son nom une fois — « *Bianca* ! » —, tandis qu'il se vidait de son premier besoin désespéré d'elle.

Ils restèrent allongés, soudés, pendant un certain temps, leurs respirations combinées se calmant alors qu'ils retrouvaient un état de paix. Enfin, il se retira lentement et à contrecœur de son corps merveilleux. Silencieusement, leurs mains se trouvèrent, leurs doigts s'entremêlant pendant qu'ils s'étiraient l'un à côté de l'autre. Elle se nicha contre lui, sa tête s'installant sur son épaule. Tendant un bras, il l'attira aussi près de lui que possible.

— Je vous aime, dit-il à voix basse.

— Je vous aime, répondit-elle. Vous êtes le seul homme que j'ai aimé et que j'aimerai.

Cet aveu le remplit d'un bonheur inexprimable, car elle avait capturé son cœur et son âme dans ses deux petites mains. Le harem de son grand-père était rempli de femmes envoyées dans le but d'exprimer une loyauté. La plupart ne partageaient jamais le lit du sultan. Quand Mehmet souhaitait honorer quelqu'un, il donnait habituellement ces femmes qui, ayant été formées à l'art de la passion pendant qu'elles étaient au harem, étaient d'excellents exemples de perfection féminine avec une connaissance approfondie des talents féminins.

C'était ainsi qu'Amir avait obtenu les deux femmes qui étaient ses épouses. Des cadeaux de son grand-père, les deux étaient de bonnes femmes rendues stériles avant leur arrivée afin qu'Amir n'engendre pas d'enfant – particulièrement des mâles qui pourraient un jour défier le règne de l'aga. Il y avait peu de chances qu'Amir, fils de Jem, fils de Mehmet, hérite un jour du trône. Et si par quelque excentricité du *kismet*, cela se produisait, il prendrait alors des femmes fertiles pour lui donner des fils et des filles.

Ses deux épouses étaient jolies, bien que l'on ne puisse pas les qualifier de beautés. Maysun avait trois ans de plus que lui, et Shahdi était d'un an plus jeune. Il avait de l'affection pour elles, car ensemble, elles lui avaient créé un foyer agréable et ordonné. Il couchait parfois avec elles et il les traitait bien afin qu'elles soient satisfaites de leurs vies. Mais les aimer ? Non. Il ne les aimait pas. Il ne les avait jamais aimées. Il n'avait jamais aimé personne jusqu'à ce qu'il pose les yeux sur la femme qui était à présent blottie contre lui, repue de passion.

Ils étaient maintenant amants et au cours du mois suivant, ils passèrent chaque moment ensemble, de jour comme de nuit. Ils étaient insouciants de tout ce qui n'était pas eux. Krikor, l'esclave du prince, grommelait en raison des changements dans la vie de son maître. Il n'aimait pas le changement, disait-il. Néanmoins, il ne pouvait pas s'empêcher de rire de temps à autre de Bianca et d'Amir. Agata et les autres servantes de Luce Stellare souriaient et chantaient en travaillant, très contentes de voir leur belle maîtresse et son bien-aimé prince si heureux. Bianca méritait un peu de bonheur, s'entendaient à dire les femmes de la villa. Il était bien temps.

Puis, un jour, un messager arriva, porteur d'un mot venant de l'avocat représentant la succession de Sebastiano Rovere. Il désirait lui-même parler à la veuve et demandait qu'elle revienne à Florence. Bianca y réfléchit, mais ensuite, elle renvoya un message écrit de sa propre main disant à l'avocat que s'il souhaitait discuter avec elle, il devait venir à Luce Stellare. Elle n'avait aucune intention de quitter sa maison.

À son grand étonnement, l'avocat vint, accompagné de ses deux beaux-fils, Stefano et Alberto Rovere. Bianca fut obligée de les loger, car sa demeure isolée n'était pas près d'un village ou d'une auberge.

– Je ne veux pas de vous ici pendant qu'ils sont présents, dit-elle à Amir. S'ils voient que j'ai pris un amant, ils vont supposer que j'ai quitté leur père pour vous.

– Une telle chose n'aurait pas été possible, lui dit le prince. Comment aurions-nous pu nous rencontrer, en premier lieu ?

Il n'aimait pas l'idée de la laisser seule avec les fils de son mari décédé ou avec l'avocat.

– Le bon sens n'est pas une chose que possèdent les Rovere. À présent qu'il est mort, ils feront ce que font les familles. Ils tenteront de le transformer en victime d'une mauvaise épouse afin de préserver un peu de sa respectabilité. Ils ne s'occuperaient pas de moi du tout en tant que sa veuve, sauf que j'ai hérité, dit Bianca.

— Accepterez-vous l'héritage ? lui demanda-t-il, à la fois curieux et jaloux.

— Non, Amir, bien sûr que non. Je veux seulement récupérer en entier la portion de ma dot, avec intérêts. Je ne peux pas continuer à vivre de la générosité de mon père, Amir, et je ne le souhaite pas non plus, car cela signifie que je doive obéir à mon père à nouveau. Je vais lui acheter la petite villa et investir mon argent dans la banque des Médicis. Je serais indépendante. Laurent n'est pas son grand-père décédé, Cosme, mais il veillera à ce que l'on prenne soin de moi ; j'en suis convaincue, dit Bianca à son amant. Je l'ai déjà considéré comme un ami autrefois et j'espère qu'il me considère encore comme tel.

— Je veux que vous m'épousiez, lui dit le prince. Je veux prendre soin de vous, Bianca. Je veux vous protéger de tous les dangers.

— Vous avez déjà deux épouses, Amir. Et vous ne pouvez pas m'épouser, dit doucement Bianca. Vous êtes un infidèle. Je ne crois pas que le petit-fils du sultan soit sur le point de se convertir au christianisme, n'est-ce pas ?

— Non, admit-il avec un soupir. Cela en soi serait une perfidie pour moi.

— Donc, nous sommes dans une impasse, *caro mio*. Néanmoins, je suis parfaitement satisfaite de rester votre amante, lui dit-elle. Je n'ai aucune obligation. Ma famille m'a sacrifiée pour se sauver elle-même, et il y a peu de chances pour que j'oublie cela un jour. Je les aime, mais je ne serai plus jamais régie par eux.

Il la regarda, surpris.

— Que vous est-il arrivé ? lui demanda-t-il.

Bianca sourit.

— Votre amour m'a rendue forte, Amir. Je ne veux pas être une femme frêle dépendante de son père ou de son mari. Je peux prendre soin de moi-même. Cela me plaît de vivre dans ma propre maison. Cela me plaît d'avoir Amir ibn Jem comme amant. Je ne serai plus jamais la propriété d'un homme maintenant que je sais ce qu'est la véritable liberté.

Stupéfait, il lui dit :

— Et que se passera-t-il lorsque vous ne serez plus contente de m'avoir comme amant, Bianca ?

Bianca vit le chagrin dans ses yeux. Elle avait été trop franche avec lui. Elle avait heurté sa fierté. C'était une erreur qu'elle ne commettrait plus.

— Oh, mon amour, dit-elle en se jetant dans ses bras. Je ne me lasserai jamais de votre passion. Plus probablement, vous vous fatiguerez de moi lorsque je deviendrai vieille et rondelette.

Ses bras se resserrèrent autour d'elle. Il commençait juste à découvrir la femme intelligente qu'elle était. C'était franchement tout un choc. Il embrassa le dessus de sa tête ébène.

— Je vais rentrer chez moi et vous laisser vous occuper de vos invités pas si bienvenus, lui dit-il.

« Et réfléchir à ce soudain revirement de situation, se dit-il en silence. Je l'aime, mais puis-je être à l'aise avec une femme indépendante ? »

Elle entendit la tension dans sa voix.

— Amir, dit-elle en levant maintenant les yeux vers lui, ne soyez pas en colère contre moi, mon amour. Parmi tous ceux que je connais, je pensais que vous seriez celui qui comprendrait le mieux mon besoin d'une véritable liberté.

Il soupira.

— Je comprends, admit-il, se disant à contrecœur qu'il comprenait vraiment. J'ai les mêmes besoins, ma bien-aimée. C'est pourquoi je réside ici, dans la république de Florence, plutôt que dans ma propre maison au bord de la mer Noire. Malgré tout, vous entendre exprimer à haute voix vos désirs me surprend. Vous n'avez jamais auparavant parlé de ces choses.

— Je ne pouvais pas exprimer de telles pensées avant la mort de mon mari, expliqua Bianca.

— Non, vous ne le pouviez pas, n'est-ce pas ? approuva-t-il.

Il releva délicatement son visage vers le sien et lui donna un baiser rapide.

— Envoyez-moi chercher quand vos invités seront partis, ma bien-aimée.

— Je le ferai, lui dit-elle.

Puis, il partit en appelant Krikor pour qu'il se joigne à lui.

Bianca le regarda s'en aller, puis elle se tourna sur un soupir pour entreprendre les préparations nécessaires pour ses invités.

— Installe les frères dans la chambre d'invité en face de la mer et l'avocat dans celle surplombant les jardins, dit-elle à Filomena. Cuisine des repas simples, exigea-t-elle de Gemma. Je ne veux pas qu'ils s'installent pour un long séjour. Et sers des vins passables, mais pas les meilleurs. Un ou deux jours sont le maximum de temps que je pourrai supporter une compagnie semblable.

– Vous devriez envoyer chercher votre père, dit Agata.

– Pourquoi ? demanda Bianca.

– Il peut vous conseiller. Je ne pense pas que ce soit sage de votre part de discuter avec ces gens sans une personne pour veiller sur vos intérêts, répondit Agata.

– Je ne veux rien de Rovere, sauf ce qui m'appartient, dit Bianca. Je ne vais pas profiter de sa mort, aussi méritée soit-elle.

– Vous méritez quelque chose pour le temps que vous avez passé avec ce démon et la misère qu'il vous a infligée, dit Agata avec indignation.

Bianca sourit et tapota la main de sa femme de chambre.

– Tout ce qu'il possède est maudit à mes yeux. Je n'introduirais pas sa malchance dans ma demeure, expliqua-t-elle, sachant qu'Agata comprendrait cela.

– Ahhhh, oui ! répondit sa loyale servante en hochant la tête. Je vois, maintenant, maîtresse. Vous êtes tellement intelligente. Votre mère serait contente.

– Je vais investir la portion de ma dot dans la banque des Médicis, dit Bianca. Maintenant, préparons-nous pour nos invités, car plus vite nous pouvons les accommoder, plus vite ils partiront.

Les frères Rovere et leur avocat arrivèrent. Tous étaient vêtus de noir en signe de deuil. Bianca les accueillit dans une robe rouge garnie de fil d'or et de minuscules perles de jais noires.

– Vous ne portez pas le deuil de votre mari, *signora* ? lui demanda l'avocat Renzo Guardini avec désapprobation.

C'était un homme grand et mince avec un visage pincé.

— Je n'avais pas vu mon mari depuis presque deux ans, *signore* Guardini, répondit Bianca. Avant qu'il arrive à ma villa peu de temps avant sa chute. Pendant le bref moment où il a été ici et avant d'en être chassé, il m'a battue sévèrement pendant que ses hommes tentaient de violer mes servantes. Je cherchais à obtenir l'annulation de notre mariage, et à l'évidence, il n'approuvait pas cela. C'était un monstre. Je ne suis pas une hypocrite qui porte le deuil d'un mari que je méprisais et dont la décadence était légendaire. J'espère qu'il brûle en enfer.

Elle sourit.

— Allons dans la bibliothèque, qui est un endroit approprié pour mener des affaires, suggéra Bianca tandis qu'elle les précédait dans le vestibule de la maison, à l'extérieur duquel elle les avait accueillis dans un environnement plus agréable. Il y a un plateau avec des verres et du vin, *signores*. Je vous en prie, servez-vous. Mon personnel de maison est petit et limité à des servantes, bien que j'emploie deux hommes pour les jardins et les écuries.

Elle s'assit, et ses invités firent de même après s'être versé de son vin.

— Votre mari fait de vous une femme très riche, commença *signore* Guardini.

— Je ne veux rien d'autre que ma portion de dot additionnée des intérêts que j'aurais obtenu d'une banque respectable depuis le temps où nous nous sommes fiancés jusqu'à sa mort, dit Bianca.

— *Signora,* vous ne comprenez pas, dit l'avocat. Sebastiano Rovere a légué à sa veuve la moitié de sa fortune ainsi que sa maison et tous ses esclaves.

— Vraiment ?

Bianca était sincèrement étonnée, mais alors, elle vit la main de son père dans ce fait. Rovere avait accepté, car il voulait la plus belle fille de Florence pour épouse et il ne s'attendait pas à ce que Bianca lui survive.

— C'est ce qu'il a fait, en effet, dit amèrement Guardini, son ton sous-entendant qu'elle ne le méritait pas.

— Je veux seulement la portion de ma dot, avec intérêts, répéta Bianca. Je ne veux certainement pas la maison où j'ai été si malheureuse. Je vais libérer les pauvres esclaves qu'il retenait, sauf une.

Elle se tourna vers Stefano Rovere.

— Prenez Nudara et vendez-la au plus offrant avec son maudit âne. Ensuite, donnez l'argent que vous obtiendrez à la révérende mère Baptista au couvent de Santa Maria del Fiore, à l'extérieur des portes de la ville.

— Cette esclave vaut une fortune, protesta Alberto Rovere, et vous voudriez offrir cet or à un couvent miteux à l'extérieur de la ville ? Je me demande si on voudrait même accepter l'argent obtenu par l'intermédiaire d'une telle vente.

— Comme il est peu probable qu'on l'apprenne et que le couvent est pauvre, j'imagine que les religieuses seront reconnaissantes d'un cadeau si inattendu, dit doucement Bianca. Cependant, si vous osiez leur révéler la source de leur bonne fortune, Alberto, croyez-moi quand je vous promets que vous souffririez de votre perfidie. Mon Agata veillera à ce que le mauvais œil tombe sur vous. Et je vais moi-même vous maudire d'une certaine incapacité de vous conduire en homme. Un certain bien devrait ressortir de cette maudite putain.

– On peut faire une fortune avec cette gueuse ! insista Alberto. Si vous pouviez voir comment elle prend le pénis ramolli de ce petit âne avec des petits cris de plaisir et qu'ensuite, elle frétille de ses fesses rebondies, vous comprendriez. Le public paierait le prix fort pour voir un tel spectacle. Donnez-la-moi ! Je vais partager avec vous la moitié de ce que je gagne avec elle, et vous pourrez donner cela à votre couvent préféré. Personne n'a besoin de savoir que c'est nous qui en profitons.

Bianca contempla son beau-fils avec dégoût.

« *Madre di Dio* ! Il privilégie son père dans ses goûts déviants, ce qui est malheureux » ; mais alors, un souvenir éclair désagréable surgit, et elle se remémora sa nuit de noces. Se reprenant, Bianca prit une profonde respiration.

– Alberto, votre frère vendra Nudara pour moi au plus offrant, et l'argent ira à Santa Maria del Fiore. Si, comme vous le dites, il y a une forte demande pour la créature, alors il devra y avoir une enchère privée, mais annoncée publiquement pour attirer de nombreux acheteurs et beaucoup d'or.

Il la regarda avec les yeux sombres et froids de Sebastiano.

– Je veux Nudara et si vous ne me la donnez pas, je vais…

– Vous ferez quoi, espèce de petit monstre pitoyable ? Vous êtes sur le point de contracter une excellente union, me dit-on. Je me demande ce qu'ils penseraient s'ils savaient à quel genre d'homme ils confient leur fille vierge, Alberto, et vous ? dit Bianca doucement ; mais ses yeux étaient comme des glaçons bleus. Évidemment, si votre cher père les faisait chanter comme il l'a fait avec le mien, votre mariage pourrait ne plus avoir lieu après tout. La fille est une héritière très riche – jolie, me dit-on – et il s'agit d'une union désirable. Je suis ébahie qu'ils vous choisissent pour devenir son mari.

– Nous sommes amoureux ! dit Alberto.

– Alors, soyez satisfait que Stefano et vous, vous alliez vous séparer la fortune considérable de votre père au lieu d'avoir à la partager avec moi. Il y a des choses que je sais que votre famille préférerait que je ne dévoile pas au grand jour. Me comprenez-vous ?

Il hocha la tête, mais il lui dit :

– Quand êtes-vous devenue aussi dure, Bianca ?

Elle rit.

– Je ne suis pas dure, Alberto, sauf quand il le faut. Si j'ai pu survivre au traitement de votre père à mon égard, cependant, je peux survivre à tout : y compris à vos tentatives de m'obliger à agir selon votre volonté.

– Ce n'est pas ainsi qu'on fait les choses, dit l'avocat Guardini, la bouche en cul de poule.

– Stefano, vous êtes l'aîné. Que dites-vous ? demanda Bianca.

– Je vais veiller à ce que vos désirs soient respectés, Bianca, lui dit-il.

Il se tourna vers l'avocat.

– Elle doit obtenir exactement ce qu'elle veut : la portion de sa dot, plus les intérêts, et les sommes provenant de la vente de l'esclave iront à Santa Maria del Fiore. Les autres esclaves détenus par mon père seront libérés, et on leur accordera un an de salaire comme s'ils étaient des hommes libres.

– Les Médicis décideront de la somme d'intérêts due, leur dit gentiment Bianca.

Puis, elle ajouta :

– Merci, Stefano, pour votre générosité.

– Je suis d'accord, dit Stefano. Mon frère ?

– Je suis d'accord aussi, répondit Alberto, vaincu.

– Nos affaires sont donc terminées ? demanda Bianca à l'avocat.

– Je dois rédiger les documents décrétant ces changements, dit Guardini d'un ton acerbe.

– Sentez-vous à l'aise d'utiliser la bibliothèque. Il y a du papier parchemin dans le tiroir de la table de travail dont vous pouvez vous servir. Et de l'encre également. Quand vous aurez fini, je vais relire le tout et si cela me convient, je vais signer. Vous resterez pour la nuit, *signores*, évidemment.

« Elle sait lire ; pourquoi cela ne m'étonne-t-il pas ? » se demanda Guardini.

Il avait entendu dire que la veuve de Sebastiano Rovere était une femme bien élevée, timide et obéissante. Cette femme ne concordait pas du tout à cette description. Il n'avait pas su avant la mort de son client que sa femme l'avait quitté. Il ne faisait pas partie du cercle d'amis de Rovere et, en vérité, il ne l'avait pas souhaité. Rovere avait voulu que la personne le représentant soit compétente et sans intérêt. Renzo Guardini était exactement cela et il était satisfait de l'être.

La veuve Rovere était comme son père. Il se rendit compte, malgré lui, qu'il l'admirait. Il se rappela le marchand de soie assis dans ses bureaux avec Rovere, dictant les termes du contrat de mariage. C'était lui qui avait insisté sur le fait qu'advenant le décès de Rovere avant sa fille, la moitié de sa succession revienne à sa veuve. Guardini avait été choqué par une telle requête et encore plus choqué quand Rovere avait accepté ces termes. Son client s'était contenté de rire et de dire :

— Si elle peut me survivre, elle l'aura mérité.

Le marchand de soie avait hoché la tête d'un air grave.

Bien, elle lui avait survécu, mais choisi de ne pas profiter du décès de son mari. Il secoua la tête. Pourtant, ayant à présent rencontré Bianca Pietro d'Angelo, Guardini ne pouvait que se demander si elle avait eu quelque chose à voir dans la mort de son mari. Elle ne serait pas la première femme à payer pour l'assassinat de son époux. Cependant, où aurait-elle pris l'argent pour un tel méfait ? Elle se cachait de Rovere, et sa franche surprise en apprenant qu'elle avait hérité de la moitié de sa fortune, une fortune qu'elle ne voulait pas accepter, éliminait réellement toute malveillance de sa part. Non. La femme de Rovere avait simplement bénéficié de la capacité de l'homme à se faire des ennemis. Et sa conviction qu'il pouvait échapper à la justice avait signé son arrêt de mort.

L'avocat se mit au travail en rédigeant le document devant être signé par Bianca et les deux fils de Rovere, qui étaient à présent deux fois plus riches qu'ils ne s'étaient d'abord crus. Cela lui demanda un certain temps, car il n'avait pas l'habitude de réaliser lui-même ce genre de travail, qu'il assignait plutôt à son notaire, mais à la fin de l'après-midi, il avait écrit le document quatre fois. Une copie pour Bianca ; une pour chacun de ses beaux-fils et une autre pour la cour. Le document déclarait que Bianca Pietro d'Angelo renonçait au legs de son mari, Sebastiano Rovere, avec deux exceptions. Sa dot avec les intérêts calculés par la banque des Médicis lui serait rendue et non pas à son père ; et l'esclave connue sous le nom de « Nudara » serait vendue, le produit de cette vente allant au couvent de Santa Maria del Fiore.

– C'est un document assez simple mais légal, dit Guardini. Vous avez le pouvoir d'agir en votre nom en tant que veuve de Rovere. Signez ici, *signora*.

Bianca signa les quatre documents, les passant ensuite à Stefano, qui poussa à son tour les parchemins à son frère cadet. Les trois parties ayant signé, Guardini apposa sa propre signature et scella les documents. Ensuite, il en remit un à Bianca et un chacun à Stefano et à Alberto Rovere. Ils se retirèrent ensuite dans la salle à manger pour le repas, puis Filomena leur montra leurs chambres. Le lendemain matin, les trois hommes partirent une fois qu'on leur eut servi un petit déjeuner simple composé de pain, de fromage et de vin.

– Reviendrez-vous à Florence, maintenant ? lui demanda Stefano alors que son cheval était amené des écuries.

– Non, Luce Stellare est mon foyer à présent, lui dit-elle. Je suis satisfaite.

– Votre père voudra organiser un second mariage pour vous, Bianca. J'espère qu'il sera plus heureux.

– Je ne veux plus d'un mari, dit doucement Bianca. Dites-moi, Stefano, savez-vous comment votre père m'a retrouvée ? Peu de gens savaient où j'étais.

Stefano Rovere hocha la tête.

– Oui, je le sais, quoique j'aie honte de vous le révéler, dit-il, l'air gêné.

– Mais vous le ferez quand même, dit Bianca.

Il hocha encore une fois la tête.

– Il a kidnappé votre frère Georgio dans la rue un après-midi, il l'a ramené à la maison et il lui a montré ce maudit âne violant une prostituée. Votre frère s'est évanoui devant ce spectacle choquant pour lui ; la prostituée criait et criait. Quand il a repris connaissance, mon père a menacé de lancer l'âne sur lui à moins qu'il découvre où vous étiez cachée et qu'il le lui révèle. Évidemment, le garçon était terrifié. Il a fait selon la volonté de mon père. Je le sais parce que mon père a insisté pour que je sois dans la pièce quand cette violence a été perpétrée afin que votre frère ne s'enfuie pas. Et après coup, j'ai ramené Georgio chez lui. Je suis désolé, Bianca ; et j'ai très honte.

– Vous êtes pardonné, Stefano, car je sais quel homme effrayant votre père pouvait être. Il n'était pas homme à prononcer des menaces vaines. S'il le disait, il le faisait, dit Bianca au jeune homme. J'ai souffert entre ses mains suffisamment pour le savoir.

– Merci, dit Stefano Rovere, embrassant les deux mains de Bianca.

– Nous ne nous reverrons plus, lui dit-elle.

– Je comprends, dit-il.

Puis, il monta sur son cheval, il rejoignit son frère cadet et leur avocat, et ils s'en allèrent.

Elle les regarda s'éloigner, lentement gagnée par le soulagement. Enfin, les Rovere étaient sortis de sa vie. Elle regarda Ugo, qui attendait l'ordre qui, il le savait, fuserait.

– Va chez le prince Amir et dis-lui que mes invités sont partis.

– Tout de suite, *signora*, dit l'homme, hochant de la tête dans sa direction en souriant.

Bianca rit tout haut et tournoya sur elle-même. Elle était heureuse. Elle était heureuse ! L'obscurité qui avait empli sa vie ces trois dernières années s'était levée. Elle était amoureuse d'un prince et lui, d'elle. Sa vie allait être parfaite.

Amir vint ce soir-là, et leur idylle se poursuivit alors qu'ils passaient les journées à marcher, à chevaucher et à discuter – et les nuits dans l'extase d'une passion sans fin. Un regard, et elle s'enflammait. Une caresse, le désir d'Amir explosait. Ni l'un ni l'autre n'avait imaginé qu'un amour comme le leur pouvait exister. Ils s'adoraient, tout comme ils chérissaient le temps passé ensemble.

Giovanni Pietro d'Angelo écrivit à sa fille en exigeant son retour à Florence à présent que le danger n'existait plus pour elle. Bianca lui écrivit en réponse qu'elle préférait vivre à la campagne. Maître Pietro d'Angelo écrivit une seconde fois en rappelant à sa fille son devoir envers lui. Bianca lui répondit qu'en tant que veuve, elle était maintenant libre de prendre ses propres décisions et qu'elle avait fait le choix de demeurer à Luce Stellare. Maître Pietro d'Angelo fit remarquer à sa fille qu'il était propriétaire de la villa dans laquelle elle vivait. Il lui écrivit qu'il n'allait pas la lui vendre. Elle écrivit qu'elle se trouverait une autre villa à acheter près de la mer.

Orianna Pietro d'Angelo arriva deux semaines plus tard. Mère et fille se saluèrent avec affection. Bianca invita sa parente à se joindre à elle sur la terrasse qui surplombait la mer. Agata apporta du vin doux accompagné de gaufrettes sucrées, puis elle se retira discrètement juste assez loin pour ne pas être vue, mais assez près pour entendre la conversation.

Un regard à sa fille indiqua à Orianna ce qu'elle avait besoin de savoir. Bianca avait pris un amant. Elle rayonnait de bonheur. Il s'agissait du prince turc, évidemment. Il n'y avait personne d'autre à proximité, et Bianca était trop pointilleuse pour prendre un de ses serviteurs dans son lit. Orianna avait vu Primo et Ugo. C'étaient des hommes rudes de la terre et loin d'être le genre à séduire une fille comme Bianca. Non. Ce serait le prince.

— Votre désobéissance a grandement bouleversé votre père, dit Orianna en sirotant son vin doux.

Il était très bon. Elle n'avait jamais rien goûté de semblable auparavant.

— Mon père doit comprendre que je suis maintenant responsable de ma propre vie, *madre,* répondit Bianca à sa mère. Je suis une veuve et non une vierge en mal de protection.

— Vous devez vous remarier, Bianca, dit Orianna.

— Pourquoi ? Le mariage ne me plaît pas du tout, *madre.*

— Rovere ne vous plaisait pas, la corrigea Orianna. Vous n'êtes pas malheureuse avec votre amant, Bianca.

Elle regarda sa fille droit dans les yeux en parlant.

Bianca rougit, puis elle lui dit :

— Non, je ne suis pas malheureuse avec mon amant, *madre.* Mais il n'a aucune autorité sur moi comme un mari en aurait. Nous nous aimons, tout simplement, et nous partageons du plaisir ensemble.

— Est-ce le prince ? Évidemment que c'est lui. Il est très séduisant, et je m'en doute, très persuasif également, dit sa mère. Vous n'êtes pas aussi sophistiquée que vous le croyez.

Bianca rit.

— Oui, Amir est séduisant et oui, il est persuasif, mais seriez-vous étonnée de savoir que je suis également persuasive, *madre* ?

Maintenant, Orianna rit. Soudainement, elles n'étaient plus la mère et la fille, mais deux femmes discutant ensemble d'amour.

— Tout de même, dit-elle, pour le bien des convenances, vous devez vous remarier ou entrer au couvent. Vous n'êtes pas une courtisane, Bianca.

— Je ne vais pas me remarier, *madre*. C'est pourquoi je préfère demeurer ici, à la campagne, près de la mer. Qu'on laisse croire à ceux qui se souviennent de moi que je suis si fortement blessée par mon mariage que j'ai complètement rejeté la société. N'est-ce pas mieux ainsi ? Je ne suis pas une femme faite pour le couvent, non plus. Vous devez parler de moi à mots couverts, lorsque vos amis vous questionnent.

— Ne soyez pas si dramatique, Bianca. Le mariage est la seule option offerte à une femme de bonne famille. Vous ne vous remarierez pas à Florence. Nous vous trouverons un mari ailleurs, et vous prendrez un nouveau départ. Comme vous êtes une veuve, votre virginité perdue ne désolera pas un second mari. La fortune dont vous avez héritée de Rovere vous rendra des plus désirables.

— Je n'ai rien accepté de sa succession, à l'exception de ma dot, additionnée des intérêts. J'ai fait placer les sommes à la banque des Médicis, *madre*. J'ai fait vendre la célèbre esclave de Sebastiano, et les produits ont été donnés à votre parente au couvent où j'ai été hébergée plusieurs semaines. J'ai cru que cela n'était que justice, dit Bianca à sa mère.

— Bianca ! Vous avez été lésée ! dit Orianna, horrifiée, le souffle coupé. Je sais que votre père a veillé à ce que le testament de votre mari vous accorde la moitié de sa succession si vous deviez lui survivre.

— C'était bien le cas, dit Bianca. Je n'en voulais pas, *madre*. Je ne voulais rien qui appartenait à cet homme. Quand j'ai fui, j'ai abandonné derrière moi les bijoux qu'il m'avait offerts. Ils sont maudits, *madre*. Tout est maudit. Maudit ! Je n'aurais pu me résoudre à en garder un seul en toute bonne conscience.

Orianna était blême sous le choc de la déclaration de sa fille.

— Vous êtes une fille stupide, stupide, dit-elle à sa fille. Vous auriez été une femme très riche. Nous aurions pu vous trouver un grand noble comme mari. Maintenant, dit-elle en soupirant, je ne sais pas.

— Mais je ne veux pas d'un second mari, *madre*, dit Bianca. Pourquoi ne voulez-vous pas comprendre cela ? Je suis heureuse à présent et satisfaite. N'en ai-je pas le droit ?

— Vous ne voulez pas un mari aujourd'hui, Bianca, mais que se passera-t-il quand le prince se lassera de vous ou retournera dans sa terre natale ? Et alors, ma fille ? Vous êtes-vous donné la peine de réfléchir jusque-là ? Non ! Vous ne faites que vivre l'instant présent, petite *ingenua* !

— L'instant présent, *madre*, est tout ce que chacun d'entre nous possède vraiment, répondit Bianca. J'aime Amir. Je n'en aimerai jamais un autre. S'il me quitte, alors je serai seule. Mais je n'aimerai plus jamais.

Orianna soupira.

— Ce sont les paroles d'une femme amoureuse pour la première fois, ma fille. Vous aimerez à nouveau. Nous le faisons toutes.

– Comme vous, *madre* ? demanda doucement Bianca.

Sa mère rougit.

– C'est vrai, admit-elle. Votre père n'était pas mon premier amour.

– Vous étiez une bonne fille, dit Bianca. Vous avez fait ce que vous deviez faire et vous avez épousé le marchand florentin qui était prêt à ignorer l'insuffisance de votre dot en tant que fille cadette d'un prince vénitien. Vos parents ont veillé à ce que vous appreniez à connaître votre mari avant le mariage. Mon père est gentil et il comprenait votre position. Il vous respectait, et vous lui avez donné suffisamment d'affection pour créer une famille et lui offrir le respect auquel il avait droit. Toutefois, vous n'avez jamais aimé mon père avec la même passion que je ressens pour Amir, *madre ;* et je sais que vous n'allez pas le nier, car vous êtes une femme trop honnête.

– Je constate que je vous ai sous-estimée, Bianca, répondit Orianna. Vous êtes bien plus maligne que je l'avais soupçonné jusqu'à aujourd'hui. Mais le fait demeure : le prince Amir n'est pas un mari convenable pour vous et il ne vous épousera pas. C'est un infidèle. Il est toléré à Florence parce qu'il est le petit-fils du sultan et un honnête marchand. Toutefois, s'il devait violer les lois de l'État, il serait expulsé, et on lui interdirait de revenir.

– Menacez-vous Amir, *madre* ? demanda Bianca à sa mère. Vous savez sûrement qu'il est tenu en très haute estime par Laurent de Médicis.

– Même les Médicis ne sont pas assez stupides pour défier l'État ou l'Église. Ils conservent leur pouvoir en gardant la faveur de la majorité des Florentins. S'ils perdent cette faveur, ils perdent le pouvoir, Bianca. Croyez-vous réellement qu'ils préféreraient une amitié à leur propre pouvoir ? Vous n'êtes pas si stupide.

— Vous me feriez épouser un étranger alors que je suis amoureuse d'un autre homme ? s'enquit Bianca auprès de sa mère. Ne vous souciez-vous donc pas de mon bonheur ? Mon sacrifice pour notre famille en devenant la femme de Sebastiano Rovere n'a-t-il donc pas suffi ? Pensez-vous que j'oublierai un jour ma nuit de noces avec ce monstre ou les nuits de débauche qui ont suivi tandis qu'il m'enseignait ses perversions ou encore les passages à tabac que j'ai reçus lorsque je résistais ? Aujourd'hui, vous m'obligeriez à épouser un autre homme qui aura un droit de vie ou de mort sur moi quand je préfère rester une femme libre ? Je mourrai avant, *madre* ! Me comprenez-vous ? Je préférerais la mort. Forcez-moi la main dans cette affaire et vous vous retrouverez à m'enterrer dans cette grande tombe en marbre qui appartient à la famille Pietro d'Angelo.

Orianna fut stupéfaite par les paroles de sa fille.

— Bianca ! Vous ne pouvez pas penser une telle chose. Le suicide est un péché aux yeux de l'Église.

— Ce que vous proposez quand vous suggérez de détruire mon bonheur est un plus grand péché aux yeux de Dieu, rétorqua Bianca, en colère à présent. Je m'en moquerais si c'était le pape Alexandre en personne qui l'ordonnait, je ne me remarierai pas, *madre*.

C'est à ce moment extrêmement tendu que le prince Amir arriva. Il n'était pas venu par la plage cette fois, mais il avait chevauché sur la piste étroite qui servait de route aux deux villas et sur une plus longue distance. Il vit Agata à moitié dissimulée qui écoutait la conversation sur la terrasse et il la dépassa rapidement, car la voix élevée de Bianca était presque au bord de l'hystérie. Il voulait savoir ce qui la bouleversait autant et y mettre un terme immédiatement. Effleurant une Agata surprise au passage, il sortit sur la terrasse.

— Ma bien-aimée !

Elle courut tout de suite vers lui, et ses bras se refermèrent autour d'elle. Puis, ses yeux rencontrèrent ceux d'une autre femme, une femme qu'il reconnut immédiatement comme étant Orianna Pietro d'Angelo.

— Prince Amir, dit Orianna.

— Qu'avez-vous dit pour bouleverser Bianca à ce point ?

Il voulait savoir.

— Vous êtes impudent d'intervenir entre une mère et sa fille, *signore*, répondit Orianna.

Elle tendit la main vers son verre à pied, seulement pour le découvrir vide.

— J'aime votre fille, *signora*, dit-il.

— Je le sais, et elle vous aime, prince Amir. Cependant, votre liaison est inconvenante, comme nous le savons très bien tous les deux. Bianca est inexpérimentée, mais dans son cœur, elle le sait aussi, lui dit Orianna. Elle doit se remarier aussi vite que possible après la période de deuil, car cela en est fini de Rovere. Je suis venue avec cet objectif en tête, mais ma fille ne veut rien entendre. Peut-être que si vous lui expliquiez l'impossibilité de votre situation, comprendrait-elle mieux et finirait-elle par faire son devoir envers sa famille ? Mon père cherche en ce moment même à Venise une union convenable pour Bianca. J'ai toujours eu l'intention qu'elle se marie à Venise.

— Mais je souhaite épouser Bianca, *signora*. Ma lignée est plus que convenable. Ma propre mère était la fille d'un marchand anglais. C'est d'elle que j'ai hérité mon talent pour les échanges commerciaux. J'ai fait ma propre fortune, *signora*.

— Impossible ! Vous êtes un infidèle ! dit Orianna. Il n'y a rien qui puisse surmonter cette faute, à l'exception d'une conversion à notre foi chrétienne. Je sais que vous ne vous convertirez pas plus que moi, ou que Bianca le ferait. Par conséquent, il n'y a pas d'espoir pour vous, *signore* ; j'en suis désolée, mais vous comprenez certainement le point de vue de ma famille dans cette affaire.

— Je l'emmènerais en Turquie. Je ne vais pas lui demander de renoncer à sa propre foi, dit-il. Elle vivra dans mon palais, le sérail du Clair de lune, dans les collines au-dessus de la mer Noire et elle ne manquera de rien. Je ne cesserai jamais d'aimer Bianca. Vous comprenez sûrement l'amour, *signora*. Aidez-nous ! Ne tentez pas de nous séparer, je vous en supplie. Mais si vous deviez essayer de le faire, je vais lutter contre vous avec toutes les ressources à ma disposition. Je ne permettrai à personne de m'enlever ma bien-aimée Bianca.

— *Madre di Dio* ! dit Orianna. Vous croyez vraiment qu'il est possible qu'un tel mariage ait lieu ou qu'il réussisse, dans les circonstances ? *Jamais* ! Je ne permettrai pas que cela se produise. Je ferai tout ce qu'il faut pour empêcher cette parodie. L'amour ne suffit pas ! Il ne suffit pas, c'est tout. Vous êtes un couple d'amoureux idiots, mais je ne permettrai pas à Bianca de gâcher sa vie. Je protège ce qui m'appartient ! Soyez prévenu, *signore* : j'ai mes propres ressources. Je vais m'en servir pour empêcher un mariage entre ma fille aînée et vous. Si vous aimez réellement Bianca, alors aidez-la à accepter la réalité de cette situation. Ne la menez pas stupidement en bateau. Elle ne sera jamais à vous, *signore,* sinon pendant ce court et doux interlude que vous avez partagé.

Chapitre 9

Bianca, comme Amir, fut choquée par la véhémence dans la voix d'Orianna, par ses paroles senties. Pendant un moment, ils gardèrent le silence, puis Bianca parla.

— *Madre*, ne voulez-vous pas me voir heureuse ?

— Vous ne seriez pas heureuse en devenant sa femme, dit Orianna. Oh, au début, peut-être, mais une fois que vous prendriez conscience de tout ce que vous aviez dû laisser tomber et abandonner derrière vous, vous auriez de la peine pour tout ce que vous auriez perdu et ne seriez plus jamais capable de retrouver. Et qu'en est-il de ses deux autres épouses ? Oh, oui, je suis au courant pour elles. Je ne peux vous laisser faire une telle erreur, Bianca ! Je ferai tout en mon pouvoir pour empêcher cela !

Puis, se levant de sa chaise, elle les laissa ensemble sur la terrasse et rentra en trombe dans la villa, frôlant Agata au passage ; celle-ci, la voyant venir, réussit tout juste à bondir hors de son chemin.

— Je ne l'ai jamais vue ainsi, dit Bianca, stupéfaite.

— C'est une femme qui croit en ce qu'elle dit et pense qu'elle protège son enfant, répondit Amir. Ne lui avez-vous donc pas dit que je vous ai déjà demandé de m'épouser et que vous avez refusé ?

— Non, admit Bianca. L'occasion ne s'était pas présentée avant, mais soudainement, elle s'est offerte. D'ailleurs, si je retournais avec vous en Turquie, pourquoi ne pourrions-nous pas poursuivre notre relation telle qu'elle est maintenant, *amore mio* ? Je suis satisfaite.

— Nous ne pourrions pas continuer ainsi parce que vous vivriez dans ma maison. Je vous installerais sur un pied d'égalité avec mes deux épouses, Bianca. En tant que ma maîtresse, vous ne seriez pas d'un rang égal à elles et vous devez l'être. Je ne peux pas me débarrasser ni de Maysun ni de Shahdi, car elles sont des cadeaux du sultan, qui les a lui-même reçues d'alliés politiques. Il a honoré ces alliés en me les offrant, je dois donc les garder. Elles deviendront vos compagnes, et même si vous serez ma troisième épouse, vous resterez la première dans mon cœur, une distinction qu'elles comprendront. Elles connaissent leurs rôles et elles sont contentes.

— Pourrions-nous monter à cheval et marcher ensemble là-bas comme nous le faisons ici ? lui demanda-t-elle.

— Oui, mais pas si nous vivions en ville. C'est pourquoi je préfère la campagne, entre autres raisons. J'aime la liberté dont je jouis et je sais que ce sera la même chose pour vous. Néanmoins, vous serez en sécurité, lui promit-il. Venez avec moi, Bianca. Ici, votre famille n'aura de cesse que lorsqu'elle nous aura séparés et vous aura obligée à contracter un autre mariage à leur choix. Votre mère est une femme forte, ma bien-aimée. Plus forte que de nombreux hommes. Elle croit sincèrement ce qu'elle nous a dit. Je le vois dans ses yeux.

– Mais vous vous êtes créé une vie ici, Amir. Vous êtes favorisé par les Médicis et d'autres familles fortunées. Si vous rentrez en Turquie, vous serez mis en danger par la personne qui succédera à votre grand-père quand il mourra, dit Bianca, inquiète.

– Oui, j'ai une vie ici, à Florence, mais si je reste, je ne peux pas vous avoir, lui dit-il. Mon grand-père vivra encore de nombreuses années. Si nous vivons en paix et évitons sa cour, je ne représenterai pas une menace pour son héritier et les héritiers de ce dernier. Les habitudes des Médicis ont fait de moi un homme riche, Bianca. Je pourrais vivre de cette fortune, mais je ne le ferai pas, car je ne suis pas homme à rester désœuvré. Je peux diriger mon entreprise depuis la Turquie, si je l'établis correctement avant notre départ de Florence. J'ai deux assistants dans mon entrepôt qui pourraient s'en tirer ici sans moi, avec des instructions claires.

– S'ils ne vous volent pas, nota Bianca. Et ils le feront probablement.

Il rit.

– Ils voleront un peu, dit-il avec un petit rire. On doit s'y attendre, et c'est le prix pour faire des affaires, je le crains. Laissez-moi préparer mon retour avec vous en Turquie, ma bien-aimée. Je peux vous rendre heureuse et je le ferai.

Bianca songea aux paroles de sa mère. Si elle quittait Florence avec Amir, elle ne reverrait plus jamais sa famille. Était-elle prête à les abandonner pour ce prince ? Elle y réfléchit et en vint à la conclusion qu'elle l'était. Ses sœurs seraient mariées à des hommes dans des endroits lointains. Ses frères allaient sûrement se marier ailleurs, sauf Marco.

Georgio prévoyait déjà joindre l'Église et en tant que troisième fils, on donnerait certainement à Luca une épouse venue d'un lieu lointain qui pouvait profiter à la famille. Ses parents mourraient un jour. Sa famille était déjà partie dans son esprit, comprit-elle.

— Oui, Amir, dit-elle. Je vais partir avec vous. Vous êtes mon foyer, ma famille à présent.

Il l'attira lentement dans ses bras, leurs yeux se rencontrant dans une parfaite compréhension.

— Je vous aime, dit-il, et il l'embrassa avec un baiser profond et langoureux.

Bianca se détendit dans son étreinte tandis que la pression de ses lèvres sur les siennes renforçait sa décision. Leur amour suffisait amplement.

Les observant depuis la fenêtre de sa chambre à coucher, Orianna ressentit une pointe de jalousie. L'amour que sa fille et le prince Amir éprouvaient l'un pour l'autre était indéniable, mais on ne pouvait tout simplement pas le laisser vivre. Un tel amour entre une bonne chrétienne et cet infidèle était mal. Elle devait ramener Bianca à Florence, de retour dans la sûreté du *palazzo* familial où elle pourrait redresser cette erreur avant qu'elle s'aggrave.

À la grande surprise de Bianca, sa mère partit le lendemain, emmenant son escorte avec elle.

— Je vais vous laisser tous les deux réfléchir à la sagesse de votre liaison, dit-elle à sa fille et au prince Amir. Vous êtes un homme du monde, *signore*. Je vois que vous aimez ma fille, mais vous devez savoir qu'une union entre deux personnes aussi différentes ne peut pas réussir. Pour votre bien à tous les deux, j'aimerais qu'il en soit autrement, mais ce n'est pas le cas. Acceptez-le et aidez Bianca à l'accepter afin qu'elle puisse contracter une autre union plus heureuse. C'est son destin, puisqu'elle est ma fille. Je vous jure que l'homme que nous choisirons cette fois aura une réputation sans égale et qu'il sera gentil. Il chérira et estimera le trésor que nous lui confierons dans la personne de Bianca. Mon enfant vous dira que je ne suis pas femme à faire des promesses en l'air. Je tiens parole.

Puis, elle embrassa Bianca sur les deux joues et partit.

Ils restèrent debout à la regarder tandis qu'Orianna Pietro d'Angelo s'éloignait à cheval. Bianca frissonna tout à coup.

— Elle arrivera à ses fins, à moins que nous partions rapidement d'ici, prévint-elle son amant. Je connais ma mère, Amir. Elle peut être impitoyable et sans merci quand on la défie. Elle a toujours voulu que je fasse un mariage vénitien.

— N'ayez crainte, ma bien-aimée, lui assura-t-il. Je vais prendre des arrangements pour notre départ aujourd'hui même. Cela demandera du temps, cependant. Je ne vais pas vous envoyer seule. Nous devons être ensemble. J'ai besoin de régler mes affaires à Florence et d'aviser mon grand-père que je rentre à la maison. Le reste, je le lui expliquerai une fois que nous serons sur place.

— J'ai peur, tout à coup, dit Bianca. Je n'ai pas eu peur depuis que j'ai fui le *palazzo* de mon mari décédé. Ma mère n'a pas pu avoir celui qu'elle aimait et l'a laissé derrière elle à Venise quand elle a été mariée à mon père. Francesca a déjà surpris mes grands-parents à en parler quand ils sont venus en visite et elle me l'a raconté. Ma mère ne veut pas que j'aie ce qu'elle n'a pas pu avoir. Elle fera tout ce qu'il faut pour nous séparer, mon amour. Ne vous fiez pas à ses paroles. Emmenez-moi vite ! Avant qu'elle ait le temps d'agir contre nous.

– Aussi vite que je le pourrai, Bianca ! Maintenant, allons chevaucher et oublier les frictions provoquées par votre mère et chasser leur caractère désagréable entre nous.

Bianca se sentait mieux quand ils revinrent. L'air de la mer était frais et piquant, et ses peurs s'étaient évaporées sous le soleil chaud.

– Que fais-tu ? demanda-t-elle à Agata en découvrant sa servante occupée à emballer ses effets personnels quand elle entra dans sa chambre à coucher.

– Votre mère m'a dit de commencer à faire les paquets pour notre retour à Florence, dit Agata.

– Je ne vais pas à Florence, dit Bianca à sa servante. Je vais en Turquie, avec le prince Amir. Viendras-tu avec moi ou resteras-tu ici ?

– Comme si j'avais réellement le choix, dit franchement Agata. Si je reste, votre mère me tuera pour ne pas vous avoir empêchée de partir et me congédiera comme employée de la famille ; je dois donc vous accompagner.

– Je vais te donner suffisamment d'argent pour échapper à la servitude si tu préfères rester, dit Bianca à la fidèle Agata. Je ne veux pas que tu sois malheureuse, mais je sais que ma mère te blâmerait, comme si tu pouvais m'arrêter.

– Non, je vais partir avec vous de mon plein gré, dit Agata. Vous êtes une bonne maîtresse et si c'est mon destin de mourir sans les derniers sacrements sur une terre étrangère, ainsi soit-il. Nous n'avons pas vu de prêtre depuis notre départ de Florence au cours de tous ces mois, et j'ai presque oublié ma foi.

— Tu ne sembles pas ployer sous le poids de tes péchés, la taquina Bianca, et Agata rit. Continue à faire les paquets, car nous devons partir en voyage, peu importe où nous allons.

Amir rejoignit Bianca cette nuit-là, escaladant le petit balcon en fer forgé devant la fenêtre de sa chambre à coucher, entrant dans son lit comme un amant secret après avoir retiré ses vêtements. Nue, elle s'enroula autour de lui, soupirant quand ses mains la caressèrent de la nuque jusqu'à ses épaules et le long de son dos. Leurs lèvres se touchèrent, et les feux de leur passion explosèrent. Ils se délectèrent de la sensation des seins de Bianca sur son torse lisse et dur, son ventre légèrement arrondi contre le plat du sien, son pubis se pressant sensuellement sur le sien.

Ils se mordillèrent l'un l'autre. Elle s'attaqua à son lobe d'oreille, ses petites dents mordant juste assez pour lui donner une sensation de douleur sans le blesser, sa langue se promenant sur la courbe du pavillon tandis qu'elle lui murmurait de petits mots d'amour. Il commença par mordiller ses mamelons, puis il colla sa bouche sur l'un d'eux, le tétant avec force pendant que ses doigts jouaient entre ses lèvres inférieures, excitant le petit bouton de chair qui pouvait l'enflammer, puis enfonçant deux doigts dans son fourreau, leur imprimant un mouvement de va-et-vient jusqu'à ce qu'elle crie son nom.

Il l'installa confortablement sous lui et il pénétra son corps impatient. Elle soupira d'un plaisir intense tandis que son membre lui ouvrait la porte de la passion de son amant, la remplissant de toute sa longueur, de toute son épaisseur. Elle s'enroula autour de lui, le serrant contre elle, ses doigts s'enfonçant dans la chair de ses larges épaules, égratignant son dos légèrement avec ses ongles quand l'intensité de leur union fit croître sa propre passion. Elle l'aimait. Il n'y avait rien d'autre.

Elle était à lui. *À lui !* Jamais de sa vie il n'avait voulu et avait eu besoin d'une femme avant sa douce Bianca. Sa propre mère anglaise prisonnière était morte quand il était jeune. Les épouses de son père avaient pris soin de lui après cela, mais il n'y avait plus jamais eu pour lui cet amour que sa mère lui avait prodigué. Il avait été éduqué, nourri et vêtu. Rien de plus.

Il avait pensé que, peut-être, une des deux vierges offertes par son grand-père allait l'aimer, mais ce n'était le cas ni pour l'une ni pour l'autre. Elles lui étaient reconnaissantes de sa gentillesse et elles étaient prévenantes, mais il n'y avait pas de passion, pas d'envie brûlante, pas d'excitation. Il appréciait leurs soins quand il était à la maison. Mais avec Bianca, tout était différent. Il y avait un désir constant, un besoin qui pouvait être satisfait uniquement par cette belle femme. Il ne la laisserait pas partir. Elle était à lui, et il était à elle. Rien n'allait changer ce qu'ils ressentaient.

Orianna Pietro d'Angelo, cependant, avait des plans autres pour sa fille Bianca. Son arrivée soudaine à la maison à peine quelques jours après son départ fut une grande surprise dans son foyer. On s'était attendu à ce qu'elle soit absente plusieurs semaines pour rendre visite à Bianca. Son humeur indiquait qu'elle n'était pas contente. Ses domestiques comme ses enfants marchèrent sur la pointe des pieds en présence de la femme du marchand de soie ce jour-là.

Un domestique avait été immédiatement envoyé pour chercher le maître à la résidence de sa maîtresse où il profitait d'un après-midi de détente loin de ses entrepôts de soie. Sa maîtresse fut fâchée de son départ rapide et elle pleura, ce qui ennuya le marchand. Il avait l'intention de se montrer des plus agacés en arrivant chez lui, mais un regard sur le visage de sa femme lui révéla que l'affaire était très sérieuse, sinon elle ne serait pas rentrée si vite. Ils allèrent sur-le-champ discuter ensemble dans sa bibliothèque.

— Qu'y a-t-il ? lui demanda-t-il, sachant qu'Orianna avait besoin d'un peu d'encouragement.

— Bianca est amoureuse ! commença sa femme d'un ton dramatique.

Était-ce tout ? Le marchand de soie décida qu'après tout, il était agacé.

— L'homme est-il convenable ? Cela réglerait assurément la question de ce qu'il faut faire avec elle, *cara*.

— Considérez-vous qu'un infidèle soit convenable, *signore* ? demanda-t-elle malicieusement. Elle est tombée amoureuse du petit-fils du sultan turc et pire, il l'aime aussi.

— Quoi ?

Il avait entendu parler du marchand turc d'antiquités et de tapis dont se réclamait l'*Arte di Calimala* comme d'un de leurs propres membres.

— Comment l'a-t-elle rencontré, Orianna ?

— C'est lui qui vit dans la villa à côté de Luce Stellare, expliqua-t-elle. Mais la manière dont ils se sont rencontrés importe peu, Gio — ils se sont rencontrés. Ce sont des amants amoureux ! Une telle chose ne doit pas être permise, mon mari. C'est un infidèle ! Il voudrait quitter Florence et l'emmener chez lui, en Turquie, et elle est impatiente de partir avec lui. Mon père avait planifié un mariage important pour Bianca avant que vous l'obligiez à épouser Rovere, rappela sèchement Orianna à son mari.

— Auriez-vous voulu voir Rovere accuser notre fils du meurtre qu'a probablement commis son propre fils ? voulut savoir Giovanni Pietro d'Angelo.

Orianna n'oublierait-elle jamais ? C'était du passé.

— Mon père a accepté d'organiser une nouvelle union à Venise pour Bianca, dit sa femme.

— Qu'en est-il de Francesca ?

— Francesca peut rentrer à la maison, et nous allons chercher un mariage français pour elle à présent. Notre deuxième fille a ma coloration, et c'est une aussi grande beauté que Bianca avec sa chevelure sombre. Ce que l'on ne doit pas permettre est que Bianca s'enfuie avec ce prince turc. Vous devez aller voir Laurent de Médicis. Il peut demander que le sultan exige le retour de son petit-fils chez lui. Cela mettra un terme à cette affaire, Gio. Pour l'amour de Dieu lui-même, vous ne devez pas permettre que l'on nous vole Bianca.

— Le temps qu'il faudra aux Médicis pour s'adresser au sultan et recevoir une réponse, Bianca et son prince pourraient être déjà partis, fit remarquer Giovanni à sa femme. Si vous leur avez montré votre désapprobation, et je suis certain que c'est le cas, ils préparent leur fuite en ce moment même.

— Que les Médicis emprisonnent le prince Amir jusqu'à ce qu'il soit renvoyé chez lui, dit Orianna. Ensuite, nous pourrons aller chercher Bianca de force et la ramener à la raison, Gio. Son mariage avec Rovere a été une horreur, comme nous le savons tous les deux. Laissons-la revenir et constater les bénéfices d'un mariage heureux entre deux bons amis, Gio. Entre-temps, mon père lui trouvera un mari fortuné et d'importance à Venise. Je veux que notre fille soit heureuse.

Elle voulait le bonheur de Bianca, songea-t-il. Pourtant, elle allait comploter pour éloigner leur fille de l'homme qu'elle aimait parce que c'était un infidèle. Giovanni Pietro d'Angelo ne discutait de sa religion avec personne, mais ayant épousé une femme qui ne l'aimait pas, il pensait que, peut-être, le prince qui aimait Bianca, tout infidèle soit-il, était un meilleur choix qu'un étranger fortuné et d'importance n'importe où dans le monde. Cependant, il était plus avisé que de discuter avec Orianna quand il était question de leurs enfants. Elle n'accepterait pas d'être privée de ce qu'elle croyait être son droit, et la mésalliance de Bianca avec Rovere n'avait été permise que pour protéger leur aîné, Marco.

— Je vais immédiatement demander une audience à Laurent de Médicis, *cara*, lui dit-il.

Les épaules d'Orianna se détendirent, et elle lui sourit.

— Retournez à votre maîtresse à présent, Gio. Je suis désolée de vous avoir arraché à elle. Je suis certain que vous vous détendiez loin des soucis de votre entreprise. Serez-vous à la maison plus tard ?

— Oui ; mais tard, dit-il à voix basse en se levant pour partir.

Orianna pouvait être très compréhensive.

— Bien sûr.

Elle sourit à nouveau. Ils allaient sauver Bianca de la plus grande erreur de sa vie, et elle se sentait rassurée à présent. Orianna ressentait une légère culpabilité pour le chagrin qu'elle allait causer à sa fille aînée. Cela serait temporaire. Bianca était comme sa mère : une femme réaliste. Une fois qu'elle aurait accepté le fait qu'elle n'avait pas d'autre choix que de chasser sa tristesse, elle le ferait. Comme elle avait accepté l'inévitabilité de son mariage avec Sebastiano Rovere.

Giovanni Pietro d'Angelo, comme il l'avait promis à sa femme, demanda une audience à Laurent de Médicis. Bien que Florence soit une république et qu'elle n'ait pas de noble seigneur régnant sur elle, le chef de la famille des Médicis était considéré depuis quelques années comme l'homme le plus influent de la ville. Le corps gouvernemental principal était choisi régulièrement plusieurs fois par année. Tous les hommes de trente ans et plus membres d'une guilde, libres de dette, qui n'avaient pas servi au cours d'une période récente étaient éligibles pour un mandat de deux mois au sein du *Priori*. Leurs noms étaient tirés de sacs conservés à l'église de San Croce. Ils servaient dans la *Signoria* qui était composée de neuf hommes. Six provenaient des guildes majeures, deux des guildes mineures. Le neuvième homme était appelé le « *gonfaloniere* ». C'était lui, le gardien temporaire et le porte-étendard de la bannière de la ville.

Pour s'assurer que chacune des guildes majeures et mineures étaient correctement représentées quand les noms étaient tirés, seuls ceux qui étaient éligibles à servir pour ce mandat particulier étaient choisis. Une fois élus pour leur mandat de deux mois, les membres de la *Priori* déménageaient au *Palazzo della Signoria* pour y vivre. Ils étaient luxueusement logés, magnifiquement nourris et même divertis. Chaque homme portait un manteau rouge écarlate bordé d'hermine. Le col et les manchettes des manteaux étaient aussi en hermine. Le *gonfaloniere* avait des étoiles dorées brodées sur son manteau afin qu'il puisse être distingué dans les événements publics.

Il y avait également d'autres conseils, composés d'autres citoyens : un conseil de douze citoyens et un autre de seize. On les appelait le « *Collegi* ». Si nécessaire, d'autres conseils étaient élus pour le commerce, la sécurité ou la guerre. Il y avait différents officiels, tels que le chancelier et un procureur en chef.

Quand un problème menaçait la république, la grande cloche dans le campanile du *Palazzo della Signoria* était sonnée pour appeler tous les citoyens mâles de la ville de plus de quatorze ans sur la *piazza*. Chaque partie de la ville se rassemblait derrière sa bannière pour marcher ensemble sur la *piazza*. Une fois qu'on avait déclaré que les deux tiers au moins de la population étaient sur place, elle était considérée comme un *parlamento*, qui formait un *balia*, un comité pour s'occuper de l'urgence qui les avait amenés sur la place publique.

Néanmoins, malgré la fierté que portaient les Florentins à leur système, il y avait toujours des familles comme celle des Médicis qui semblaient plus importantes que les autres familles fortunées. Des familles qui semblaient exercer plus d'influence sur les événements dans la vie des autres hommes. C'était vers elles que des gens comme Giovanni Pietro d'Angelo, ayant besoin d'une faveur particulière ou importante, se tournaient dans les moments de crise personnelle. C'est ainsi que le marchand de soie se retrouva conduit en présence de Laurent de Médicis un après-midi, ayant supplié d'obtenir une audience en urgence plusieurs jours plus tôt.

Laurent était probablement le plus charismatique des Médicis ayant vécu à ce jour. Seul dans sa belle bibliothèque, il grattait un luth qu'il tendit à un serviteur patientant à proximité à l'arrivée de Giovanni. Il chassa ensuite l'homme d'un geste gracieux de la main afin que son invité et lui puissent profiter de l'intimité que, il le savait, Giovanni souhaiterait. Il accueillit chaleureusement le marchand de soie et l'invita à s'asseoir. Il servit lui-même le vin et tendit à Pietro d'Angelo un verre à pied exquis en cristal avec une bordure d'or, qui permettait au buveur non seulement de savourer le goût du millésime qu'il offrait, mais également d'admirer sa belle couleur.

Il fut étonné de voir Giovanni Pietro d'Angelo venir à lui. Le marchand de soie était un homme prospère. On le connaissait pour gérer ses propres affaires avec compétence et sans le besoin des autres ni de leurs conseils.

— Cela doit être très sérieux, dit-il à son invité, pour que vous veniez me voir, Gio. Vous semblez troublé. Comment se porte votre belle épouse ? Et vos bons enfants ? Comment puis-je vous être utile ?

— C'est sérieux, en effet, mon seigneur, dit le marchand de soie avant de boire une bonne gorgée du vin, puis de poursuivre. Ce dont j'ai besoin ne peut pas être accompli sans votre aide. Peu importe le prix de cette assistance, il me la faut.

Laurent de Médicis hocha la tête d'un air encourageant et il laissa son invité se soulager de son fardeau.

— Il s'agit de ma fille aînée, Bianca, mon seigneur.

— Une charmante fille, remarqua Laurent. Je me souviens que Rovere l'avait exhibée dans ses soupers-réceptions les plus respectables. Puis, on ne l'a plus revue.

Elle avait de l'esprit, Gio et un immense charme. J'ai été étonné de vous voir la marier à Sebastiano Rovere.

— Je ne le voulais pas, mon seigneur, mais Rovere, à ma grande honte, m'a fait chanter, et je n'ai pas eu d'autre choix, admit Giovanni Pietro d'Angelo.

— Racontez-moi, dit de Médicis. Cela ne sortira pas de cette pièce.

Le marchand de soie révéla à contrecœur à ce grand homme l'histoire de Stefano Rovere et de son fils aîné, Marco. Il compléta son récit en disant :

— Je craignais pour mon fils et pour la bonne réputation et la fortune de ma famille, *signore*. Je ne savais pas quoi faire d'autre.

— Ahh, c'est donc ainsi qu'il a obtenu la belle Bianca, répondit Laurent. Comme c'est indigne de sa part. L'homme était méprisable, et la ville s'en porte mieux depuis sa mort. Savez-vous, peut-être, qui l'a tué, Gio ?

Le marchand de soie parut horrifié.

— Non, mon seigneur, je l'ignore ! s'exclama-t-il.

— Ils ont rendu un fier service à Florence, dit sèchement Laurent de Médicis. Le castrer et fourrer son pénis et ses testicules dans sa bouche étaient des plus appropriés. Mais revenons maintenant à ce problème que vous avez concernant Bianca et nous verrons si nous pouvons vous aider.

— *Signore*, connaissez-vous le marchand turc, le prince Amir ibn Jem ?

— Un homme charmant et intelligent, ainsi qu'un marchand honnête et réputé. Oui, je le connais très bien, Gio. Pourquoi ?

— Feu mon gendre ne nous a pas permis de voir Bianca pendant quelques mois après le mariage. Puis, enfin, un jour, ma femme a reçu la permission d'entrer dans le *palazzo*. Elle a découvert que notre fille était violentée, malade et terrifiée par son mari. Rovere était à la cour ce jour-là. Orianna n'a pas hésité. Elle a immédiatement amené Bianca hors de la maison de son mari et l'a cachée dans le couvent de Santa Maria del Fiore jusqu'à ce que nous soyons en mesure de l'envoyer secrètement dans une petite villa près de la mer qui faisait partie de la dot de ma mère. Elle y vit depuis ce temps. Le prince Amir est son voisin.

— Ils sont devenus amants, dit astucieusement Laurent de Médicis.

— Oui ; après le décès de Rovere et non avant, a juré ma fille à sa mère. Nous désirons contracter un nouveau mariage pour Bianca, mais elle refuse de rentrer à Florence ou même de discuter du sujet. Elle voudrait rester avec le prince, et il voudrait la prendre pour épouse, dit le marchand de soie d'une voix désemparée. Une telle chose ne peut pas se produire, mon seigneur. Elle ne le peut pas !

— Non, acquiesça lentement Laurent de Médicis, elle ne le peut pas. C'est un infidèle, malgré tout son charme et sa bonne réputation dans notre communauté. Mais, comment vous attendez-vous à ce que je vous assiste avec ce problème, Giovanni Pietro d'Angelo ?

— Ne pouvez-vous pas envoyer à son grand-père, le sultan, en urgence, un message lui demandant de rappeler le prince Amir en Turquie, mon seigneur ? S'il était parti, ma femme est convaincue que nous pourrions ramener Bianca à la raison, dit le marchand de soie. Elle n'a pas la vocation pour l'Église et donc, elle doit se remarier. Son grand-père à Venise cherche en ce moment même une union convenable pour elle. C'est là que nous comptions la marier avant que Rovere nous fasse chanter.

— Je peux envoyer une telle requête au sultan, bien sûr, répondit de Médicis, mais il faudrait des semaines avant que cette affaire soit réglée et le prince Amir, parti. Entre-temps, il pourrait mettre votre fille enceinte, et un tel événement la rendrait inapte au mariage, car aucun homme de bonne famille ne l'accepterait alors pour femme.

— Donc, que devons-nous faire, mon seigneur ? demanda-t-il d'une voix désespérée. Que devons-nous faire ? Je ne souhaite pas de mal à cet homme, mais il ne peut pas avoir ma fille. Ma femme ne mange plus et ne dort plus tellement elle est bouleversée par cette histoire.

— Cependant, continua Laurent de Médicis comme si son invité n'avait pas parlé, nous pourrions secrètement emprisonner le prince Amir au *Palazzo della Signoria* jusqu'à ce que son grand-père envoie ses janissaires pour l'escorter chez lui. Personne n'a besoin de savoir qu'il s'y trouve. Je vais personnellement veiller à ce qu'il soit traité avec le respect dû à son rang. Une fois qu'il aura disparu, vous pourrez récupérer votre fille et faire des projets plus heureux pour elle. Cela vous conviendrait-il, Giovanni Pietro d'Angelo ?

Laurent de Médicis sourit quand il vit le soulagement envahir le visage du marchand de soie.

— Mon seigneur ! C'est un plan brillant ! Comment puis-je vous remercier ?

— C'est en fait peu de choses pour moi, Gio, répondit Laurent de Médicis. Je sais comment aborder le sultan Mehmet, car les nombreuses années de mon père à titre de diplomate et ma propre petite expérience à servir la république m'ont enseigné comment traiter avec les grands chefs d'État. Ne vous y trompez pas, Gio : Mehmet le Conquérant est un grand chef et un homme intelligent, tout infidèle qu'il est. Renvoyer le prince Amir est un sacrifice de ma part, car j'ai toujours pris plaisir à sa compagnie et les trésors qu'il m'a dénichés au cours des dernières années sont inégalés. Aucun autre antiquaire n'a jamais réussi aussi bien. Cependant, bien que nous pouvons partager nos courtisanes et nos prostituées avec un infidèle, nous ne pouvons pas leur donner nos filles ni leur permettre de les prendre. Je n'ai jamais eu connaissance qu'il se souciait assez d'une femme pour la vouloir pour épouse. Il est peu probable qu'il renonce à Bianca, et d'après ce que vous m'avez dit, Bianca ne renoncera pas volontairement à lui. Elle doit être protégée, pour son propre bien. Quant à votre dette envers moi…

Il marqua une pause, comme s'il réfléchissait.

— Il viendra un jour où je vous demanderai une faveur, Giovanni Pietro d'Angelo, et vous ne me la refuserez pas, peu importe le prix.

Une fois, Sebastiano Rovere lui avait dit presque exactement les mêmes mots et il avait accepté pour le bien de sa famille. Mais Laurent de Médicis n'était pas Rovere. C'était un homme d'honneur, plus puissant — et sa famille plus dangereuse —, et le prix serait par conséquent plus élevé, il était vrai. Cependant, Bianca devait être sauvée de son amant infidèle avant qu'il soit trop tard.

— J'accepte, dit-il doucement. Je ne vous refuserai pas la faveur demandée quand vous en aurez besoin, mon seigneur.

Il se leva et tendit la main à Laurent.

Le grand homme se leva et serra la main du marchand de soie pour sceller leur accord. Puis, les deux hommes se rassirent pour boire leur vin. Quand il eut enfin vidé son verre, Giovanni Pietro d'Angelo se leva de nouveau, remerciant Laurent de Médicis pour sa bonté. Il revint chez lui dire à sa femme que l'affaire serait réglée sous peu.

Orianna ne lui demanda pas les détails. Parfois, il valait mieux ne pas savoir. Le prince Amir disparaîtrait de l'univers de Bianca. Orianna retrouverait bientôt la compagnie de sa fille. Ensuite, elle organiserait un merveilleux mariage pour Bianca, et celle-ci serait à nouveau véritablement heureuse.

Mais Bianca était heureuse alors qu'Amir prenait des arrangements pour leur départ de la république et leur voyage en mer vers la Turquie. Il avait déjà veillé à ce qu'un navire les emporte à Constantinople. Il ne lui restait qu'un seul voyage à faire à Florence pour confier son entrepôt aux mains de ses deux employés, à qui il disait qu'il cherchait de nouvelles antiquités pour son entreprise. Comme il avait deux fois déjà effectué de tels voyages, ils ne se doutaient pas de la différence cette fois. Plus tard, il les informerait qu'il ne comptait pas revenir.

— Je souhaiterais que vous n'ayez pas à vous rendre en ville, lui dit Bianca le matin de son départ. Pourquoi ne pouvez-vous pas simplement envoyer un message à vos hommes ?

— Parce que ni l'un ni l'autre ne sait très bien lire, expliqua-t-il. En fait, un seulement arrive à comprendre les connaissements. Ils s'en sortent mieux et sont plus rassurés quand leurs instructions sont verbales, mon amour. Ils trouveraient cela étrange si je partais sans leur parler.

Ensuite, ils cancaneraient avec d'autres à ce sujet, et qui sait ce que l'on penserait de ma disparition. Donc, laissez-moi aller leur parler, Bianca. Krikor viendra avec moi, et je ne m'attarderai pas. Deux jours, tout au plus.

Il lui donna un baiser langoureux, l'interrompa avec un soupir.

— Bientôt, nous serons dans mon palais, et vous serez heureuse, ma bien-aimée, lui dit-il.

Puis, il s'en alla.

Toutes les affaires de Bianca étaient emballées, et elle était prête à partir. Elle attendit deux jours, trois jours, puis une semaine s'écoula. Il avait été retardé, évidemment, pensa-t-elle, mais il aurait pu lui envoyer un mot.

« Comme cela est typique d'un homme », songea-t-elle, et elle sourit.

Il s'attendait probablement chaque jour à partir et se disait qu'un messager serait du gaspillage. Toutefois, quand la semaine se termina sans aucun signe du prince Amir, Bianca prit son cheval et chevaucha sur la plage jusqu'à la villa voisine. Quand elle arriva, elle découvrit à son grand désarroi que tout était barricadé et désert. Tandis qu'elle faisait le tour de la maison à pied, elle pouvait voir les lourds volets de bois qui avaient été installés sur les fenêtres et les portes. Elle réussit à regarder à travers une fente par la fenêtre de la cuisine. À l'intérieur, les fours et l'âtre étaient froids, sans feu. Il n'y avait pas le moindre signe de vie.

Que s'était-il passé ? Pourquoi sa maison était-elle fermée alors qu'ils n'étaient pas encore partis ? Apeurée, Bianca revint à Luce Stellare pour voir si ses propres domestiques savaient quelque chose. Ils ne savaient rien et ils étaient aussi étonnés qu'elle, mais ce soir-là, un des jeunes serviteurs locaux qui aimait la compagnie de la servante Pia se présenta à la porte de la cuisine. On l'emmena devant Bianca pour qu'il lui raconte son histoire.

— Trois jours après le départ du maître pour la ville, commença-t-il, un officier arborant l'insigne de la famille des Médicis est venu à la villa. Il nous a payé une année complète de gages, nous a ordonné de fermer immédiatement la maison et de rentrer dans notre propre village. Il est resté durant la nuit pendant que nous accomplissions les tâches nécessaires, puis il nous a quittés en voyant que la villa était sécurisée. C'est tout ce que je sais ou peux vous dire. Le seul autre serviteur qui ne faisait pas partie de notre groupe était Krikor et il était parti avec le prince Amir, *madonna*.

— Merci, dit Bianca au serviteur. Je vois la main de ma famille dans tout ceci, dit-elle à Agata. Ils ont, je ne sais comment, réussi à mêler les Médicis à tout cela.

— Alors, vous êtes perdue, répondit Agata.

— Non ! Le navire qui devait nous emmener en Turquie doit arriver sur nos côtes dans quelques jours à peine. Nous allons embarquer sur ce navire, Agata. Nous irons en Turquie et nous trouverons notre chemin jusqu'au palais du prince Amir, où nous attendrons son arrivée. Il rentrera chez lui un jour. Je le sais ! Laurent de Médicis ne lui ferait pas de mal, et mon père n'a pas le courage de commettre un assassinat.

— Voyager seules ! Sans le prince ? Êtes-vous folle ? voulut savoir Agata. Nous serons tuées ou réduites à l'esclavage sans sa protection.

— Je vais dire au capitaine du navire que le prince Amir a brusquement été rappelé chez lui et qu'il a pris la route terrestre ; qu'il a demandé au capitaine de nous faire descendre sur la côte la plus près du sérail du Clair de lune parce que voyager par la mer est plus facile pour moi. Nous atteindrons le but de notre voyage en toute sécurité, Agata. Je ne compte pas permettre à mes parents de contracter un autre mariage pour moi, peu importe que leurs intentions soient bonnes.

– Que Dieu et la Sainte Vierge nous viennent en aide, dit Agata.

Bianca rit.

– J'aimerais voir le visage de ma mère quand elle découvrira que je suis partie malgré toutes ses manœuvres.

Mais le lendemain matin, une troupe d'hommes d'armes en compagnie d'un officiel, chacun arborant l'insigne des Médicis, arriva à Luce Stellare.

– J'ai reçu l'ordre de mon maître, Laurent de Médicis, de vous ramener, votre femme de chambre et vous, au *palazzo* de vos parents en ville, dit l'officiel à Bianca.

– Je regrette de ne pas pouvoir me plier à cette requête, dit Bianca à l'officiel, mais son cœur battait la chamade entre ses côtes alors même qu'elle prononçait ces paroles audacieuses. Ni mes parents ni votre maître n'ont d'autorité sur moi. Vos hommes sont libres d'abreuver leurs bêtes, mais ensuite, je vous demanderais de quitter ma maison et ma propriété sans tarder.

– *Signora,* je ne vais pas échanger des mots avec vous. J'ai mes instructions. Peu importe la légalité de toute cette affaire, elle ne me concerne pas. J'ai reçu mes directives de mon maître en personne et je ne suis pas homme à échouer dans ma mission. Je vais vous accorder une heure pour vous préparer pour le voyage.

— Vous allez partir immédiatement, dit bravement Bianca à l'officiel prétentieux.

Il soupira.

— *Signora*, je vous en prie. Ne rendez pas cette affaire plus difficile qu'elle ne l'est déjà à l'évidence pour vous. Vous allez venir avec moi dans une heure et, si nécessaire, vous serez ligotée à votre cheval pendant le trajet.

— *Signore* ! N'essayez pas de menacer ma maîtresse, dit Agata en parlant avec bravoure.

— Femme, regroupez les domestiques qui font partie de ce foyer et emmenez-les immédiatement devant moi, lui dit l'officiel.

Agata regarda Bianca, qui hocha la tête, comprenant que ceux qui lui avaient été loyaux ne devaient pas souffrir avec elle. Agata partit en flèche, revenant vite avec les quatre servantes et les deux serviteurs.

— Sont-ils tous là ? demanda l'officiel.

— Ma maisonnée est modeste, lui dit Bianca.

Il hocha la tête, puis il s'adressa à eux.

— Cette maison doit être fermée et sécurisée immédiatement. On vous paiera maintenant une année de gages. Maître Pietro d'Angelo vous remercie pour les bons soins prodigués à sa fille et il vous demande à tous de rentrer chez vous, dans votre village. Tout bétail ici est à vous, avec sa permission. Cette dame sera aujourd'hui ramenée à Florence et elle ne reviendra pas. Allez, à présent et faites ce que l'on vous demande.

— Filomena, l'interpella Bianca, amène Jamila avec toi. Elle ne s'en sortirait pas bien en ville.

— Et le chien, *signora* ? lui demanda Primo.

— Le chien ?

Bianca était perplexe.

— Darius, le chien de chasse du prince Amir. Il s'est présenté ici, affamé, il y a quelques jours. J'ai brossé son pelage, qui était très emmêlé, lui dit son domestique, et nous l'avons nourri.

Bianca ressentit un léger pincement au cœur. Les deux animaux devaient partir avec eux. Elle se tourna vers Agata et elle lui murmura discrètement quelque chose. Sa femme de chambre hocha la tête et partit en courant.

— Voudrais-tu garder le chien, Primo ? Tu sais que c'est un bon chasseur, et je ne pense pas qu'il s'épanouirait en ville. Il n'y est pas habitué. Il a besoin de courir.

Agata revint et pressa quelque chose dans la main de Bianca.

— Prends cette bague, dit Bianca en remettant à Primo le cercle d'or orné de pierres qui avait été son anneau de mariage.

C'était le seul bijou offert par son mari qui n'avait pas, sans trop savoir pourquoi, été abandonné derrière elle quand elle l'avait fui.

— Elle paiera pour le chien pendant des années. En fait, elle paiera pour vous installer, ta famille et toi, très confortablement.

Il prit la bague, mais il lui dit :

— Je garderais le chien quand même, *signora*. C'est un bel animal. Un jour, le prince reviendra le chercher. Je vais le garder en sécurité d'ici là.

Primo lui dédia une petite révérence.

— Que Dieu vous protège, *signora*.

Puis, il pivota et la quitta.

— Je vais m'occuper de Jamila, *signora*. N'ayez crainte, dit Filomena.

Il y avait des larmes dans les yeux de la domestique tandis qu'elle parlait.

Bianca retira le petit crucifix orné de pierreries qu'elle portait autour du cou sur une chaîne en or et l'offrit à Filomena.

— En souvenir de moi, lui dit-elle.

Puis elle retira trois bagues à ses doigts, donnant celle arborant une petite aigue-marine à Gemma, sa cuisinière ; et aux deux jeunes servantes, elle offrit une bague en or. Elles commencèrent toutes à sangloter.

Voyant qu'il se retrouverait bientôt avec un problème sur les bras, l'officiel aboya sèchement un ordre aux domestiques en pleurs.

— Mettez-vous immédiatement à la tâche ! Cette maison doit être fermée dans l'heure qui vient, deux tout au plus. Dépêchez-vous !

Il tapa dans ses mains. Puis, il se tourna vers Bianca et Agata.

— *Signora,* vous aurez des paquets qui doivent être chargés. Votre père a été assez bon pour envoyer une charrette et un conducteur. Mes hommes aideront à charger vos effets, si vos servantes sont assez gentilles pour les diriger. Je suppose que vous allez monter votre cheval. Votre femme de chambre, ou bien vous-même, préférez-vous voyager dans la charrette avec le conducteur ?

— Nous allons toutes les deux monter nos chevaux, dit Bianca.

Puis, elle se retourna et le laissa pour aller préparer son voyage. Elle ne voulait pas quitter Luce Stellare, mais elle n'avait aucun moyen de contrecarrer le mandat des Médicis confié à cet officiel. Bien, elle allait rentrer à Florence, mais seulement parce que c'était le dernier endroit où elle savait que le prince Amir avait été. Et elle allait faire regretter ses parents d'être intervenu dans sa vie.

— Je n'ai pas fui Sebastiano Rovere, dit-elle à Agata, seulement pour me voir forcer d'accepter un autre mariage arrangé pour le bénéfice de tous, sauf le mien. Je vais trouver Amir et je vais aller avec lui où qu'il aille.

Chapitre 10

Laurent de Médicis sourit à Amir ibn Jem alors qu'ils étaient assis ensemble dans une petite pièce du *Palazzo della Signoria*.

– Je suis convaincu que vous trouvez vos quartiers confortables, dit-il d'un ton trompeusement doux.

Il sirotait le vin dans son verre à pied, remarquant que son invité s'en abstenait. Il pouvait voir que son ami n'était pas content du tout de son emprisonnement.

Amir rit sèchement.

– Mon appartement est mieux qu'une cellule dans la *Bargello* en bas, répondit-il à son hôte. La dernière chose dont je semble me souvenir est d'être à la table de votre salle à manger, Laurent. C'était un excellent repas, je me rappelle. Pouvez-vous m'indiquer la raison de ma présence ici ? Je vous remercie, par ailleurs, d'avoir veillé à ce qu'on m'amène Krikor.

– J'ai écrit à votre grand-père pour lui demander de vous rappeler, Amir, dit Laurent de Médicis à voix basse. Je regrette d'avoir à le faire, mais votre comportement récent vous a mené à cet état de fait. Comme il faudra quelques semaines avant que je reçoive une réponse et que l'on ne peut pas vous laisser circuler librement, j'ai vu à votre incarcération dans l'intérim. C'est autant pour votre sécurité que pour le reste.

— Mon comportement? Je viens en ville uniquement dans le but de traiter d'affaires, Laurent, et je fréquente rarement ceux que j'aurais pu offenser.

Puis, la vérité se fit jour en lui. Amir offrit à son hôte un sourire chagrin.

— Il s'agit de ma relation avec une certaine dame, Laurent, n'est-ce pas?

Son compagnon sourit et hocha la tête.

— Comme c'est discret de votre part de ne pas la mentionner par son nom, mon vieil ami. Oui, il s'agit de la dame.

— Vos murs ont tendance à absorber des petits bouts d'information intéressante avant de les répéter à qui veut bien écouter, répondit le prince avec un petit sourire. Cependant, mes intentions envers la dame sont honorables. Je souhaite en faire ma femme. Je l'aime, et elle m'aime.

— Êtes-vous prêt à vous convertir à la seule foi véritable, donc, Amir? demanda Laurent de Médicis, connaissant d'avance la réponse. Vous êtes un infidèle et, à ce titre, vous ne recevrez jamais la permission d'épouser la dame en question. Je suis désolé, mais c'est la vérité dans cette affaire, et sûrement, vous êtes assez raisonnable pour le comprendre.

— Je lui permettrais de conserver sa propre religion, comme mon ancêtre le sultan Orkhan a permis à sa femme, princesse byzantine, de conserver la sienne, dit Amir.

— L'église grecque est un schisme de notre Sainte Mère l'Église, mon bon et cher ami, expliqua Laurent de Médicis. Ici, en Occident, cette princesse était considérée comme la concubine de votre ancêtre, sans plus. Si vous épousez la dame de votre cœur, elle serait pareillement considérée, et son aimante famille la renierait. Elle ne pourrait plus jamais les voir. Elle serait morte pour elle. Est-ce ce que vous voulez pour elle ?

Amir craignit soudain pour Bianca.

– Où est-elle ? voulut-il savoir. Se porte-t-elle bien ? Que lui a-t-on fait ?

– Aucun mal ne lui arrivera, le rassura de Médicis. J'ai envoyé mes propres soldats et un officiel de la maison à Luce Stellare pour la ramener dans sa famille ici, à Florence. La villa doit être fermée, les serviteurs payés pour un an et renvoyés dans leur propre village. Sa famille lui fera voir la sagesse de leurs décisions. Ils organiseront un autre – un meilleur – mariage pour elle. Il n'y a là aucun mal. La dame est veuve et non vierge. S'il n'y a pas de fruit issu de votre amour compliqué – et cela sera connu bien assez vite –, elle quittera Florence plus tôt que tard pour devenir la femme d'un nouvel homme. Quant à vous, Amir, vous resterez ici, dans le *Palazzo della Signoria*, en attendant les ordres du sultan de rentrer dans votre propre pays.

Il but longuement, puis il poursuivit.

– Je regrette de devoir agir ainsi, mais on me dit que sous peu, il y aurait eu un navire ancré sur la côte en face de votre propre villa, venu pour vous amener avec votre dame dans votre maison là-bas. Vous comprenez que nous ne pouvions pas vous laisser vous éclipser avec la fille d'une maison respectée de Florence. Un tel scandale aurait pu mettre en péril les chances des autres sœurs de se marier dans les bonnes familles. Donc, vous devez demeurer ici, en attente des directives de votre grand-père pour rentrer chez vous. J'espère qu'il ne sera pas trop en colère contre vous, mais on m'a laissé entendre que vous êtes l'un de ses petits-fils préférés, alors il se peut que cela ne vous fasse pas tout à fait perdre sa faveur.

– Un service, Laurent, dit Amir. Permettrez-vous à mon esclave, Krikor, de retourner dans ma villa pour chercher mon chien ? Je suis particulièrement attaché à ce chasseur. Je l'ai dressé alors que c'était un chiot, et il est venu de Turquie avec moi. J'aimerais l'avoir lorsque je rentrerai chez moi.

– Bien sûr, bien sûr, dit Laurent de Médicis, compréhensif.

Le chien préféré d'un homme faisait partie de lui.

– L'esclave peut aller et venir en toute liberté, même si vous, non. Vous pourriez souhaiter la visite d'une courtisane. C'est tout à fait autorisé. On me dit que vous êtes des plus populaires auprès de ces dames. Prévenez Krikor, cependant, qu'il ne doit pas tenter d'entrer en contact avec la dame que nous avons si attentivement protégée des ragots aujourd'hui, mon ami. S'il est surpris à le faire, il sera sévèrement battu. Je ne peux pas être défié sur ce sujet.

– Je comprends, dit Amir. Je le chéris trop en un seul morceau pour le mettre en danger.

Laurent de Médicis se leva.

– Alors, je vais vous quitter, dit-il.

– Quoi ? N'allez-vous pas me donner l'occasion de vous battre aux échecs ? demanda Amir.

Laurent de Médicis émit un petit rire.

– Une autre fois, mon vieil ami. Je suis resté assis aussi longtemps que je le pouvais aujourd'hui. Je ne suis pas encore monté à cheval, et vous savez à quel point je prends plaisir à l'exercice et au plein air.

Il se leva et étira ses longs membres.

– Peut-être un jour chevaucherez-vous avec moi sur la *piazza*. Je sais que vous êtes un homme actif, et être enfermé ici finira par devenir frustrant pour vous.

– On ne peut pas l'obliger à contracter un autre mariage, cria Amir dans le dos de son invité.

Laurent de Médicis pivota.

– Avec le temps, elle n'aura plus le choix, dit-il. Vous avez rencontré sa mère, je le sais. Orianna arrivera à ses fins plus vite qu'on ne le croit.

Puis, il disparut, laissant le prince Amir ibn Jem réfléchir à leur conversation. Oh, signora Pietro d'Angelo ferait de son mieux ; mais il ne croyait pas qu'elle allait vaincre la détermination de Bianca.

Orianna Pietro d'Angelo n'arrivait pas à bout de sa fille aînée. À son retour, Bianca avait refusé de parler à sa mère, malgré l'accueil aimant et chaleureux que sa famille lui avait fait. Elle ne voulait pas manger à moins que son repas ne lui soit apporté dans sa chambre à coucher, puis elle mangeait uniquement le minimum nécessaire pour se nourrir, se faisant un point d'honneur de renvoyer ses mets délicats préférés qu'on lui montait pour la tenter. Elle commença à perdre du poids – et elle n'avait jamais été une fille à la silhouette bien en chair avant cela. Sa longue chevelure sombre et brillante devint terne et perdit son lustre sain.

Orianna était énervée.

– Pourquoi refusez-vous de comprendre que ce qui doit être fait doit l'être pour votre propre bien ? demanda-t-elle à Bianca un jour.

Bianca ne répondit rien. En fait, ses yeux n'étaient même pas centrés sur sa mère.

Orianna hurla sa frustration.

— Vous êtes une fille ingrate !

Bianca haussa les épaules, puis elle tourna et s'éloigna de sa mère. C'était un geste de défi comme on n'en avait jamais vu dans le foyer des Pietro d'Angelo.

— Je vais vous envoyer dans un couvent cloîtré jusqu'à ce que vous retrouviez la raison ! cria Orianna. Je vais donner des ordres pour qu'on vous batte tous les jours et qu'on vous nourrisse de pain et d'eau !

Bianca pivota.

— Tout endroit où je n'aurais pas à écouter votre voix qui me rebat les oreilles sera un paradis, *signora*, dit-elle.

C'étaient les premières paroles qu'elle disait à sa mère au cours du mois depuis qu'on l'avait ramenée à la maison.

La bouche d'Orianna s'ouvrit en grand sous le choc, et elle s'effondra contre sa femme de chambre, Fabia, le souffle court.

— Vous êtes une méchante fille ! dit Fabia pour réprimander Bianca.

— Si je le suis, j'ai appris cela de ta maîtresse, répondit froidement Bianca.

Orianna émit un son qui ressemblait beaucoup à un couinement.

Bianca rit, puis elle dit :

— Avec votre permission, je vais aller me confesser au père Bonamico pour ces marques d'irrespect.

Orianna était incapable de parler, mais elle hocha faiblement la tête. Le prêtre réussirait peut-être à faire entendre raison à sa fille entêtée.

Bianca appela pour qu'Agata se joigne à elle, et les deux femmes mirent leurs capes à capuchon, elles quittèrent le *palazzo*, puis elles traversèrent la *piazza* jusqu'à Santa Anna Dolce. Elles trouvèrent le vieux prêtre, et Bianca lui dit qu'elle allait s'entretenir avec lui dans le confessionnal pendant qu'Agata l'attendrait.

– Pardonnez-moi, mon père, car j'ai péché, commença-t-elle.

– Racontez-moi la nature de vos péchés, ma fille, lui répondit le prêtre.

– Je déteste ma mère, dit Bianca, et elle entendit un petit halètement de surprise émanant du prêtre.

– Elle veut seulement ce qui est mieux pour vous, ma fille, répondit le père Bonamico.

– Non, elle veut que je vive ma vie avec un homme que je n'aime pas, comme elle a dû le faire, et je ne veux pas suivre son exemple, mon père. Je veux épouser celui que j'aime.

– On me dit qu'il s'agit d'un infidèle.

La voix du prêtre était désapprobatrice.

– De telles choses n'ont pas d'importance pour moi, dit Bianca à son confesseur. Je l'aime, et il m'aime. Maintenant, il a disparu, et ils ne veulent pas me dire où ils l'ont amené ou encore s'il se porte bien.

– Votre âme immortelle devrait être votre souci, ma fille, la réprimanda doucement le père Bonamico. L'amour physique est fugace, une envie passagère. L'amour de Dieu ne vous laissera jamais tomber.

– Pourquoi ne puis-je pas aimer Dieu et Amir aussi, mon bon père ? lui demanda-t-elle.

– L'amour physique n'a qu'un but, ma fille. La procréation d'enfants pour soutenir notre foi. Vous ne pouvez pas donner d'enfant à cet infidèle, car il ne leur permettrait pas d'adopter la seule véritable foi. Il fait partie des êtres déjà damnés et destinés à souffrir les feux de l'enfer un jour. Non. Il vaut mieux que vous aimiez Dieu, Bianca. Et vous pouvez montrer cet amour en obéissant à vos parents. Ils ont conscience du grand sacrifice que vous avez été obligée de faire pour le bien de votre famille quand ils ont veillé à ce que vous épousiez Sebastiano Rovere. Cette fois, ils vous trouveront un homme bon qui aura réellement de l'affection pour vous et vous respectera.

— Je ne vais épouser aucun homme, à l'exception de celui que j'aime, dit Bianca.

Elle se leva du petit banc étroit dans le confessionnal et tira le lourd rideau de velours pour sortir.

— Ma fille, je ne vous ai pas donné votre pénitence, dit le père Bonamico.

— Je souffre chaque jour de ma séparation d'Amir, lui dit Bianca amèrement. C'est cela, ma pénitence, mon bon père. Elle est plus douloureuse que tout ce que vous pourriez m'infliger.

Puis, elle appela doucement Agata, et les deux femmes sortirent de l'église. Elle avait toujours trouvé du réconfort dans l'Église, mais aujourd'hui, ce n'était pas le cas.

Tandis qu'elles retraversaient lentement la vaste *piazza*, un gros chien de chasse au pelage doré courut à grandes enjambées pour leur bloquer le chemin. Les deux femmes poussèrent un cri de surprise, car il n'y avait pas de doute qu'il s'agissait de Darius. Le chien gémit, poussant son long nez dans la main de Bianca.

Elle s'agenouilla.

— Darius ! Comment es-tu arrivé ici ?

Son autre main le flattait, et quand elle toucha le collier du chien, elle découvrit qu'il y avait un mot dessous. Elle fit glisser le papier, le rangeant discrètement dans la poche cachée de sa robe, puis elle se leva.

– Retourne à ton maître, Darius, ordonna-t-elle au chien qui partit alors en courant dans le petit parc à la limite de la *piazza*.

Elle ne vit pas où il alla, mais cela n'avait pas d'importance.

– Dépêchons-nous à présent afin que je puisse lire le message, dit-elle à Agata.

– C'était probablement Krikor qui avait le chien, dit Agata à voix basse. Le prince serait venu dans la *piazza* et il vous aurait emmenée au loin.

Atteignant le *palazzo*, les deux femmes rejoignirent à la hâte la chambre à coucher de Bianca. Agata verrouilla la porte derrière elles tandis que sa maîtresse sortait la note de sa poche, l'ouvrant pour lire ce qu'il y avait à l'intérieur.

Ma bien-aimée, commençait-elle. *Ne craignez pas pour moi. Je suis retenu prisonnier dans le Palazzo della Signoria, mais bien traité pendant qu'ils attendent la réponse de mon grand-père pour qu'il me rappelle à Istanbul. Krikor est libre d'aller et venir, mais notre vieil ami Laurent m'a prévenu que s'il tentait de communiquer avec vous, il allait être sévèrement puni. Je ne peux laisser faire cela. Ne tentez pas de communiquer avec moi. Bientôt, je serai libéré sur les ordres du sultan. Ne désespérez pas. Je vais vous trouver, Bianca, où qu'ils vous amènent. Vous êtes à moi, et moi, à vous. Ce message sera le seul que j'oserai vous envoyer. Souvenez-vous que je vous aime. Je vous aimerai toujours. Amir.*

Bianca commença à pleurer doucement.

— Il est sain et sauf, dit-elle. J'avais si peur qu'ils l'aient tué ou torturé, mais il va bien.

Elle serra le parchemin contre son cœur.

Agata patienta un moment, puis elle tendit la main vers la missive.

— Elle doit être brûlée afin que personne ne la trouve, dit-elle. Vous ne voulez pas que qui que ce soit découvre qu'il est entré en contact avec vous, maîtresse. Ils pourraient se montrer moins indulgents envers son comportement s'ils apprennent qu'il les a défiés.

— Laisse-moi la lire une dernière fois, dit Bianca avant de s'exécuter.

Tendant le parchemin à Agata, elle regarda sa femme de chambre replier la note en un petit rectangle avant de la fourrer dans sa poche.

— Je vais l'emporter dans les cuisines et la brûler, dit Agata. Les feux sont plus intenses là-bas.

— J'ai faim, tout à coup, déclara Bianca. Je veux un bol de pâtes avec de l'huile d'olive et du fromage.

Agata sourit.

— Je vais le dire au cuisinier, qui sera heureux de l'apprendre, dit-elle avant de partir vite pour répondre à la demande de sa maîtresse.

Et pendant que le cuisinier chantait sa joie en entendant la nouvelle que Bianca avait faim, Agata saisit l'occasion de sa distraction pour regarder le message du prince brûler et se réduire en cendres.

Bianca ne voulait toujours pas parler à sa mère, ce qui bouleversait énormément Orianna. Personne ne l'avait jamais traitée aussi durement, et elle n'y était pas habituée. Il ne vint pas à l'idée de la mère que sa fille lui ressemblait beaucoup dans sa détermination à parvenir à ses fins. Cependant, Orianna fut soulagée que Bianca ait recommencé à manger. Sa peau pâle perdit la couleur cireuse qu'elle avait acquise. Ses cheveux d'ébène redevinrent lustrés.

Voyant l'amélioration dans les traits de sa fille, Giovanni Pietro d'Angelo décida qu'il vaudrait mieux envoyer Bianca chez son grand-père à Venise où sa sœur cadette Francesca résidait actuellement avec la famille de sa mère. Si Bianca était éloignée de sa mère, son attitude s'améliorerait peut-être.

Le marchand de soie n'avait jamais vu sa femme à la volonté de fer réduite à l'impuissance, mais c'était exactement ce que Bianca provoquait. D'une manière un peu perverse, il admirait la détermination de sa fille aînée, même s'il ne l'admettrait jamais. Elle avait récemment pris l'habitude de répondre à presque tout ce que disait Orianna par ces mots :

« Amir me trouvera où que vous m'envoyiez et il m'emmènera loin d'ici. »

Ces simples mots avaient commencé à taper sur les nerfs d'Orianna, et son mari avait presque éclaté de rire l'autre soir quand Bianca les avait encore une fois répétés. Orianna avait seulement réussi à étouffer à moitié son petit cri de frustration. Elle avait décoché un regard furieux à son mari, voyant le combat qu'il menait pour contenir son rire. Il avait été obligé de réprimander sa fille. Bianca s'était contentée de hausser les épaules en lui offrant un demi-sourire, comme s'ils étaient des conspirateurs.

– Pourquoi me déteste-t-elle, mais pas vous ? lui demanda plus tard Orianna. C'était votre décision de la marier à Rovere et non la mienne. Je l'ai protégée aussi longtemps que j'ai pu. Et quand j'ai découvert les violences qu'elle endurait, je lui ai fait quitter le *palazzo* de Rovere et je l'ai cachée. C'est moi qui ai supplié mon père de nous aider à intercéder dans cette affaire d'annulation. Pourtant, elle me déteste. Moi !

— Vous étiez son amie tout autant que sa mère, expliqua son mari à Orianna. Elle sait que vous êtes la main qui l'a éloignée de l'homme qu'elle aime. Ne considérez-vous pas cela comme une grande trahison, ma femme ? Notre fille, elle, le pense.

— Mais, Gio, ce prince est un infidèle ! brailla Orianna.

— Et l'homme que vous aimiez avant que l'on vous marie à moi était marié à une autre, *cara mia*. Cela ne vous a pas empêchée de l'aimer ou d'avoir avec lui des rendez-vous galants en bravant votre famille. Vous n'avez jamais cessé d'aimer cet homme, même quand on a exigé de vous que vous m'épousiez ; vous avez néanmoins été une épouse exemplaire pour moi. Alors, je vous en supplie, ne soyez pas étonnée du comportement de notre fille à cause du prince. Comme vous, elle donnera son cœur une fois et elle l'a fait.

— Permettriez-vous à cet étranger de l'enlever ? demanda Orianna.

Bien qu'elle ait toujours su que son mari était au courant de sa passion de jeunesse, il n'en avait jamais parlé avant cet instant. Cela la rendit mal à l'aise de l'entendre exprimer à voix haute ses indiscrétions de petite fille, de comprendre qu'il la connaissait tellement bien alors qu'elle prenait conscience que tout ce qu'elle connaissait de lui était qu'il avait toujours voulu lui faire plaisir toutes ces années.

– Le prince Amir est un infidèle, dit doucement Giovanni Pietro d'Angelo. Toute liaison sérieuse ou permanente entre Bianca et lui est impensable. Je ne suis pas en désaccord avec vous, Orianna, mais je crois aussi que Bianca s'en remettra davantage complètement loin de sa mère qui, croit-elle, l'a trahie. Et elle aura la compagnie de Francesca. Malgré la différence de quatre ans entre elles, elles se sont toujours bien entendues. Sa jeune sœur la divertira.

– Elles ne se sont pas vues depuis que Bianca a épousé Rovere, lui fit remarquer Orianna. Bianca a déjà dix-huit ans et Francesca, treize. Mon père m'écrit que, selon lui, elle sera prête au mariage dans un an. Il choisira le bon homme pour elle, vous pouvez en être sûr, car il l'adore. Maintenant, cependant, il devra chercher un mari pour Bianca. Tout de même – et Orianna rit –, papa aime vraiment régner sur son petit monde. Bianca ne sera pas facilement capable de le circonvenir. Il est vrai qu'il a bien lui-même eu cinq filles.

– Alors, vous êtes d'accord que Bianca devrait aller à Venise ? dit le marchand de soie.

– Oui ! répondit sa femme. Le plus tôt sera le mieux, car je veux bien vous l'admettre, mon mari, que mes nerfs sont en piteux état à force de traiter avec elle.

Par chance, Agata repéra Krikor dans le petit marché qui pourvoyait aux besoins des parfumeurs près du *Ponte Vecchio*. Elle se fraya un chemin dans la foule jusqu'à ce qu'elle soit debout à côté de lui.

– Ne tourne pas la tête, Krikor. C'est Agata. Dites à votre maître qu'on envoie la *signora* chez son grand-père à Venise bientôt. C'est le prince Alessandro Venier, murmura Agata.

— Dis à ta maîtresse qu'une troupe des janissaires du sultan est arrivée aujourd'hui. Nous partons pour Istanbul demain, répondit Krikor, puis il s'éloigna d'elle.

Agata fit l'achat peu coûteux d'une bouteille d'ivoire sculptée remplie d'essence de rose, puis elle retourna en vitesse à la maison afin de pouvoir rapporter ses nouvelles à Bianca.

— Il nous enlèvera peut-être sur la route menant à Venise, dit Bianca avec espoir.

— Non, c'est peu probable, dit la pratique Agata. Les janissaires voyageront vite avec le prince, car ils voudront le ramener au sultan le plus promptement possible. Mais il se peut qu'il vous trouve à Venise. J'ai révélé le nom de votre grand-père à Krikor, et il le dira au prince. Il a promis de vous trouver, maîtresse, et il le fera. Cependant, voudrez-vous partir avec lui à ce moment-là ?

— Oui ! dit Bianca. Je ne cesserai jamais de l'aimer. Mon cœur n'est pas volage.

Puis, elle commença à réfléchir au trajet d'Amir et de son escorte le lendemain. Ils commenceraient certainement par emprunter la route vers Venise, bien qu'il soit peu probable qu'ils aillent à Venise. Ils partiraient tôt, évidemment, et si elle était chanceuse et assez rapide, elle pouvait au moins avoir l'occasion de le voir passer.

Elle ne dit rien à Agata. Sa femme de chambre était loyale et elle aimait sa maîtresse, mais elle tenterait sûrement de la décourager d'entreprendre une telle aventure. Au lieu de cela, elle alla trouver son plus jeune frère, Georgio.

— Je sais que c'est à cause de vous que Rovere m'a trouvée, dit-elle sans préambule. Vous avez une dette envers moi pour cela, petit frère.

— Je n'ai eu aucun choix dans cette affaire, dit son frère, rougissant sous l'effet de sa honte coupable.

— Je connais l'homme qui vous a menacé. Vous aviez raison de le craindre, mais cela n'efface pas votre dette à mon égard, dit Bianca d'une voix dure.

— Que voulez-vous de moi ? lui demanda Georgio.

— Deux choses. Votre compagnie, tôt demain ; et votre silence à ce sujet, lui dit Bianca.

— Cela bouleversera-t-il notre mère ? lui demanda le garçon.

— Seulement si elle l'apprend, mais vous ne le lui direz pas, Georgio ; dans le cas contraire, je vais me venger de vous d'une manière que vous n'aimerez pas, le menaça Bianca.

— Oh, très bien, céda le garçon. Où voulez-vous aller ?

— Avant l'aube, à la porte ouvrant sur la route de Venise, dit Bianca. Il y a quelque chose là que j'aimerais voir et quand je l'aurai fait, je rentrerai à la maison.

— Vous le jurez ? lui demanda-t-il.

— Vous avez ma parole, mon frère, dit-elle.

— Et mon silence ? s'enquit-il.

— Vous comprendrez demain, lui dit Bianca.

— Et toute dette entre nous sera réglée si je fais cela ? dit-il.

— Oui, lui promit-elle.

— Tôt, c'est quand ? voulut-il savoir.

— Deux heures avant l'aube, car nous devons traverser la ville pour nous y rendre, répondit Bianca. Je me doute que les rues peuvent être dangereuses, à cette heure.

— Elles le peuvent, mais si vous vous habillez avec discrétion, nous n'attirerons pas l'attention, lui dit-il. Avez-vous une cape sombre avec un capuchon, ma sœur ?

– Oui, et je la porterai, dit Bianca.

– Portez des chaussures solides, car les rues peuvent être sales et mouillées si tôt, conseilla-t-il à sa sœur. Vous ruinerez une paire de chaussons de soie, si vous portez ce genre de chose à vos pieds.

– Je vais mettre mes bottes, répondit-elle.

– Le truc pour entrer et sortir de la maison à cette heure sans attirer l'attention est d'agir rapidement et discrètement. Je vais vous attendre à la porte d'entrée, Bianca.

– J'y serai avant vous, Georgio, lui dit-elle. Ne soyez pas en retard.

Il rit.

– Pourquoi n'avez-vous pas demandé à Marco ? demanda-t-il.

– La dette que me doit Marco ne pourra jamais être acquittée, répondit Bianca à sa question. Il en a souffert, et je ne voudrais pas lui causer plus de douleur qu'il ne s'en cause lui-même, expliqua-t-elle à son jeune frère.

Il hocha la tête.

– Je vous verrai au matin, dit-il.

Voilà ! C'était fait. Si elle avait de la chance, elle jetterait un bref coup d'œil sur Amir pendant qu'il quittait Florence. Elle avait besoin de voir qu'il était sain et sauf. Elle dormit mal, se leva avec précaution et en silence afin de ne pas déranger Agata, qui était allongée sur son petit lit et ronflait. Elle s'habilla rapidement d'une robe foncée ordinaire et enfila ses bottes. Puis, prenant sa cape, elle se faufila hors de la chambre à coucher. Elle ne s'était pas donné la peine de défaire sa tresse et de se brosser les cheveux, de peur de réveiller sa femme de chambre.

Bianca descendit les marches de la maison à pas de loup, faisant attention d'éviter les deux marches qui craquaient quand on marchait dessus. Elle se hâta jusqu'à la porte d'entrée pour attendre son frère. Il y avait une unique lampe brûlant dans le vestibule en rotonde. À part cela, c'était l'obscurité silencieuse qui l'enveloppait. Sur un tabouret près de la porte, le portier dormait profondément. Elle recula dans les ombres quand elle entendit des pas feutrés dans les marches.

Georgio apparut rapidement, et Bianca s'avança. Il ne dit rien, ouvrant plutôt la porte de la maison juste assez pour qu'ils puissent se glisser à travers. Le portier ne broncha même pas. Bianca soupçonnait que son frère avait drogué le serviteur qui ne se méfiait de rien et lui en fut reconnaissante. Il lui prit la main et, ensemble, ils commencèrent à marcher. Les rues étaient sombres, et Bianca constata que sans son jeune frère pour la guider, elle n'aurait jamais trouvé son chemin. Plusieurs fois, son pied frappa un objet, et elle trébucha, mais Georgio l'empêcha de tomber. Deux fois, elle sentit quelque chose – un rat, imagina-t-elle en frissonnant – courir sur sa botte. L'air était surtout humide avec une légère trace de pourriture. Mais le ciel s'éclaircissait tandis qu'ils avançaient en hâte.

– Nous y sommes presque, dit doucement Georgio. Que voulez-vous faire une fois que nous y serons enfin, ma sœur ?

– Je resterai simplement debout sur le bas-côté de la route, lui dit Bianca.

– Pourquoi ? voulut-il savoir.

– Vous verrez, lui dit-elle.

Ils atteignirent la porte de la ville ouvrant sur la route de Venise. Personne n'était encore passé, car les gardes de la porte retiraient à l'instant la grande barre qui aidait à la maintenir fermée. Ils ouvrirent lentement la porte, et une légère affluence composée de vendeurs transportant des fruits, des légumes, de la viande, de la volaille et des produits laitiers commença lentement à entrer en file dans la ville, en route vers les différents marchés et les autres places commerciales.

Soudainement, les oreilles de Bianca surprirent le bruit de nombreux chevaux arrivant au trot. Elle rabattit son capuchon au moment où une troupe de janissaires apparaissait. On les distinguait des autres soldats par leurs tenues rouges et vertes, et les chevaux bruns brillants qu'ils montaient. Des pommeaux de leurs selles pendaient des fouets à la pointe de métal dont ils se servaient pour disperser les foules lorsque c'était nécessaire. Il n'y avait aucun besoin de cela ce matin. Comme le trafic venait de la direction opposée, ils ralentirent leurs chevaux au pas pour éviter des accidents avec la population florentine. Les étrangers devaient être prudents.

Elle le vit sur son grand étalon gris, au centre du groupe. Son cœur se serra de joie, car il avait l'air en santé et bien. Darius marchait aux côtés de son maître. Ce fut le chien qui repéra Bianca et, en jappant, il courut jusqu'à elle. Amir regarda dans la direction où son chasseur avait couru. Ses yeux bleu foncé s'arrondirent dans un mélange de joie et de douleur.

Bianca posa deux doigts sur ses lèvres, les embrassa et lança la main vers lui. Sa main gantée s'éleva pour attraper son baiser, ses doigts se fermèrent dessus, puis s'ouvrirent pour se presser sur son cœur. Les yeux de Bianca se remplirent de larmes alors qu'elle renvoyait Darius à son maître.

Puis, elle l'entendit crier.

– Je vais vous trouver, ma bien-aimée !

– *Amore mio* ! Je vous aime ! lui cria Bianca en réponse.

Leurs yeux se croisèrent.

La troupe de janissaires se déplaça soudainement plus vite alors que le trafic s'allégeait, leur permettant un passage plus rapide. Bianca resta longtemps debout à les regarder partir. Il l'aimait encore. C'était tout ce qui comptait pour elle. Elle pouvait aller à Venise en sachant qu'avant qu'ils lui trouvent un homme convenable pour l'épouser, il allait venir la chercher. Ils seraient ensemble pour toujours. Rien ne les séparerait plus.

– Rentrons à la maison à présent, Georgio, dit-elle à son frère, qui avait observé silencieusement tout ce qui s'était produit pour sa sœur et qui lui témoignait de la sympathie.

– C'était votre prince, dit son frère.

– Oui, répondit Bianca. C'était mon prince.

– Le jour sera complètement levé lorsque nous rentrerons à la maison, dit Georgio. Nous ferions mieux d'aller à la messe et de prétendre que nous ne sommes sortis que pour cela.

– Oui, approuva-t-elle. Avez-vous drogué le portier ?

Il hocha la tête.

– Il a un penchant pour le vin doux. Je le fais tout le temps quand je veux sortir et aller voir des prostituées. Marco m'a enseigné un joli petit truc, et un jour, je vais le transmettre à Luca.

Il rigola.

Bianca rit.

– Notre pauvre mère, dit-elle. Et elle qui croit qu'elle domine ses enfants alors qu'en fait, elle a très peu d'autorité.

– Je vous en prie, arrêtez de la torturer, Bianca, dit Georgio. Elle fait ce qu'elle fait uniquement parce qu'elle aime sa famille.

– Saviez-vous qu'elle était amoureuse d'un homme non convenable avant qu'elle épouse notre père, petit frère ? Je pense qu'elle ne voulait pas que j'aie Amir parce qu'elle n'a pas pu avoir son véritable amour, dit Bianca à son frère. Je pense que même s'il n'avait pas été un infidèle, elle aurait trouvé un prétexte pour nous séparer.

– Si c'est le cas, remarqua Georgio, alors vous devriez peut-être être plus gentille avec elle, ma sœur. Elle a été une bonne épouse pour notre père et une bonne mère pour ses enfants. Pourtant, elle est malheureuse et aime encore un autre homme. Je trouve cela très triste ; pas vous ?

– Vous parlez comme un philosophe, le taquina Bianca, écoutant l'avertissement d'un propriétaire et évitant le contenu du pot de chambre lancé par une fenêtre au-dessus d'elle. Ou peut-être même comme un prêtre.

– Je songe à la prêtrise, admit Georgio à sa sœur aînée. Marco est l'héritier de notre père et il en est digne. Luca est une petite brute sauvage, et je pense qu'un jour, il sera soldat. Je suis un penseur et je semble ressentir la douleur des autres. Je veux soulager cette douleur. Par exemple, j'ignorais ce que vous comptiez faire ce matin, mais je sentais que vous aviez énormément besoin de le faire, ce qui explique pourquoi je vous ai accompagnée. Pas seulement parce que j'avais une dette envers vous, Bianca, mais parce que je peux ressentir votre tristesse même quand vous souriez ces jours-ci. Ce prince que vous aimez n'est peut-être pas convenable aux yeux de la société, mais je crois que vous ne serez jamais heureuse à moins d'être avec lui, ma sœur.

– Ne devenez pas prêtre, Georgio, dit Bianca. Votre cœur est trop bon, et je ne crois pas que vous pouvez vivre avec toutes les règles que l'Église impose. Rejeter un homme bon parce qu'il ne prie pas comme nous ne me semble pas correct. Et à vous ?

– Non, acquiesça Georgio, ce ne l'est pas, Bianca. Mais ne pourrais-je pas enseigner à l'humanité la bonté dans les limites de la tradition de notre foi ?

– Ils vous jugeraient comme hérétique, dit cyniquement Bianca.

Ils atteignirent leur propre *piazza* juste au moment où l'aube se levait et ils entrèrent dans l'église pour la toute première messe du matin. Ensuite, ils traversèrent la place jusqu'au *palazzo* et entrèrent dans la maison, souriant au portier, qui avait encore l'air endormi, mais qui était réveillé.

– Je ne vous ai pas vu sortir, jeune maître, *signora*, dit-il nerveusement.

– Un peu trop de votre vin doux hier soir, Aldo, le taquina Georgio. Nous ne dirons rien. Ma sœur et moi sommes allés à la première messe ensemble. Le père Silvio a officié ce matin. Je pense que le vieux Bonamico devient trop âgé pour cette heure matinale.

Le portier émit un petit rire.

– Vous faites cela trop facilement, dit Bianca, souriant à son jeune frère, mais alors, notre père dit que vous êtes celui qui a du charme. Merci, Georgio, de m'avoir aidée.

Elle se sentait mieux maintenant qu'elle s'était sentie depuis des semaines. Voir Amir avait renouvelé son courage et sa force à présent qu'ils se préparaient à l'envoyer à Venise. Et Venise était plus près d'Istanbul que ne l'était Florence. Ses parents ne voyaient-ils pas qu'ils l'aidaient à rejoindre son amant au lieu de continuer à les séparer ?

On prit ses mesures pour des vêtements neufs. Les robes et les sous-vêtements furent créés et cousus. Tout fut emballé dans ses malles avec ses effets personnels. Il était peu probable qu'une fois partie du *palazzo* Pietro d'Angelo, elle y revienne un jour. Sa famille prévoyait pour elle un second mariage à Venise. Cette fois, ils s'attendaient à ce qu'elle reste là où ils l'installeraient. Son nouveau mari serait un autre homme plus âgé. Il voudrait des enfants d'elle, même s'il en avait déjà, ne serait-ce que pour l'unique raison de prouver sa virilité. Elle vivrait sa vie dans un *palazzo* sur le canal, voyageant dans sa propre gondole où qu'elle aille. Cela pouvait convenir à certaines femmes. Bianca voulait plus que la sécurité d'un riche époux et d'une gondole.

— Comme moi, dit Orianna à sa fille aînée, vous détestez être enfermée comme nous le sommes ici, à Florence. C'est pourquoi vous aimiez tant Luce Stellare. Vous aimiez la mer et vous aimiez ces espaces ouverts. Venise est comme cela. C'est une ville ouverte d'eau bleue et de ciel bleu. Sauf, évidemment, les mois d'hiver quand c'est pluvieux, gris et froid, se corrigea-t-elle. Tout de même, je sais que vous vous y plairez, continua-t-elle. Et vous aurez probablement Francesca pour compagne tout au long de votre vie. Votre grand-père l'adore, et je doute de pouvoir contracter un mariage pour elle ailleurs que là. J'aurai deux filles à Venise.

– Pour un temps, peut-être, dit Bianca. Mais Amir reviendra pour moi, *madre*, et quand il le fera, je partirai avec lui.

– Sottises ! répondit sa mère. Vous vous marierez dans une bonne et noble famille et vous serez heureuse, Bianca. Votre prince est parti et il ne reviendra pas.

– Je ne suis pas comme vous, *madre*, dit Bianca à sa mère. Je ne vais pas passer ma vie à me languir d'un homme que je ne peux pas avoir pendant que j'en épouse un autre.

– Vous êtes impossible ! dit Orianna, agacée. Je souhaite bonne chance à votre grand-père avec vous, Bianca. Soyez consciente qu'il n'est pas un homme doux. Si vous suscitez sa colère, il n'hésitera pas à vous fouetter lui-même. Il faut peut-être que l'on vous arrache cet entêtement à coups de fouet. Je ne sais pas où est passée la douce et gentille fille que vous étiez avant.

Bianca rit, et le son était dur.

– Vous m'avez obligée à me marier avec Sebastiano Rovere, *madre*. Je serais morte si j'étais restée douce et gentille. Pour survivre à ce monstre, j'ai appris à me montrer dure et pleine de ressources. Mais n'ayez crainte. Je vais aller à Venise volontiers, ne serait-ce que pour échapper aux limites de cette ville et à vous, *madre*.

– Cela ne peut pas se produire assez vite pour moi, répondit furieusement Orianna.

Giovanni Pietro d'Angelo avait décidé que ses deux fils les plus âgés, Marco et Georgio, allaient escorter leur sœur à Venise. Il choisit de ne pas laisser son entreprise, et d'ailleurs, Marco avait besoin de voir le grand port commercial qu'était Venise, car les rouleaux de soie qui faisaient son commerce transitaient par là. C'était cela qui avait amené

Giovanni Pietro d'Angelo là-bas toutes ces années auparavant quand il avait vu pour la première fois la femme qu'il allait épouser. Son père l'y avait envoyé dans le même but, pour apprendre tout ce qu'il y avait à savoir sur le transport maritime.

Ils quittèrent Florence par un matin d'hiver dans une grande caravane contenant toutes les possessions terrestres de Bianca, ainsi que de somptueux cadeaux pour le beau-père de Giovanni, qui prendrait à présent la responsabilité d'une autre de ses filles. Ils voyageraient par Bologne, puis ils traverseraient le petit duché de Ferrare avant d'entrer sur le territoire appartenant à Venise. Padoue serait la dernière ville qu'ils visiteraient avant d'atteindre Venise elle-même. Comme ils étaient encombrés d'un convoi de bagages, il leur faudrait quelques semaines avant d'atteindre leur destination finale.

Le temps était froid. Et les jours n'étaient pas tous ensoleillés. S'il n'y avait pas d'auberge ou de maison religieuse où se loger, un groupe de pavillons était monté, chacun avec son brasero de charbons pour la chaleur. Au mieux, ils étaient inconfortables et, au pire, ils gelaient. Bianca se demanda si ses mains, ses pieds et son visage allaient un jour se réchauffer. Le vent du Nord était mordant la plupart des jours, sans égard à la direction dans laquelle ils progressaient. Ils chevauchaient blottis contre leurs chevaux, se recroquevillant dans leurs capes doublées de fourrure et tentant d'éviter le froid humide qui semblait inévitable.

Bianca avait très hâte de voir les deux villes qu'ils traverseraient.

Au moins là-bas, ils séjournèrent dans des auberges chaleureuses et mangèrent de la nourriture chaude avant de devoir reprendre leur chemin une fois de plus par ce temps d'hiver. Peut-être que si elle avait été plus gentille avec sa mère, songea Bianca à un moment donné, ses parents auraient attendu le printemps avant de lui faire entreprendre ce voyage.

Mais ensuite, la terre commença à s'aplanir et la route qu'ils empruntaient se retrouva en sol plat, et ils purent voir de l'eau tout autour d'eux tandis que la côte et ses nombreuses îles commençaient à apparaître. Au loin, ils virent brusquement des dômes dorés et des tours qui surgissaient dans le ciel.

Ils dégageaient une impression presque magique et mystique lorsqu'on les contemplait.

– Venise, dit le guide local, qui s'était joint à eux à Padoue, pointant la ville.

Chapitre 11

Finalement, ils ne purent plus avancer sur la terre. Ils atteignirent un endroit où il y avait des barges attendant d'être louées pour transporter les charrettes de bagages et les chevaux, ainsi que les hommes d'armes qui avaient voyagé avec eux dans la ville. La fratrie et Agata furent installées dans une grande gondole qui les ferait traverser jusqu'au *palazzo* du grand-père.

– Le prince Venier ? dit le gondolier. Oui ! Oui ! Je connais son *palazzo.*

Il s'éloigna du quai.

– Êtes-vous des Venier ? Venez-vous des domaines de Kythira ou de Crète ? Êtes-vous déjà venus à Venise auparavant ?

Il était très curieux.

– Nous sommes les petits-enfants de Florence du prince Venier, répondit Marco au gondolier. Je m'appelle Marco, mon frère, c'est Georgio et notre sœur, Bianca.

– Marco Venier ! Un nom célèbre ici, à Venise, *signore.* Il y a même déjà eu un Venier qui était doge.

Le gondolier continua de bavarder.

– Et c'est un Marco qui a pris l'île de Kythira quand Byzance a reçu sa leçon d'humilité par le grand doge Dandolo. Évidemment, ce n'était que justice que les Venier prennent Kythira, car on dit que c'est le lieu de naissance de l'ancienne déesse Vénus, et les Venier sont des descendants directs de Vénus. C'est pourquoi toutes leurs femmes sont si belles, comme votre sœur ici. J'ai même vu brièvement l'autre petite-fille du prince, une magnifique jeune jouvencelle avec des cheveux blond-roux et un visage capable de rivaliser avec Hélène de Troie !

– Notre petite sœur, répondit sèchement Marco.

Bianca gloussa depuis sa place entre ses deux frères. Francesca, avec un visage pour rivaliser avec une ancienne héroïne ?

– À l'évidence, elle a changé au cours des années depuis la dernière fois où je l'ai vue, murmura Bianca, et ses frères ricanèrent. Je me souviens d'une gamine fouineuse, rien d'autre.

La gondole glissa rapidement sur l'eau, entrant dans une voie navigable large et animée.

– Le Grand Canal, annonça le gondolier, une certaine fierté dans la voix.

Ils étaient entourés de toutes parts de bateaux en tout genre, car Venise était une importante ville portuaire. Il y avait des navires marchands, des bateaux transportant des animaux, des bateaux transportant des fruits et des légumes et d'autres produits. Certains vendaient leur marchandise depuis leurs bateaux. Bianca fut surprise quand un grand vaisseau de guerre qu'on appelait une « galère » glissa près d'eux. À travers les fentes pour les rames, elle put voir plusieurs étages d'esclaves de galère à l'ouvrage. Elle frissonna.

« Quel sort terrible pour un homme que de se retrouver dans les galères ! » songea-t-elle.

Elle remarqua que ses frères étaient aussi étrangement silencieux. Un des dangers de voyager par la mer pour les hommes était la possibilité d'être capturés par des pirates et vendus pour les galères.

À présent, le canal était bordé de grands *palazzos,* et Bianca attendit que le gondolier arrête leur embarcation à côté de l'un des petits quais en pierre, mais il ne le fit pas.

— Le prince Venier n'est pas propriétaire de l'un de ces *palazzos* ? demanda Marco, curieux.

— Oh, non, *signore,* répondit le gondolier. Ces *palazzos* sont la propriété de grands marchands de la ville. Vous remarquerez que chacun possède son propre quai. C'est pour leurs vaisseaux afin qu'ils puissent décharger leur cargaison à l'étage principal du *palazzo.* Les familles vivent au-dessus. La demeure de votre grand-père est située dans un environnement plus privé.

— Vous avez des districts pour votre noblesse ? s'enquit Marco.

— Oh, non, monsieur. Ici, à Venise, les riches et les pauvres et ceux entre les deux vivent les uns aux côtés des autres. Comme votre Florence, Venise est une république.

Puis, le gondolier reporta son attention sur son embarcation, la dirigeant dans un plus petit canal. Depuis leur bateau, ils pouvaient voir des maisons, certaines grandes, d'autres petites et, ici et là, un *palazzo.* Au bout du canal, leur gondolier s'arrêta à côté d'un petit quai. Tandis qu'il s'affairait, un serviteur en livrée apparut pour aider les occupants attendus de la gondole à débarquer.

— Bienvenue ! Bienvenue au *palazzo* Venier, les accueillit-il en souriant largement. Votre grand-père et votre sœur vous attendent, si vous voulez bien me suivre.

Il lança d'une chiquenaude une grande pièce d'argent au gondolier.

— Avec les remerciements du prince. Le convoi de bagages ?

— Pas loin derrière, répondit le gondolier tandis qu'il s'éloignait d'une poussée.

Il aurait beaucoup de potins à partager avec les autres gondoliers, et la ville de Venise vivait pour les potins. Le vieux prince Venier était l'un de ses citoyens les plus distingués. L'arrivée de trois autres de ses petits-enfants, la rumeur d'un mariage qu'il avait glanée en écoutant ses passagers discuter — tout cela était trop bon et pourrait même lui valoir une coupe de vin offerte par l'une des commères vêtues de satin sur la *Piazza San Marco.*

Le serviteur en livrée les précéda dans le *palazzo,* mais avant même que Bianca puisse regarder autour d'elle, elle se retrouva dans un vaste salon aéré en présence d'un élégant gentleman aux cheveux blancs qui ressemblait beaucoup à sa mère.

— Bienvenue à Venise, les accueillit-il. Je suis Alessandro Venier, votre grand-père.

Bianca exécuta poliment une révérence tandis que ses frères s'inclinaient devant le prince.

— Je suis Marco, dit son aîné à leur hôte.

— Baptisé en l'honneur du saint patron de notre éminente ville, répondit leur grand-père. Votre mère m'a promis en partant de Venise avec votre père qu'elle nommerait son premier-né Marco. Je suis heureux de constater qu'elle a tenu sa promesse envers moi.

— Voici Georgio, le frère né après moi, dit Marco pour présenter le jeune homme.

— Quel âge avez-vous, tous les deux? s'enquit leur grand-père.

— J'ai dix-neuf ans, lui répondit Marco, et Georgio en a seize, *signore.*

— Et ni l'un ni l'autre, vous n'êtes encore mariés?

— Non, *signore,* dit Marco.

— Hum, répondit son grand-père. Vous êtes l'héritier de votre père?

— Oui, *signore,* je le suis. Je suis venu à Venise afin que Bianca puisse avoir une escorte convenable et afin d'en apprendre un peu sur le transport maritime ici, dans votre ville, expliqua Marco. Georgio et moi rentrerons sous peu à Florence avec nos soldats engagés.

— Je vois, répondit Alessandro Venier.

Il tourna ensuite la tête et déclara :

— Vous êtes Bianca, évidemment. Retirez votre capuchon afin que je puisse vous voir, ma petite-fille.

Bianca dénoua sa cape, laissant Agata la prendre. Puis, elle pivota et le regarda.

« Dommage, songea le prince, qu'elle soit une brunette. »

Les brunettes étaient si communes. Elle avait à l'évidence hérité de la coloration de son père florentin. Néanmoins, la peau était parfaite, et les yeux aigue-marine fixant à présent les siens assez audacieusement étaient spectaculaires. Et comme elle était veuve, il n'aurait pas à se soucier de protéger sa vertu.

— Vous êtes différente de votre sœur, lui dit-il franchement.

— Plus que vous ne l'imaginez, *signore*, lui dit Bianca avec le plus léger des sourires. On m'a dit que vous devez me trouver un second mari ; cependant, je ne souhaite pas d'autre mari. Je souhaite seulement être réunie avec l'homme que j'aime.

— Le désir d'une enfant, dit froidement le prince. Votre mère m'a prévenu que vous êtes une femelle difficile. Comprenez que je ne tolérerai aucune bravade de votre part. Votre apparition à Florence a peut-être été considérée comme spéciale, mais votre chevelure sombre est un préjudice ici, à Venise. Je vais néanmoins vous trouver un mari convenable, et vous l'épouserez sans récrimination, Bianca.

— Puis-je voir ma sœur à présent, *signore* ? lui demanda Bianca.

Il faillit rire. Sa petite-fille avait la nature entêtée de sa fille, et cela le ramenait à l'époque où il lui avait dit qu'elle allait épouser un marchand florentin et ne resterait pas à Venise. Elle avait pleuré et s'était emportée contre lui, mais en fin de compte, elle s'était docilement avancée jusqu'à l'autel avec Giovanni Pietro d'Angelo, comme il s'était attendu à ce qu'elle le fasse. Bianca ferait de même, quand il lui trouverait l'union parfaite.

— Bien sûr, vous pouvez voir Francesca, lui dit-il. Elle attendait votre arrivée avec impatience.

Il fit un signe de la main à un domestique.

— Va chercher ma petite-fille, dit-il.

Puis, revenant à ses autres invités, il leur demanda :

– Que pensez-vous de Venise ?

– Aussi magnifique que ma mère le disait, répondit rapidement Marco. Aujourd'hui, évidemment, je vais rester en famille, mais demain, *signore*, j'aimerais visiter les entrepôts de mon père ici, avec votre permission.

– Vous pouvez tous m'appeler « *nonno* », dit le prince. Après tout, je suis votre grand-père.

– Vous êtes un gentleman trop élégant pour qu'on vous appelle simplement « *nonno* », dit Georgio. Je vais vous appeler « *nonno magnifico* ».

Alessandro Venier rit de bon cœur de cette déclaration. Le garçon avait du charme et il était amusant. S'il continuait à montrer de l'humour, il l'inviterait à rester. Il devait écrire à Orianna pour s'informer des projets qu'ils avaient pour le garçon.

Un petit cri de joie interrompit le fil de ses pensées.

– *Bianca ! Marco ! Georgio !* Vous êtes ici, enfin !

Une jeune fille était entrée en courant dans le salon. Elle était grande et svelte. À treize ans, ses seins émergeaient, comme en attestait le tissu de sa robe qui collait sur eux.

– Francesca !

Bianca était ébahie. Sa petite sœur avait changé, en effet. Sa chevelure blond-roux était somptueuse. Ses yeux verts pétillaient. Elle serra chaleureusement la fille dans ses bras.

Les frères parurent étonnés. C'était Francesca ? Elle n'était partie de Florence que depuis un peu plus d'un an, mais le changement était stupéfiant. Ils l'accueillirent avec des baisers et des paroles chaleureuses.

– J'ai changé, n'est-ce pas ? dit joyeusement Francesca.

– Notre gondolier a dit que vous aviez un visage capable de rivaliser avec Hélène de Troie, lui dit Georgio.

— Qui est-elle ? demanda Francesca. La connaissons-nous ?

Ses deux frères rirent de son ignorance.

— Je vois que votre éducation a été négligée, *bambina*, dit Marco.

— Au contraire, intervint le prince. Francesca a appris à danser toutes les nouvelles danses. Elle peut jouer du luth délicieusement et elle chante divinement. Ses manières sont maintenant parfaites. Elle a appris à superviser ma cuisine et à produire les plus merveilleux parfums avec les fleurs de mon jardin. Elle est parfaitement éduquée.

— Pour être une décoration, mais pas une compagne, remarqua Bianca.

— Mais l'épouse parfaite est la plus magnifique des décorations dans la maison de son mari, répondit le prince. Francesca aura bientôt un mari à satisfaire et elle le fera très bien, Bianca. N'étiez-vous pas une décoration dans la maison de feu votre mari ?

— Il est évident que ma mère ne vous a rien dit sur mon mariage ni de la manière honteuse qui l'a fait devenir réalité, lui dit Bianca. Je ne vais pas en discuter ici, en présence d'oreilles innocentes, mais vous devriez être intrigué, *nonno* ; vous n'avez qu'à m'interroger.

— Francesca, ma toute précieuse, emmenez votre sœur et sa servante avec vous à présent. Aidez-les à s'installer, dit Alessandro Venier, congédiant ses deux petites-filles, ce que Bianca trouva légèrement offensant.

Elle n'était pas une *verginale* comme sa sœur. Elle avait été une femme mariée, à présent veuve et elle avait droit à plus de respect. Son grand-père la traitait en enfant, et elle ne l'était pas.

— Je ne l'aime pas, marmonna-t-elle dans sa barbe. Il ressemble trop à notre *madre*.

Quand elles eurent quitté le salon et qu'elles montaient une large volée de marches en marbre, Agata lui dit :

— N'agacez pas votre grand-père, maîtresse. Vous feriez mieux de vous en faire un ami plutôt qu'un ennemi.

— Il ne me traite pas avec le respect auquel a droit une femme de mon âge et de mon expérience, Agata. Il est vieux jeu et il sera très en colère lorsque je refuserai l'homme qui, selon lui, me fera un bon mari. Il vaut mieux que nous ne soyons pas des amis.

— Vous ne voulez pas vous remarier ?

Francesca était perplexe.

— Voulez-vous entrer dans les ordres, à présent ? Vous ne le vouliez pas avant, selon mon souvenir.

Elles avaient atteint le haut de l'escalier et elles suivirent la jeune fille tandis qu'elle les précédait dans un spacieux appartement de plusieurs pièces.

— Ce sont nos appartements, dit Francesca. Nous avons chacune notre chambre à coucher, et votre Agata peut dormir sur un petit lit dans la vôtre ou partager une chambre séparée avec ma Grazia. Maintenant, dites-moi pourquoi vous ne voulez pas vous remarier.

— Ce n'est pas que je ne veuille pas me remarier, mais je veux que le choix m'appartienne. Je l'ai déjà fait, mais notre mère ne veut pas le permettre, dit Bianca à sa sœur.

— Pourquoi pas ? Il n'est pas assez riche ? demanda Francesca, curieuse.

— C'est un Turc, répondit Bianca.

— Un *infidèle* !

Les yeux verts de Francesca s'arrondirent de surprise.

— Ainsi le qualifie-t-on, dit Bianca.

— Eh bien, évidemment que vous ne pouvez pas épouser un infidèle, Bianca, dit sa jeune sœur. Même moi, je comprends cela.

Son ton était très assuré.

— Pourquoi pas ? demanda sa sœur.

— *Pourquoi pas* ? Bianca, si c'est un infidèle, il n'est pas chrétien. Ses ancêtres ont probablement tué notre bien-aimé Seigneur ! Les infidèles sont des gens terribles. Tout le monde sait cela, dit Francesca avec une grande conviction.

— Vos connaissances, à l'évidence basées sur des bavardages ignorants, sont stupéfiantes, dit sarcastiquement Bianca. D'où les tenez-vous ?

— Tout le monde sait que les infidèles sont mauvais, insista Francesca.

— Amir est l'homme le plus gentil et le plus doux que j'aie jamais connu, dit Bianca à sa sœur. Je suis tellement lasse qu'on me dise qu'il est mauvais parce qu'il n'est pas chrétien. Y a-t-il des infidèles mauvais ? J'en suis certaine. Feu mon mari, puisse-t-il brûler en enfer pour l'éternité, était un mauvais chrétien. Cependant, il y a de bons chrétiens et de bons infidèles, Francesca. Ne jugez pas un homme par sa religion. Jugez-le selon son caractère, ma petite sœur.

— *Nonno* vous trouvera un bon mari, répondit Francesca d'un ton apaisant, comme si elle n'avait rien entendu de ce que venait de dire Bianca.

Et c'était probablement le cas. Elle finirait par grandir.

— Voulez-vous entendre parler de l'homme que j'aimerais épouser ? demanda-t-elle à sa sœur aînée ; puis elle poursuivit sans attendre la réponse. C'est un prince, dit-elle avec un soupir. Son nom est Enzo Ziani. Il est séduisant, Bianca. Il m'a souri quand il est venu rendre visite à *nonno* la dernière fois, et il a dit que j'étais une fleur qui un jour s'épanouirait en beauté.

Elle soupira profondément.

– Il est venu souvent dernièrement. Je pense qu'il vient dans l'espoir de me voir.

Elle gloussa.

– Je l'aime déjà.

– Comme c'est agréable pour vous, dit sèchement Bianca.

Francesca n'allait pas comprendre sa position. Comment le pouvait-elle ? Sa sœur avait été couvée toute sa vie et elle était à présent la chérie de leur grand-père et elle avait un prince vénitien comme prétendant.

– N'est-ce pas ? répondit Francesca, sans s'apercevoir du sarcasme de sa sœur.

Bianca s'installa rapidement dans la maison de son grand-père et elle trouva que sa vie était aussi terne ici qu'à Florence. Ses frères restèrent un peu plus d'une semaine, mais ils partirent ensuite. Ils s'étaient tous les deux promenés sur la *Piazzetta San Marco* et sur la grande *piazza* elle-même avec leur grand-père, qui les montrait avec fierté. Marco s'était fait plusieurs contacts d'affaires et il reviendrait à Venise sur une base régulière avec leur père. Bianca, cependant, comme la plupart des femmes de haute naissance, n'avait pas la permission d'apparaître en public. Les seules femmes que l'on trouvait sur la *piazzetta* étaient les courtisanes et les prostituées ordinaires.

Bien qu'elle aimât se retrouver à nouveau sur l'eau, ce n'était pas comme dans sa petite villa. Au moins là-bas, elle avait pu marcher librement sur la plage et chevaucher dans les collines autour de Luce Stellare. Toute la vie de sa jeune sœur, lui semblait-il, tournait autour de son mariage éventuel et de l'objet de son désir, le prince Enzo Ziani.

Bianca était à Venise depuis plusieurs semaines avant qu'elle le rencontre enfin. Et quand cela se produisit, elle comprit immédiatement que son grand-père n'avait pas choisi cet homme pour Francesca. Alessandro Venier avait choisi Enzo Ziani pour Bianca. Sa petite sœur n'allait pas être contente, mais Bianca allait laisser leur grand-père essuyer le gros de la colère de Francesca.

Bien sûr, il avait trente-trois ans ; beaucoup trop vieux pour Francesca, mais loin de l'être pour une veuve de dix-huit ans. Il était veuf et il avait été marié à dix-sept ans à une femme qui était morte au cours d'une dixième vaine tentative de donner un héritier à son mari. Il était sans femme depuis plusieurs années, mais à présent, sa famille insistait pour qu'il se remarie. Ses visites à leur grand-père avaient été dans le but de discuter d'une union possible entre les maisons Venier et Ziani — des avantages et de la dot.

Son grand-père exigea sa présence un après-midi dans son petit salon privé. Elle arriva pour le découvrir avec un invité. Bianca exécuta poliment une révérence, puis elle attendit qu'on l'invite à s'asseoir.

— N'est-elle pas charmante ? demanda Alessandro Venier à l'homme assis avec lui. Sa coloration n'est pas vénitienne, mais avez-vous déjà vu des yeux de cette couleur, Enzo ?

Bianca se mordit la langue. Son grand-père parlait d'elle comme si elle n'était pas là et comme si elle était un animal de race.

« *Madre di Dio* ! »

Il était tellement vieux jeu, et on lui avait accordé le droit de vie ou de mort sur elle.

– Non, jamais, dit Enzo Ziani en se levant, aidant Bianca à prendre place sur une chaise avant de se rasseoir.

Il vit la colère qui explosa brièvement dans ses yeux merveilleux.

Elle le remercia d'un léger hochement de tête.

« Au moins, il a des manières », songea-t-elle.

Francesca allait être furieuse lorsqu'elle apprendrait la visite du prince.

– Bianca, dit Alessandro Venier, voici le prince Enzo Ziani. Je lui ai donné la permission de venir vous voir.

– Si vous l'avez fait, alors vous aurez brisé le pauvre cœur innocent de Francesca, *nonno*, dit carrément Bianca. Ma sœur croit que vous avez ce prince en tête pour elle.

– Elle est beaucoup trop jeune ! dit sèchement son grand-père. Je ne commencerai même pas à prendre des offres en considération avant l'an prochain.

– Je suis flatté d'avoir attiré le regard de la petite, dit le jeune homme, mais elle est réellement trop jeune pour le mariage. L'homme qui gagnera son cœur aura de la chance.

– Je vais vous laisser avec Enzo pour faire plus ample connaissance, dit le grand-père de Bianca.

Puis, il se leva et sortit de la pièce.

Bianca rit.

– Il est loin d'être subtil, n'est-ce pas ? dit-elle. Cependant, je ne souhaite pas vous faire perdre votre temps, *signore* ; je vous prie de comprendre que j'ai choisi de ne pas me remarier.

– À moins que je sois un certain prince turc, répondit Enzo Ziani.

Bianca blêmit, mais elle ne dit rien.

– Comment pourriez-vous savoir une chose semblable, *signore* ? Et comme c'est indécent de votre part de me rapporter un tel potin.

– Votre grand-père est un homme honnête, *signora*. Il m'a dit que votre propre mère avait aussi un tempérament entêté quand il était question de mariage. Il voulait que je connaisse votre véritable nature romantique parce qu'il a dit que je devais gagner votre cœur afin de gagner votre main, dit Enzo Ziani. Est-ce vrai ?

– Mon cœur est déjà pris, *signore*, lui répondit Bianca. Je vais être franche avec vous, car je ne suis pas malhonnête. Après que je suis devenue veuve, le prince Amir ibn Jem et moi sommes devenus amants. On me dit que c'est sa foi qui le rend inapproprié.

– Mais cela n'a pas d'importance pour vous, n'est-ce pas ? Le fait qu'il ne soit pas convenable le rend encore plus désirable à vos yeux, lui dit-il. Comme vous êtes charmante.

– Me prenez-vous pour une enfant en croyant que je suis si superficielle ? demanda Bianca, irritée.

– Ah, je vous ai offensée, répondit-il, mais il ne semblait pas du tout en être bouleversé.

– Oui, vous m'avez profondément insultée, lui dit-elle. Vous avez aimé et perdu. Ou il se peut que vous n'aimiez pas votre femme. Elle était peut-être un bien à arborer dans des occasions appropriées et pour porter vos enfants.

– C'est à votre tour de m'insulter, dit-il.

Il se découvrait fasciné par cette belle femme qui lui parlait si franchement. La plupart des femmes avaient très peu de choses d'intérêt à exprimer, à l'exception, bien sûr, des plus éduquées des courtisanes dont on attendait d'elles qu'elles soient intéressantes pour réussir dans leur profession. L'épouse d'un homme, ou son épouse potentielle étaient censées être modestes et réservées en tout, sauf dans les questions du foyer et de l'éducation de ses enfants.

– Vraiment ?

Bianca ne paraissait pas du tout désolée.

– Je soupçonne que si vous désirez faire une alliance avec la maison des Venier, vous feriez mieux de patienter un an. Ma jeune sœur, Francesca, sera alors prête pour le mariage. Sa beauté, selon mon grand-père, est davantage dans les goûts vénitiens que la mienne. Francesca vous considère comme l'homme idéal, et elle est certainement la femme idéale pour un gentleman conventionnel comme vous, *signore*. Je ne le suis pas. Une femme comme ma jeune sœur ne vous conviendrait-elle pas mieux, *signore* ?

– Je ne souhaite pas attendre une année de plus, dit Enzo Ziani à Bianca aussi candidement qu'elle lui avait parlé. Ma famille est impatiente d'avoir un héritier, car je suis le seul fils de notre branche.

– Ahhhh, vous souhaitez donc une excellente lignée de reproduction, répondit Bianca. Il vaut mieux attendre Francesca. Nous sommes toutes les deux issues du même père et de la même mère, et *madre* est une bonne reproductrice de gamins. Tous les enfants de notre mère ont survécu. Francesca a cinq ans de moins que moi, cependant. Vous aurez plus de temps pour l'engrosser, *signore*, qu'avec moi.

Il éclata de rire.

– Vous tentez délibérément de me provoquer, dit-il.

– Non, je suis honnête avec vous, dit-elle. Je suis flattée que, sans m'avoir vue, vous ayez songé à vous marier avec moi. Je sais que votre famille est ancienne et honorable, sinon mon grand-père ne vous aurait pas pris en considération. Cependant, je suis amoureuse d'Amir ibn Jem et je ne cesserai pas de l'aimer. Il a promis de venir me chercher et il le fera, *signore*. Comme ce serait embarrassant de voir votre fiancée volée par le petit-fils du sultan. Il n'y aurait rien que vous ou Venise pourriez y faire.

— Venise est une importante république, rétorqua-t-il.

— Oui, elle l'est, acquiesça Bianca, mais on y craint tout autant le sultan ottoman qu'ailleurs dans le monde. Venise ne fera qu'un tollé symbolique de mon départ. Le sultan est très attaché à ses petits-fils.

— Si vous croyez que votre prince reviendra pour vous, alors vous êtes une idiote. Je ne crois pas que vous soyez une idiote, Bianca. Votre prince ottoman a un harem rempli de belles femmes vers qui il est retourné et fort probablement, il vous a déjà oubliée. Vous finirez par comprendre cela, avec le temps. Je vous trouve éminemment convenable pour devenir mon épouse et je vais le dire à votre grand-père. Nous célébrerons notre mariage dans trois mois, en septembre, à la fin de l'été.

— Dites ce que vous voulez à *nonno, signore*. Je ne vais pas accepter, et on ne peut pas m'y forcer. Je vais me tenir devant le prêtre et rejeter votre demande. Songez au rire de tout Venise quand je le ferai et à la gêne que cela fera tomber sur nos deux familles.

— Vous êtes une femme têtue, Bianca, lui dit-il, mais je vais vous conquérir. Maintenant, venez m'embrasser.

— Vous avez sûrement perdu l'esprit pour demander à une femme qui vient si fermement de vous rejeter de vous embrasser, dit Bianca, bondissant de sa chaise si rapidement que celle-ci tomba avec fracas.

Sa réaction fut de tendre la main et de la tirer sur ses genoux, puis de lui prendre le menton entre son pouce et son index, ce qui lui donna accès à ses lèvres. Sa bouche se ferma sur la sienne, l'embrassant profondément et avec lenteur.

Bianca lutta si violemment contre lui que sa chaise glissa sous lui et qu'ils finirent tous les deux sur le plancher du salon dans un enchevêtrement de jupes. Elle hurla furieusement pour découvrir qu'il riait, par-dessus elle.

— Laissez-moi, monstre ! Espèce de brute !

Elle le frappa furieusement avec ses poings.

— Pourquoi ? J'aime assez vous avoir sous moi. Maintenant, je pourrai rêver à ce qui viendra entre nous.

Il lui attrapa les mains et cloua ses bras sur ses flancs, ses lèvres capturant à nouveau les siennes dans un baiser chaud et passionné.

— *San Marco* ! Vous êtes scandaleusement désirable ! dit-il en la lâchant enfin.

Bianca n'aima pas le fait qu'elle trouvait ses baisers excitants. Les femmes respectables étaient-elles censées aimer être embrassées par des étrangers ? Et le fait était qu'Enzo Ziani était effectivement un étranger. Il n'était pas Amir, et ses baisers, bien que provocants et attirants, n'étaient pas ceux d'Amir. Ils ne la laissaient pas molle avec un désir prêt à tout. Elle tourna violemment la tête et, rassemblant toute sa force, elle le poussa afin de pouvoir se relever précipitamment. Un de ses chaussons en soie sortit de son pied dans le processus, et il saisit sa cheville. Elle tira un immense plaisir à le chasser à coups de pied.

— Vous êtes un séducteur de femmes, *signore*, lui dit Bianca avec colère. Mon grand-père sera mis au courant de cet atroce comportement dont vous avez fait preuve avec moi!

Puis, elle sortit en trombe du petit salon, serrant son chausson dans sa main.

Derrière elle, Enzo Ziani était encore assis sur le plancher, riant. Quelle femme! Et elle allait être sa femme! Il se souciait comme d'une guigne de son Turc. Il lui ferait tout oublier de ce prince infidèle quand il lui ferait l'amour. Il bondit sur ses pieds, lissant sa robe de velours bordée de fourrure. Son membre était durci par le soudain besoin d'elle qui l'avait submergé. Dieu merci, son vêtement couvrait son désir.

Puis, brusquement, la porte du salon s'ouvrit, et Francesca entra.

— Oh! dit-elle en feignant la surprise. J'ignorais qu'il y avait quelqu'un ici, *signore*. Comme c'est agréable de vous voir. Êtes-vous venu me voir?

Et elle lui sourit avec coquetterie.

« Saleté », songea-t-il.

Bien, il valait mieux la décourager maintenant plutôt qu'elle continue à soupirer après lui.

— Non, *bambina*, lui dit-il. Je suis venu voir Bianca. Votre grand-père ne vous l'a-t-il pas déjà dit? J'ai l'intention d'épouser votre sœur.

Le visage de Francesca devint soudainement terriblement pâle. Ses yeux verts s'arrondirent sous le coup de l'émotion.

— Épouser *Bianca*? Vous allez épouser Bianca? Elle ne vous aime pas. Elle aime son infidèle. *Nonno* ne vous l'a-t-il pas dit? Ni qu'il était son amant?

— Je sais tout cela. Bianca croit seulement qu'elle aime ce Turc, mais elle finira par m'aimer, et même dans le cas contraire, nous formons un couple très bien assorti, dit Enzo Ziani à la belle jeune fille debout devant lui. Et votre sœur fera son devoir envers nos deux familles, *bambina*.

— Vous vous satisfaireriez d'épouser une femme qui ne vous aimera jamais quand vous pourriez avoir une femme qui vous aime ? lui demanda furieusement Francesca. Et ne m'appelez pas « bébé » ! Je ne suis pas un bébé ! Je suis une femme, *signore*.

Puis, elle se lança sur lui, ses bras se nouant autour de son cou, ses lèvres l'embrassant dans un baiser déterminé. Elle le libéra aussi brusquement qu'elle l'avait enlacé.

— Est-ce le baiser d'un bébé ? lui demanda Francesca. Oui ?

Enzo Ziani était abasourdi. Il n'avait jamais imaginé qu'une fille aussi jeune puisse posséder une telle passion.

— Ce n'était pas le baiser d'un bébé, Francesca, lui dit-il, mais vous ne devez plus m'embrasser. Vous êtes trop jeune pour devenir ma femme, et votre sœur ne l'est pas. Un jour, il y aura un beau jeune homme choisi pour être votre mari. Soyez patiente. Maintenant, si vous promettez de bien vous comporter, je ne vais pas parler de cet incident à votre grand-père.

Il s'inclina devant la jeune fille et il sortit vite du salon.

Francesca éclata en pleurs. Ce n'était pas juste que Bianca épouse l'homme qu'elle — Francesca — aimait. Elle ne laisserait pas cela se produire. Cela ne pouvait pas se produire ! Puis, elle se souvint que pleurer gâchait son teint et rougissait ses yeux. Francesca mit fin à sa contrariété. Puis, elle partit à la recherche de sa sœur.

— Vous n'allez pas épouser Enzo Ziani ! dit-elle quand elle eut trouvé Bianca assise dehors, dans le petit jardin de leur grand-père. Je l'interdis ! Il est à moi !

— Qui vous a dit que je le ferais ? voulut savoir Bianca.

— Lui ! Vous ne pouvez pas l'avoir, Bianca ! dit Francesca à sa sœur.

— Vous pouvez l'avoir et avec plaisir, dit Bianca. Je lui ai dit que je n'allais pas l'épouser et qu'il devrait vous attendre.

— Vous lui avez dit cela ? Bianca, c'est merveilleux ! Oh, vous êtes la meilleure sœur au monde ! Je savais que vous ne pouviez pas être assez cruelle pour me prendre l'homme que j'aime.

— Maintenant, vous devez convaincre *nonno* que vous êtes la meilleure femme pour lui, dit Bianca à sa jeune sœur. Votre prince veut un mariage à la fin de l'été.

— Quand votre prince viendra-t-il ? voulut savoir Francesca. S'il ne vient pas vous enlever avant cela, ils vous obligeront à marcher jusqu'à l'autel.

— Ils ne le peuvent pas, répondit sereinement Bianca.

— *Nonno* obtient toujours ce qu'il veut, dit Francesca. Tout le monde voulait qu'il se remarie lorsque sa femme est décédée, mais il a dit qu'il avait eu suffisamment d'épouses ; il serait satisfait de prendre maîtresse seulement. Il l'a emporté sur ce sujet et si votre prince ne vient pas vous secourir, il l'emportera là-dessus aussi.

— Amir viendra, dit Bianca sans l'ombre d'un doute.

Et en effet, Amir ibn Jem se préparait à partir pour Venise. Il avait été amené devant son grand-père, le sultan

Mehmet le Conquérant, à son retour à la maison. Le sultan l'avait chaleureusement accueilli.

– Je ne croyais pas vous revoir dans cette vie, Amir. Qu'avez-vous fait exactement qui exigeait que je vous rappelle de Florence ? Certainement, vous n'avez pas tué l'un de ces gros et fiers marchands ?

– Pire, grand-père, dit Amir. Je suis tombé amoureux de la fille d'un marchand de soie et je planifiais la ramener chez moi.

– Ahh, dit le sultan. Oui, si le marchand de soie est influent – et à l'évidence, il l'est, puisque c'est Laurent de Médicis en personne qui a demandé votre rappel –, cela présenterait un problème. Ah, bien, vous trouverez vite une belle femme pour vous plaire, et je suis heureux de vous ravoir avec moi.

– Mais, c'est elle que je veux par-dessus toutes les autres, dit Amir à son grand-père. Je suis tombé amoureux d'elle. Je dois l'avoir !

Le sultan Mehmet contempla Amir. Voilà un petit-fils qui ne lui avait jamais causé le moindre souci, au contraire du père d'Amir, Jem, qui se querellait sans cesse avec son frère, Bayezit, qui avait engendré trois fils avec ses épouses.

– À quel point cela causera-t-il des problèmes si vous enlevez cette femme ? demanda le sultan.

– Je l'ignore, répondit franchement Amir. Elle est l'une de quatre sœurs. Elle est veuve. Je sais que sa famille l'a envoyée chez son grand-père maternel à Venise dans l'espoir de lui trouver un second mari. Ils ne lui ont pas permis de me rendre visite pendant mon emprisonnement, mais quand je suis parti de Florence, elle a réussi à venir et à se tenir sur le bas-côté de la route. Je lui ai juré de la trouver, grand-père. Je ne doute pas que son amour pour moi n'a pas vacillé au cours des mois de notre séparation.

— Et si, au moment où vous la rejoindrez, on l'a déjà remariée? demanda le sultan.

— Je ne sais pas, mais je sais qu'elle fera tout en son pouvoir pour éviter le mariage avec un autre homme, répondit Amir.

— Donc, vous avez l'intention d'en faire votre troisième épouse?

— Oui. J'ai pris Maysun et Shahdi dans mon lit et j'ai fait d'elles mes épouses à votre demande. Ce sont de bonnes femmes, mais je n'aime ni l'une ni l'autre. Prendre Bianca pour épouse n'amoindrira pas leur statut dans ma maison. Je sais que leurs pères sont très importants pour vous, mais je ne déshonorerai pas leurs familles ni ne mettrai en danger la loyauté dont vous jouissez de ces hommes, dit Amir au sultan. Cependant, je veux Bianca comme femme de mon cœur.

— Et si vous avez un fils? voulut savoir le sultan. Je ne courrais aucun danger à cause de cet enfant, mais il serait considéré comme tel par mon héritier ou le sien.

— Si Bianca devait me donner un fils, on lui enseignerait la loyauté envers le sultan, mais si je sentais ma famille en danger, je les emmènerais hors du royaume.

— Vous ne pouvez pas retourner en Occident, dit le sultan à son petit-fils. Ils n'accepteraient jamais un infidèle avec une épouse chrétienne là-bas.

— Non, mais je pourrais aller à l'est ou au nord ou au sud si cela m'était nécessaire, dit Amir. Si j'avais le choix, cependant, je me retirerais au sérail du Clair de lune avec Bianca, qui sera appelée « Azura », et mes deux autres épouses. Je vais faire le trajet jusqu'en ville uniquement quand mon entreprise l'exigera quand le sultan requerra ma présence dans sa demeure. Vous savez que je ne suis pas un homme cherchant le pouvoir, grand-père. J'espère ne pas vous avoir trop grandement déçu en ressemblant plus aux ancêtres marchands de ma mère anglaise qu'à mes ancêtres ottomans portés sur la guerre. Je sais que mon père est dérouté d'avoir engendré un fils pareil.

Il sourit à son grand-père.

Le sultan hocha la tête.

— J'ai de nombreux jours devant moi, si Allah le veut, et vous n'avez pas encore récupéré cette femme.

— Avec votre permission, je vais établir un plan pour aller la chercher, dit le prince.

— Je ne sais rien d'un tel projet, Amir ; ni ne veut le connaître. Si vous réussissez, Venise se plaindra et peut-être même Florence. Je leur dirais avec la conscience nette que je ne sais rien de ce que vous aviez planifié, dit le sultan avec un petit rire et il caressa la barbe de son long visage avec une longue main. Ils ne voudront pas la récupérer une fois que vous l'aurez enlevée, malgré toutes leurs protestations.

— Je comprends, grand-père, répondit Amir avec un sourire.

— C'est dommage que je vous aie perdu pour Florence. L'information que vous avez été en mesure de me communiquer à propos des Français, des Allemands et du reste des seigneurs occidentaux était très utile. Vous étiez très apprécié, m'a écrit Laurent de Médicis.

— Les Florentins semblent former le bureau central de tous les ragots de l'Europe. Toutes les armées de passage semblent transiter par la ville. Elle est extrêmement prospère, quoique probablement en deuxième place après Venise, puisqu'elle n'a pas un port comme en ont les Vénitiens.

— Les Vénitiens se sont engraissés avec leur transport maritime. Une bonne partie des produits de Florence passent par Venise. Les familles marchandes là-bas sont tout aussi influentes que les familles marchandes à Florence, sinon plus, remarqua le sultan Mehmet. J'aimerais vraiment avoir Venise pour moi-même, mais il vaut mieux leur laisser l'illusion d'être une république. Le doge fait ce que je veux, et donc, je dois me satisfaire de cela.

— Donc vous continuez à vaincre, dit Amir.

— Il y a encore des endroits qui profiteraient du règne ottoman, répondit son grand-père avec un sourire.

Les deux hommes partagèrent un repas. Puis, on montra sa chambre à coucher à Amir où il fut invité à passer la nuit. Le lendemain matin, il quitta le palais de son grand-père et, prenant un cheval dans les écuries royales, il chevaucha jusqu'à sa propre résidence connue sous le nom de « sérail du Clair de lune ». Il y avait dépêché Krikor plusieurs jours auparavant pour prévenir ses deux épouses de son arrivée. Elles l'accueillirent chaleureusement, s'exclamant de joie devant les cadeaux qu'il leur avait apportés. Il passa la nuit avec les deux.

Maysun était une grande fille fortement charpentée. Elle avait des cheveux brun foncé et des yeux gris. Elle avait un caractère agréable et elle était totalement satisfaite. Sa deuxième épouse, Shahdi, était plus nerveuse. Circassienne blonde aux yeux bleus, elle avait été déçue d'être offerte à un petit-fils dénué d'importance du sultan, quoique sa famille ait été ravie. Néanmoins, comme il était absent la plupart du temps, elle avait une liberté dont elle n'aurait peut-être pas joui avec un autre homme. Comme elle était une fille qui n'avait jamais été cloîtrée, cela avait été un immense soulagement pour elle.

Après avoir passé la nuit avec ses deux femmes — et les ayant toutes les deux satisfaites pour leur plus grande joie —, Amir leur dit qu'il allait s'entretenir avec elles plus tard ce jour-là. Puis, il alla prendre un bain. Autant il avait aimé l'Italie, il prit conscience qu'il était très content d'être de retour dans son propre foyer. Il n'était jamais plus à son aise qu'ici. Rompant son jeûne avec des œufs à la coque, des abricots frais, du pain chaud et du yaourt, il sourit largement quand Krikor lui apporta une petite tasse de café noir.

— Je vais sous peu aller à Venise chercher Bianca, dit-il à son valet.

— Pouvez-vous la rejoindre avant qu'ils la remarient ? s'interrogea Krikor à voix haute.

— Elle est à moi, dit doucement le prince.

Krikor ne dit rien. Il n'avait jamais vu son maître aussi déterminé qu'il l'était dans cette affaire de la belle Bianca. Mais alors, elle avait été tout aussi passionnée que lui. Sûrement, ils étaient destinés à vivre ensemble.

— Je vais venir avec vous, mon seigneur. Vous ne pouvez pas y aller sans moi.

— Je n'irais jamais sans toi, répondit Amir à son esclave fidèle.

— Quand partons-nous ? demanda Krikor.

— Demain. Nous naviguerons d'Istanbul à Venise et reviendrons dans l'un de mes propres navires. Je ne veux pas avoir à me soucier des loyautés, car nous devons agir rapidement. Il est possible que nous soyons poursuivis. Je ne veux pas que Bianca coure le moindre danger.

— Connaître le nom de son grand-père nous aidera à la rejoindre plus vite, dit Krikor.

— Envoie un des eunuques m'emmener mes femmes ici, puis va faire nos bagages, lui dicta le prince. Nous voyagerons légers. Et je voudrai Darius avec nous.

Krikor sourit, il hocha la tête, puis il partit faire ce que lui demandait son maître.

Plusieurs minutes plus tard, Maysun et Shahdi vinrent dans la pièce où le prince avait mangé son repas et savourait à présent son café.

— Vous nous avez fait demander, dit Maysun.

Les deux femmes s'inclinèrent jusqu'à la taille.

— Assoyez-vous ! Assoyez-vous ! les invita-t-il.

Quand elles furent confortablement installées, il leur dit :

— Je repars, mais très peu de temps. Quand je reviendrai, ce sera avec une nouvelle épouse. Une fois qu'elle sera avec moi, il y a peu de chances que je quitte encore le sérail du Clair de lune, sauf sur l'ordre du sultan. Je m'attendrai à ce que vous l'accueilliez en votre sein, mesdames. Je veux que vous emballiez des tenues appropriées pour elle, qu'elle portera pendant le voyage et des vêtements pour sa femme de chambre. Je dois me fier à vous deux pour cela.

— Si vous comptez rester à la maison, mon seigneur, deux épouses ne vous suffisent-elles pas ? lui demanda Shahdi en faisant la moue. Pourquoi devez-vous introduire une étrangère parmi nous ?

Maysun gloussa.

— Que trouvez-vous amusant ? voulut savoir Shahdi.

– Cette nouvelle épouse est celle de son cœur, idiote. N'est-ce pas, mon seigneur ? l'interrogea Maysun en souriant.

Amir rit.

– Elle l'est, ma brillante Maysun. Elle l'est.

– Alors, allez la chercher, mon seigneur, afin que vous connaissiez enfin le véritable bonheur. Elle sera tout à fait la bienvenue dans notre maison, qui sera sous peu la sienne, dit Maysun. Si vous l'aimez, nous l'aimerons aussi.

Shahdi fronça cependant les sourcils. Elle avait toujours espéré gagner un jour le cœur d'Amir. Maintenant, en le regardant, elle vit que cela ne serait jamais possible et elle était triste. Maysun lui prit la main, car elle connaissait l'espoir de son amie. Elle avait toujours su qu'il ne se réaliserait jamais.

Chapitre 12

Enzo Ziani commença à courtiser Bianca, malgré le fait qu'elle le décourageait sans cesse. Francesca fit la tête à toute la maisonnée de son grand-père, malgré l'assurance constante de sa sœur qu'elle n'allait pas marier son prétendant.

— Si vous n'allez pas l'épouser, alors pourquoi l'encouragez-vous ? voulut savoir Francesca.

— Je ne le fais pas, protesta Bianca. *Nonno* m'amène de force dans le salon, quand Enzo Ziani arrive chaque après-midi. Vous voyez les valets de pied qui m'escortent.

— Je l'ai vu vous embrasser dans le jardin, accusa Francesca.

— Alors, vous m'avez vue me débattre pour éviter ses baisers, répliqua Bianca.

— A-t-il touché vos seins ? Je parierais que oui, espèce de dévergondée ! cria jalousement Francesca, car Bianca avait de beaux seins, et les siens étaient plus petits pour l'instant.

— Comment osez-vous me questionner ainsi ! se défendit Bianca. Je ne veux pas de cet homme pour mari, mais je n'y peux rien si notre famille pense le contraire. Il vient chaque jour pour me séduire. Je le rejette chaque jour quand il vient. Je ne sais pas que faire de plus pour le décourager, Francesca. Cette situation n'est pas ma faute, et j'aimerais que vous cessiez de m'en rendre responsable. Blâmez notre grand-père, qui est un vieil homme entêté !

— Je vous déteste ! siffla Francesca, et elle partit d'un pas raide.

Les fiançailles entre la maison des Venier et la maison des Ziani furent annoncées à la société vénitienne avec un grand banquet. Elles étaient considérées comme un triomphe par les deux familles. Le prince Enzo était séduisant et bien aimé. La fiancée florentine était belle. La date du mariage fut décidée pour le vingtième jour de septembre. La couturière vint avec ses assistantes pour créer la robe de mariée de la fiancée. Elles apportèrent de beaux tissus parmi lesquels on s'attendait à ce qu'elle fasse un choix. Elles mesurèrent et pépièrent autour d'elle comme un groupe de moineaux affamés en hiver. Elle les retarda autant qu'elle put en prétendant que les étoffes n'étaient pas assez belles pour elle, insistant pour qu'elles envoient chercher à Florence du tissu de chez son père.

Bianca était furieuse contre son grand-père et Enzo Ziani, car ni l'un ni l'autre ne semblaient comprendre que son refus de même réfléchir à ce mariage avec Enzo Ziani était sincère. Ils la traitaient comme une enfant, incapable de prendre ses propres décisions, de sorte qu'ils les prenaient judicieusement à sa place. Ensuite, de voir Francesca faire la tête, boudant et marmonnant des imprécations contre elle, n'était pas particulièrement agréable. Non qu'elle blâmait sa jeune sœur. Après tout, que pouvait penser la pauvre fille dans de telles circonstances ?

– Oh, Agata, dit un jour Bianca à sa fidèle femme de chambre. Et s'ils avaient raison ? Et si Amir m'avait oubliée ? Et si j'attendais en vain ?

– Je crois que votre prince est un homme honorable, dit Agata. S'il a dit qu'il allait revenir pour vous, alors il reviendra, maîtresse. Vous ne devez pas perdre espoir ou bien votre foi en lui. Il viendra.

– Il vaut mieux que ce soit bientôt, dit sombrement Bianca. Nous sommes séparés depuis des mois maintenant et nous sommes déjà en août.

Puis, Bianca eut une idée. C'était une merveilleuse idée, mais en même temps, terrible. Et si le jour du mariage, Francesca prenait sa place devant l'autel aux côtés d'Enzo Ziani ? La fiancée porterait un voile lourd, et elles pouvaient appliquer une teinture foncée sur les cheveux de sa sœur. Ce ne serait pas avant qu'Enzo Ziani lève le voile pour embrasser sa femme qu'ils découvriraient qu'il s'agissait de Francesca. Mais alors, il serait trop tard, car la célébration du mariage aurait eu lieu et aurait été sanctifiée. Refuser sa femme provoquerait un plus grand scandale que l'accepter. Tout Venise aimait une bonne plaisanterie. On rirait, mais ensuite, on trouverait cela très romantique et on penserait au sacrifice noble qu'avait fait Bianca pour la petite sœur qu'elle aimait. Tout le monde savait que cette union n'en était pas une d'amour. Après, elle le serait, et Francesca satisferait son désir amoureux. Ziani et son grand-père pouvaient fulminer en privé, mais Bianca aurait davantage de temps pour attendre Amir.

– C'est une méchante, méchante idée, dit Agata. Votre grand-père a raison de dire qu'elle est trop jeune.

— Aimerais-tu plutôt que l'on m'oblige à dire oui devant l'autel, Agata ? Et ensuite, quand Amir viendra, je devrai m'enfuir, provoquant un scandale encore plus important ? demanda Bianca. Francesca serait mariée un an avant que *nonno* l'ait voulu, et alors ? Crois-moi, elle est plus que prête. Plusieurs filles sont mariées à douze ans. Elle en a déjà presque quatorze. Elle veut son prince, et je veux le mien. Les deux familles obtiennent tout de même l'union qu'elles désirent, même si la mariée n'est pas celle qu'elles escomptaient.

— Tout Venise rira en effet d'un tel événement, prévint Agata. Les deux familles deviendront la risée de la ville, maîtresse.

— Brièvement seulement, si elles sont assez intelligentes pour en rire avec le reste de Venise. On racontera que la jeune sœur voulait cet homme séduisant et donc, qu'elle l'a brillamment volé sous le nez de sa sœur aînée le jour même de son mariage. On considérera cela comme une grande histoire d'amour, et si Enzo est sage, il dira au monde à quel point il est chanceux d'avoir une épouse qui l'aime au lieu de l'autre qui ne l'aime pas, dit Bianca. Et alors, tout scandale mourra, comme il le devrait lorsque ma disparition deviendra le nouveau scandale.

— Comment expliquerez-vous que votre sœur soit absente à ce mariage ? voulut savoir Agata.

— Francesca a déjà déclaré qu'elle n'ira pas voir l'homme qu'elle aime en épouser une autre, dit Bianca.

— Mais voudra-t-elle participer à votre petit complot ? se demanda Agata.

— Je ne le saurai pas avant de lui parler, répondit Bianca.

Cependant, Francesca n'était pas dans un état d'esprit favorable pour entendre ce que sa sœur avait à lui proposer. Ce ne fut que lorsqu'Agata eut demandé à la femme de chambre de la jeune fille d'intercéder auprès de sa maîtresse qu'elle accepta d'écouter ce que Bianca avait à lui dire.

— Que me voulez-vous ? demanda-t-elle d'un ton revêche un matin quand elles eurent terminé leur repas. Grazia dit que je devrais au moins vous entendre.

— Venez et marchez avec moi, dit Bianca en invitant sa sœur. Le jardin est charmant.

— Eh bien, vous le sauriez mieux que moi, car vous y passez tellement de temps avec mon prince, répondit méchamment Francesca.

Bianca ne se donna pas la peine de se défendre, précédant plutôt sa sœur dehors où les chances que l'on surprenne leurs propos si elles parlaient à voix basse étaient moins grandes que si elles restaient dans le *palazzo.* Quand elles atteignirent la balustrade en marbre au bout du jardin, qui surplombait un petit canal, Bianca scruta attentivement leur environnement pour s'assurer qu'il n'y avait personne pour les entendre. Ensuite, elle tira sa sœur pour qu'elle s'assoie sur un banc de marbre afin qu'elles soient plus confortables.

— Souhaitez-vous épouser Enzo Ziani, ma sœur ? demanda-t-elle à Francesca.

— Vous savez que oui ! répondit la jeune fille, ses yeux verts se remplissant de larmes.

— Alors, vous le ferez, dit Bianca. Vous prendrez ma place le jour du mariage dans un mois. Vous serez lourdement voilée, et nous teindrons vos cheveux d'une nuance foncée. Quand il lèvera le voile après la cérémonie, il sera trop tard, car vous serez sa femme, Francesca.

— Oh, Bianca ! Pensez-vous qu'une telle ruse réussisse ? Oh ! Si oui, je serais la fiancée la plus heureuse de tous les temps à me présenter devant l'autel, dit Francesca, l'air furieux et pincé brusquement envolé de son beau visage, sa lèvre inférieure charnue tremblant, car elle était sur le point d'éclater en pleurs de bonheur.

— Je crois que cela peut être fait si nous sommes consciencieuses et très intelligentes, dit Bianca. Cependant, cela signifie que vous devez continuer à paraître me détester. Vous devez déclarer encore et encore que vous n'assisterez pas au mariage. Je vais convaincre *nonno* de vous laisser faire à votre tête dans cette affaire. Je vais lui dire que s'il me faut accepter ce mariage, alors je ne me ferai pas gâcher cette journée par les gémissements et les pleurs de ma sœur pour un homme qu'elle ne peut pas avoir.

— Vous feriez réellement cela, Bianca ? *Vraiment* ? Réellement ?

— Je ne veux pas d'Enzo Ziani, Francesca. Je suis encore amoureuse de mon infidèle, dit Bianca. Je n'aimerai jamais un autre homme qu'Amir.

— *Nonno* et la famille Ziani pourraient ordonner une annulation avant la consommation du mariage, fit remarquer Francesca.

— Ils le pourraient, et c'est un risque que nous devons courir, mais je ne pense pas qu'ils le feront. Le simple fait que la fiancée aura été remplacée suffira à provoquer un scandale. Aucune des deux familles ne voudra empirer la situation. Particulièrement si vous laissez entendre qu'Enzo a pris des libertés avec vous avant mon arrivée à Venise.

Qui peut prouver le contraire ? Et vous n'avez pas à dire de *quelles* libertés il s'agit. Après mon rejet si public d'Enzo Ziani, il pourrait difficilement annuler une union avec la sœur qui l'aime assez pour l'obliger à l'épouser au pied de l'autel, expliqua Bianca.

Les yeux verts de Francesca brillaient d'excitation.

– Cette manigance est digne de certains des tours que j'ai joués à notre mère quand j'étais enfant, glousse-t-elle.

– Elle est meilleure, répondit Bianca. Je me rappelle ces tours, ma sœur. C'est un plan bien plus compliqué. Maintenant, afin de jouer votre rôle, vous devez rester haineuse et rancunière envers moi aux yeux de tous. Vous ne pouvez absolument pas montrer votre excitation. Cela ne sera pas facile pour vous. Cependant, je vais vous aider en commençant à me montrer un peu plus favorable envers Enzo afin que *nonno* et lui croient que ma détermination faiblit.

– Je vais détester cela, admit Francesca, mais c'est vrai, il ne peut y avoir aucun soupçon quant à notre projet, Bianca. Merci ! Merci ! Vous êtes la sœur la plus intelligente qu'une fille puisse avoir.

Puis, elle se leva, et sa voix s'éleva aux oreilles de tous.

– Êtes-vous folle, Bianca ? Vous pardonner le vol de l'homme que j'aime ? Jamais ! Jamais !

Bianca était à présent debout.

– Mais Francesca, ce n'est pas ma décision. Combien de fois dois-je vous le dire, petite sœur ?

– Ne me mentez pas, espèce de petite vache voleuse ! cria presque Francesca. Je vous ai vue l'embrasser impudemment ici même, dans ce jardin !

Elle fit une œillade à Bianca.

– Et quant à vous accompagner lorsque vous conclurez ce mariage volé avec lui, je refuse ! Et je n'assisterai pas non plus à une telle parodie. Vous pouvez tous célébrer, mais moi, je ne le ferai pas !

Puis, la plus jeune fille rentra en trombe dans le *palazzo*, où au moins une demi-douzaine de domestiques avait entendu son accès de colère.

Agata se hâta de sortir pour consoler sa maîtresse. Elle trouva Bianca, le visage entre les mains, les épaules tremblantes.

– Oh, *signora*, ne pleurez pas, s'écria-t-elle en se précipitant pour la réconforter.

Bianca découvrit son visage pour dévoiler un grand sourire. Elle riait tant que ses épaules tremblaient et elle ne pleurait pas du tout. Cependant, elle étouffa son rire afin que personne ne l'entende.

Agata fit claquer une main sur sa propre bouche alors qu'elle se laissait choir sur le banc à côté de sa maîtresse.

– Mais j'ai entendu ce que vous a dit cette méchante fille, dit-elle à Bianca. Tout le monde dans le *palazzo*, ainsi qu'en amont et en aval du canal l'a entendue.

– C'était une ruse, expliqua Bianca. Francesca est enchantée du plan, mais nous ne pouvons pas soudainement nous réconcilier publiquement si nous voulons réussir, Agata. Il doit sembler que nous sommes encore fâchées à cause de ce mariage prévu.

– Ahh, dit la femme de chambre, comprenant. Je vois ! Je vois !

– Maintenant, escorte ta maîtresse peinée dans le *palazzo*. C'est une journée chaude, et je dois faire une sieste avant de devoir affronter mon prétendant aujourd'hui, dit Bianca.

Alessandro Venier avait réprimandé sa petite-fille cadette à cause de ce qui était dorénavant appelé « l'incident du jardin ». Il n'avait pas lui-même entendu la voix et les paroles de Francesca, mais ses serviteurs lui avaient rapporté son emportement. Il était surpris par ses deux petites-filles. Cette génération particulière ne semblait avoir aucun respect pour l'autorité et la tradition. Toutes ses filles — et il en avait engendré cinq avec quatre épouses — avaient été dociles. Même Orianna, une fois confrontée à la réalité de sa situation, avait fait ce qu'elle savait devoir faire sans une plainte.

Cependant, Francesca avait été, avant l'arrivée de sa sœur, un délice. Elle avait appris ses leçons sans rechigner, elle avait assisté à la messe avec lui quand il s'était donné la peine d'y aller et elle s'était avérée une compagne charmante à table. Elle le ravissait en jouant de son luth et en chantant pour lui le soir. Elle avait été parfaite en tout jusqu'à maintenant. Toutefois, avec l'arrivée de Bianca, tout avait changé. Il espérait qu'avec le mariage de Bianca, sa chère petite Francesca retrouverait son ancienne personnalité charmante et obéissante.

La toquade de Francesca pour Enzo Ziani, bien que charmante et amusante, était à présent devenue aussi lassante que l'insistance de Bianca pour dire qu'elle n'allait pas se remarier. Il ne pouvait pas croire que sa petite-fille aînée soit assez stupide pour ne pas comprendre sa situation, particulièrement parce qu'elle ne se sentait pas appelée par l'Église. Cependant, si elle n'était pas stupide, alors elle était misérablement têtue. Il souhaitait bonne chance à Enzo Ziani avec la jeune femme. Malgré les refus constants de Bianca à être courtisée convenablement, le jeune Ziani la voulait quand même. Alessandro Venier secoua la tête avec lassitude. Il croyait, après quatre épouses, connaître les femmes raisonnablement bien. Une femme qui refusait sans cesse un homme n'en était pas une qu'il aurait choisie pour partager sa vie ou son lit.

Mais tout à coup, Bianca semblait un peu mieux disposée envers son prétendant. Au lieu d'avoir à envoyer deux robustes valets de pied la chercher, elle venait de son plein gré quand on l'appelait pour accueillir son visiteur. Elle flirtait légèrement, mais pas assez pour nourrir un grand espoir chez lui. Néanmoins, c'était un changement agréable pour Enzo de ne pas devoir faire toute la conversation pendant qu'ils se promenaient dans le jardin. Elle n'était même pas défavorable au fait de s'asseoir pendant qu'il lui tenait la main et lui récitait des poèmes d'amour tarabiscotés écrits de sa main pour elle, bien que Bianca trouvait parfois difficile de retenir son rire ; particulièrement quand il la comparait à un parfait après-midi d'été ou à une étoile du soir lointaine et insaisissable tout juste hors de portée de sa main de mortel.

Quand il voulait un moment plus intime avec Bianca, c'était difficile pour elle, mais afin de poursuivre sa ruse où elle devenait plus ouverte à son destin, elle devait lui permettre certaines libertés. Ses baisers étaient séducteurs et, franchement, ils lui faisaient tourner la tête. Bianca en était très désorientée. Elle n'éprouvait aucun sentiment pour Enzo Ziani. Il n'éveillait aucun désir sexuel en elle, et pourtant, elle trouvait ses baisers très excitants.

Ses mains savaient exactement comment la caresser, de sorte qu'elle était incapable de retenir le frisson glacé qui longeait son échine quand elle lui permettait de la toucher. Bianca savait qu'elle devait limiter ses baisers et ses caresses au strict minimum. Ils devaient suffire à lui faire croire qu'il réussissait à la séduire, mais pas à lui donner à penser qu'elle était libertine et indigne de confiance. C'était difficile. Elle avait découvert à son propre étonnement – ou était-ce plutôt un choc ? – qu'une femme pouvait réagir aux caresses amoureuses d'un homme même si elle ne l'aimait pas. Il n'y avait personne à qui elle pouvait poser la question.

Cependant, son petit effort pour apaiser les appétits sexuels d'Enzo semblait le rassurer ; il pensait qu'une fois qu'ils seraient mariés, elle fonderait dans ses bras, et il pourrait la remplir de sa passion.

– Vous êtes adorable ! lui dit-il un après-midi. Je vous adore, Bianca !

– Vous êtes charmant, je dois l'admettre, lui dit Bianca, mais vous ne m'aimez pas, Enzo. Vous voulez m'épouser parce que nos familles croient que c'est la bonne chose à faire. Et je ne vous aime certainement pas, *cara*.

– Mais vous m'aimerez ! lui assura-t-il. Une fois que nous serons mariés, je vais vous apprendre à m'aimer, Bianca, et vous le ferez.

– Vous êtes un rêveur, Enzo. Vous devriez épouser une fille qui vous aime et non une veuve qui se languit d'un autre.

– Je vais vous faire oublier cet infidèle, Bianca ! jura-t-il.

— Comme vous me semblez jeune, dit-elle en riant de lui.

Il rit aussi à ce moment-là, constatant qu'elle avait raison. Il parlait vraiment comme un garçon.

— J'ai épousé Carolina à dix-sept ans, lui dit-il. Elle avait été choisie précisément pour moi, une cousine lointaine amenée de l'une des îles. Il n'y a jamais eu personne d'autre, Bianca. Je n'ai entretenu aucune maîtresse, car au début, nous étions deux enfants jouant au mariage. Nous avions un besoin insatiable l'un de l'autre. Quand elle m'a annoncé qu'elle était enceinte la première fois, j'étais comblé. Mais ensuite, elle a perdu l'enfant. Elle les a tous perdus. Je ne pouvais pas la trahir avec une autre femme, car au fur et à mesure des deuils, Carolina avait de plus en plus besoin d'être rassurée sur mon amour, malgré son échec à donner un héritier à ma famille.

»Je suis un homme, mais la vérité est que mon expérience avec les femmes n'est pas grande. Après le décès de ma première épouse, j'ai passé plusieurs années à la pleurer, car avec sa mort, j'ai compris que je l'aimais véritablement. Je crois que je commence à vous aimer, Bianca. Qui pourrait ne pas aimer votre beauté et votre douceur ?

— Ne vous convainquez pas que vous m'aimez, Enzo, lui dit Bianca. Je ne prendrai pas la responsabilité de vous avoir brisé le cœur, *cara*, même si je le ferai.

Mais évidemment, il ne l'écouta pas. Elle devait être sa femme, et cette fois, étant donné la réussite de sa mère en matière de naissances, il aurait une épouse qui allait mener à terme la naissance de son héritier.

— Mes habits de mariage seront assortis aux vôtres, lui dit-il. Nous serons le plus beau couple de tout Venise.

Et si la robe de mariage créée pour elle en était une indication, Bianca pensa qu'elle serait certainement une belle mariée. Elle était faite de soie lourde de couleur crème qui venait tout récemment d'arriver d'Orient dans l'entrepôt de son père à Venise. Le corsage de la robe serait extrêmement ajusté et brodé avec du fil d'or et de petites perles. Elle aurait un grand corsage carré ; les manches seraient longues, bouffantes et décorées de perles et de dentelle dorée. La jupe serait longue et fendue pour dévoiler une seconde jupe dorée brodée de diamants et de perles dans un motif de coquillage. Il y aurait plusieurs jupons dessous. Une cape de tissu doré serait attachée sur chaque épaule avec une grande perle-fermoir et s'allongerait derrière en une longue traîne. Sur la tête, elle porterait un chapeau à calotte haute fait de tissu doré avec un lourd demi-voile, qui cacherait son visage jusqu'à la fin de la cérémonie.

Bianca resta debout en silence tandis que l'on ajustait la robe sur sa silhouette chaque jour, puis que l'on continuait jusqu'à ce qu'elle soit enfin terminée.

– Le voilage est trop transparent, se plaignait-elle à la couturière. Je veux un voile plus épais pour mon chapeau.

– Je vais voir ce que je peux trouver, *signora,* dit la couturière. Cependant, ne voulez-vous pas que votre séduisant fiancé soit excité par une trace de votre visage sous le voilage ?

– Je suis Florentine et non Vénitienne, dit bien sagement Bianca. Qu'il s'agisse de mon deuxième mariage n'est pas important. Je ne vais pas m'exhiber devant tout Venise le jour de mon mariage avant que l'union soit consacrée. À Florence, un voile aussi mince serait considéré comme impudique. Ma mère en serait très bouleversée. Vous avez de la chance qu'elle ne soit pas ici.

Agata et Francesca réprimèrent un rire. Les deux savaient que Bianca racontait un mensonge éhonté, mais dans les circonstances, la couturière ne pouvait ni se plaindre ni la contredire.

Et quand la femme et ses assistantes furent parties, Agata verrouilla la porte de la chambre à coucher derrière elle. Puis, Bianca et elle aidèrent Francesca à mettre la robe de mariée pour voir les retouches qu'il y avait à faire, le cas échéant. Toutefois, à leur grand soulagement, et au ravissement de la cadette, elle lui allait parfaitement, sauf à la poitrine, ce qui pouvait être facilement et rapidement corrigé.

Francesca se pavana devant le long miroir dans la pièce-penderie de sa sœur.

– C'est une robe parfaite, dit-elle avec excitation. Je vais être l'envie de toutes les filles de Venise grâce à elle et pour avoir capturé Enzo Ziani comme mari.

– Vous êtes une fille très chanceuse que votre sœur comprenne votre passion pour ce jeune prince et vous aide à obtenir ce que votre cœur désire, dit sévèrement Agata. Maintenant, nous allons vous retirer cette robe avant que vous l'abîmiez.

– Ensuite, allez faire un tapage pour dire à quel point je serai laide, la taquina Bianca.

– *Nonno* sera très en colère lorsqu'il découvrira ce que nous avons fait, dit Francesca tandis qu'elle levait le pied pour sortir des jupes de la robe.

– Oui, il le sera, acquiesça Bianca, mais il sera alors trop tard. Ni lui ni la famille Ziani ne voudront être encore plus la risée qu'ils ne le seront déjà à cause de ce tour. Ils devront en rire avec le reste de Venise. Et *nonno* aura de la difficulté à me trouver un autre mari après cela. Toutefois, Francesca, êtes-vous certaine que c'est ce que vous voulez ? Le fait que je ne veuille pas épouser Enzo Ziani ne signifie pas que vous deviez prendre ma place devant l'autel.

– Non, répondit Francesca. Enzo est l'homme que je veux, et maintenant, je vais l'avoir. Mais Bianca… et si votre prince ne vient pas pour vous ? Que ferez-vous, alors ?

– Il viendra, dit Bianca.

« Mais où est-il ? » se demanda-t-elle.

Sûrement, il avait maintenant rejoint Istanbul et préparait déjà son retour. Il devait le faire. Il restait moins d'un mois avant le mariage. Elle voulait être partie avant ce jour-là. Elle ne voulait pas mettre Francesca dans le rôle de femme mariée à un si jeune âge. Francesca ne comprenait pas que même si le mariage faisait partie du destin de toutes les filles respectables, elle avait du temps devant elle avant de devoir s'installer en couple. Du temps pendant lequel elle pouvait être courtisée par plusieurs hommes convenables. Du temps que Bianca n'avait pas eu. Toutefois, si Amir n'arrivait pas bientôt, Francesca épouserait Enzo Ziani et leur grand-père renverrait probablement Bianca à Florence pour avoir joué un tour aussi incorrigible aux deux familles.

Le doge en personne venait assister à la cérémonie. Il avait invité les familles à faire célébrer le mariage dans l'une des chapelles de Saint-Marc. C'était un honneur que l'on ne pouvait pas refuser. Alessandro Venier acheta une gondole neuve et mandata deux artistes pour décorer l'embarcation qui transporterait la fiancée jusqu'à la cérémonie et ramènerait les nouveaux mariés à son *palazzo* pour un splendide banquet de noces. La gondole, quoique noire, avait une cabine qui était dorée sur feuille et des fenêtres en vitrail. L'intérieur de la cabine était tapissé de velours et de brocart de soie. Le jour du mariage, elle serait remplie de fleurs, et occupée par le couple de jeunes mariés.

– Vous n'avez rien eu de semblable lors de votre premier mariage, dit leur grand-père à Bianca.

– Non, *nonno,* c'est vrai, acquiesça Bianca. Et ma robe n'était pas non plus aussi belle que celle que l'on termine pour moi. Je vous en remercie.

– Vous ne serez pas malheureuse avec Enzo Ziani, Bianca, dit Alessandro Venier, lui parlant pour la première fois d'une voix plus douce. C'est le mari idéal pour vous. J'ai eu de la chance en choisissant les maris pour mes filles et mes petites-filles, lui dit-il fièrement. Votre propre mère, quoique réticente, a été heureuse avec votre père.

– Oh, elle l'est, *nonno,* approuva Bianca.

« Évidemment qu'elle l'est, songea la jeune femme. Il lui permet de faire à sa guise presque en tout. Toutefois, vous n'aurez pas le dernier mot dans cette affaire, *madre.* Je vais avoir l'homme que j'aime, même si vous n'avez pas pu. »

Août prit fin, et les jours de septembre semblèrent filer à toute vitesse. Soudainement, c'était la veille de son mariage, et Amir n'était pas venu la chercher, et elle n'avait pas non plus reçu des nouvelles de lui. Bianca luttait contre elle-même pour ne pas paniquer. Francesca était presque malade d'excitation, particulièrement parce qu'elle n'osait pas le montrer à qui que ce soit. Même sa propre femme de chambre, Grazia, n'avait pas été incluse dans le complot de Bianca, car Grazia était une des domestiques Venier. Elle n'était pas venue de Florence avec Francesca. Sa première loyauté était envers son maître ; ainsi, Grazia ignorait ce qui allait se produire le lendemain, de peur qu'elle n'expose leur plan soigneusement élaboré.

– Rentre chez toi et rends visite au nouveau-né de ta sœur, dit Francesca à sa servante. Et tu ferais aussi bien d'y rester un ou deux jours. Je ne voudrai pas de compagnie demain, quand ma sœur épousera l'homme que j'aime. Je resterai probablement au lit toute la journée.

Grazia était ravie d'accepter l'offre de sa jeune maîtresse. Francesca n'avait pas été une compagne agréable depuis l'annonce des fiançailles de Bianca. Demain, elle serait probablement une terreur, sanglotant et déplorant un sort cruel. Grazia était heureuse d'échapper aux scènes qui allaient certainement suivre au cours des heures suivantes et des jours ensuite. Elle n'était pas au courant que les intrigantes avaient besoin qu'elle sorte de la maison afin qu'elles puissent teindre la splendide chevelure blond-roux de Francesca en noir pour que la ruse ne puisse pas être facilement éventée. La plus jeune fille ressemblait bien assez à son aînée pour qu'avec une chevelure sombre, elle puisse aisément tromper même sa famille pendant un court instant.

Bianca avait donné des ordres stricts pour que personne, à l'exception d'Agata, ne la serve le jour de son mariage. Quand son grand-père tenta d'interférer, elle prétendit faire une colère afin qu'il la laisse agir à sa guise. Puis, avec Agata, elle habilla Francesca de ses plus beaux atours de fiancée. La cadette était faible tant elle était excitée.

– Êtes-vous certaine de vouloir faire cela ? demanda encore une fois Bianca à Francesca. Je peux encore simplement refuser de m'habiller et de monter dans la gondole.

— Non ! Non ! répondit Francesca. Je veux épouser Enzo !

— Ainsi soit-il, dit Bianca en baissant le lourd demi-voile qui dissimulerait les traits de sa sœur afin qu'elle ne soit pas reconnue trop tôt.

Agata regarda par la fenêtre.

— Votre grand-père vient à l'instant d'embarquer dans sa gondole. Il a l'air très élégant aujourd'hui dans sa robe de velours bleu foncé. Elle est bordée d'or et de perles, comme votre robe. Ahh, voici la gondole nuptiale qui s'arrête au quai du *palazzo*. C'est une bonne chose que ni l'une ni l'autre, vous êtes sensible aux fleurs, car je n'en ai jamais vu autant de ma vie.

Bianca étreignit doucement sa sœur.

— Merci de m'aider, dit-elle.

— Vous aider ?

Francesca rit doucement.

— *Vous* m'aidez, ma chère sœur, et je vous serai reconnaissante pour l'éternité.

— Je vais accompagner la fiancée en bas, dit Agata. Restez cachée jusqu'à mon retour et après le départ du groupe du mariage, maîtresse.

Puis, elle ouvrit la porte de l'appartement que partageaient les deux sœurs et, précédant la silhouette nuptiale, elle descendit l'escalier du beau vestibule circulaire. Agata s'essuyait délicatement les yeux avec un bout de lin, et les autres domestiques qui se rassemblèrent pour voir la fiancée se firent mutuellement des signes de tête, touchés par sa dévotion envers sa maîtresse. Agata, ils le savaient, partirait pour le *palazzo* d'Enzo Ziani dans un jour pour servir sa maîtresse dans son nouvel état de mariée.

Une fois que la fiancée et sa servante furent à l'extérieur du *palazzo* et sur le quai, des valets de pied gantés et en livrée aidèrent la future mariée à monter dans l'embarcation parée de fleurs, étalant les jupes de sa robe afin qu'elles ne se froissent pas. La grande gondole s'éloigna du quai et, guidée par le bateau de son grand-père, elle glissa sur le petit canal avant de déboucher dans le Grand Canal. Francesca regarda par les fenêtres vitrées, enchantée par le matin ensoleillé de septembre, rendu encore plus beau par le verre teinté. Le paysage urbain de chaque côté de l'eau semblait magique. Depuis son arrivée à Venise un an et demi plus tôt, elle était très peu sortie du *palazzo* et du jardin de son grand-père, sauf pour quelques rares événements importants et officiels où le prince Alessandro souhaitait exhiber sa petite-fille sous peu éligible au mariage.

Le cœur de Francesca battait d'excitation. Dans moins d'une heure, elle serait mariée à l'homme de ses rêves. S'il était déçu au début, son amour pour lui effacerait assez vite toute déception ; elle en était absolument convaincue. Elle serait la femme d'Enzo et elle se consacrerait à faire son bonheur, à porter ses enfants et à les élever admirablement, comme sa propre mère l'avait fait. Bianca était idiote de rejeter un avenir aussi merveilleux en attendant un homme qui ne reviendrait probablement jamais. Sa sœur aînée serait sûrement renvoyée à Florence pour atténuer le bref scandale qui éclaterait après les événements de la journée. Dieu seul savait ce que leur mère ferait d'elle. Francesca gloussa, très contente d'elle-même.

Soudainement, il y eut des cris à l'extérieur, et sa gondole fut frappée plusieurs fois par un autre bateau. Francesca regarda à travers les fenêtres pour voir ce qui se passait. Un certain nombre de grandes barges remplies de marchandise avait coupé son embarcation de la gondole de son grand-père. Et il semblait qu'elle fut entourée de tous les côtés.

« Comme c'est gênant », songea Francesca, agacée.

Elle ne voulait pas être en retard pour son mariage. Puis, le rideau de velours fut écarté par un homme chauve à la barbe noire avec une boucle d'oreille en or dans le nez et une autre dans son oreille gauche. Tendant la main à l'intérieur, il attrapa la main gantée de dentelle de Francesca et la tira en avant.

Francesca cria en tirant à son tour dans l'autre sens.

– Que faites-vous, lui demanda-t-elle. Lâchez-moi ! Lâchez-moi !

Elle tenta de libérer sa main de la sienne, en vain.

Le vilain ignora ses demandes et plutôt, il la tira plus violemment, l'arrachant à son siège, ce qui lui fit totalement perdre l'équilibre. La sortant de la cabine, son agresseur la lança par-dessus sa large épaule comme si elle était un sac de farine. Il sauta hors de la gondole nuptiale, dans une plus petite gondole dissimulée entre l'embarcation de Francesca et les barges. Pour ceux qui observaient, ce fut un exploit étonnant d'équilibre. Il aurait pu tout aussi facilement tomber dans l'eau avec son fardeau, mais l'homme imposant était agile.

Poussant rudement sa victime dans le bateau, il passa un tissu foncé sur sa tête. Francesca criait encore pour attirer du secours qui ne venait pas. La vérité était que sa voix ne se faisait pas entendre par-dessus les cris des hommes des barges. Les domestiques d'Alessandro Venier, et les propres gondoliers de Francesca se débattaient à présent dans l'eau du canal où ils avaient été jetés. Que lui arrivait-il ? Qui était cet homme qui l'arrachait à la merveilleuse vie qu'elle avait planifiée ? Francesca commença à pleurer. Elle était soudainement très effrayée, elle avait de la difficulté à respirer et son ventre se révulsait, maintenant qu'elle était à l'étroit et avait trop chaud. Sans prévenir, elle s'évanouit.

Quand elle rouvrit les yeux, elle se découvrit suspendue en l'air entre la petite gondole en dessous et la plus grande embarcation au-dessus. Sous elle, elle vit les rames d'une galère. Francesca hurla alors que son corps, toujours vêtu de sa robe de mariée, oscillait. On la montait avec un treuil, comprit-elle, alors que le bastingage d'un navire apparaissait juste sous elle. Plusieurs hommes coururent pour la monter sur le pont et pour la détacher du mécanisme qui l'avait retenue. Libérée, Francesca découvrit que ses jambes réussissaient, elle ne savait comment, à la soutenir debout malgré sa terreur.

– Ma bien-aimée !

Un grand homme séduisant se précipita en avant. Il était habillé d'un long pantalon blanc ceinturé de vert foncé et d'une chemise blanche ouverte au cou, qui montrait en partie un torse bronzé. Son visage était rasé de frais, sauf pour un bouc foncé bien taillé, et ses yeux étaient d'une magnifique teinte de bleu foncé.

– Ne vous ai-je pas dit que je viendrais vous chercher, Bianca ? demanda-t-il.

Il souleva le voile couvrant son visage, la regarda, et recula de surprise.

– Au nom d'Allah, qui êtes-vous ? exigea-t-il de savoir.

Il pivota brusquement en rugissant.

– Vous avez pris la mauvaise femme, espèce d'idiots !

Francesca commença à rire tandis que ses craintes s'évaporaient avec la certitude de savoir qui était cet homme.

— Non, non, *signore,* ne les fustigez pas. Ma sœur et moi avons changé de place ce matin, car j'aime Enzo Ziani, et elle a insisté pour dire que son prince viendrait.

Puis, sans prévenir, son estomac se rebella, et elle vomit partout sur le bout des bottes foncées de l'homme.

— Qui êtes-vous ? lui demanda-t-il, faisant signe à un marin de nettoyer le dégât avec un seau d'eau de mer. Marchons sur le pont, dit-il à la fiancée, et vous me le direz.

— Je suis Francesca Pietro d'Angelo, *signore,* la sœur cadette de Bianca. Je vis ici avec mon grand-père à Venise depuis que j'ai eu douze ans, il y a un an et demi. On me préparait pour un mariage vénitien. Puis, mes parents ont envoyé Bianca ici, et *nonno* a décidé que Bianca allait épouser mon Enzo.

Francesca poursuivit son explication en lui dévoilant l'ensemble de leur plan.

Amir ibn Jem ne put se retenir de rire quand elle eut terminé. Sa brillante Bianca avait été chanceuse d'avoir une jeune sœur qui était prête, non, impatiente de l'aider.

— Où est-elle en ce moment ? demanda-t-il à Francesca.

— Elle se cache dans le *palazzo* de *nonno,* lui répondit la fille. Si vous souhaitez la secourir, vous n'avez pas beaucoup de temps, *signore.* Et vous devez aussi fuir Venise, car ils sauront que c'est vous qui l'avez enlevée. Elle ne cesse de dire depuis des mois à qui veut l'entendre que vous n'allez pas la décevoir. Où sommes-nous maintenant ?

— Ancrés au milieu du lagon entre l'île de *San Giorgio Maggiore* et le *Lido,* répondit Amir. À quelle distance est-ce du *palazzo* de votre grand-père, Francesca ?

— Le petit canal menant à son *palazzo* se trouve près de l'extrémité du Grand Canal, juste après *Santa Maria della Salute*. Je peux vous montrer, car vous allez devoir me ramener.

— Je m'excuse d'avoir gâché le jour de votre mariage.

— Ce n'était pas réellement le mien, répondit Francesca. Je vais épouser Enzo un jour, mais lorsque je le ferai, il saura que c'est moi et que je l'aime. J'ai été stupide de croire qu'il pouvait en être autrement. Je pense que tout le monde a raison. Je suis trop jeune pour me marier en ce moment. Toutefois, si vous ne m'aviez pas kidnappée, *signore*, je n'aurais pas eu le temps de le voir. Le mariage est bien plus complexe qu'une belle robe et une gondole ornée de fleurs, me dit-on. Mais nous devons nous hâter maintenant, sinon vous perdrez l'occasion de récupérer votre amour.

— J'ai dit à mes hommes de barge de garder tout le monde occupé jusqu'à ce que mon navire ait une chance de se retrouver en pleine mer. Ils feront de leur mieux pour retarder les recherches pour la fiancée enlevée, mais vous avez raison : il nous faut nous dépêcher, dit Amir à la jeune fille.

Il donna des ordres dans une langue que Francesca ne comprenait pas, puis elle se retrouva une nouvelle fois descendue dans la petite gondole. Amir se lança en bas à côté d'elle, puis ils furent éloignés avec une perche du navire du prince. Le gondolier rama très rapidement à travers le lagon et dans le Grand Canal. Francesca le dirigea jusqu'au petit canal secondaire où était situé le *palazzo* de son grand-père.

— Les domestiques seront occupés à préparer le banquet de noces et à boire le vin de *nonno* pendant qu'il n'est pas là pour les surprendre, dit la fille au prince. Si nous sommes prudents et rapides, nous pouvons nous glisser en douce facilement dans la maison.

Et c'est ce qu'ils firent, montant en hâte le large escalier de marbre et longeant le corridor jusqu'à l'appartement partagé par les deux sœurs. Agata sursauta sous la surprise quand Francesca entra dans la pièce, mais voyant ensuite la silhouette familière du prince Amir, elle poussa un petit cri, ce qui amena Bianca à sortir de sa chambre à coucher.

Voyant sa sœur, elle eut le souffle coupé d'étonnement, mais ensuite, elle vit Amir. Ses yeux aigue-marine s'arrondirent, puis se remplirent de larmes.

— Vous êtes venu ! dit-elle, les larmes se déversant sur ses joues pâles.

Il s'avança, enveloppant Bianca dans ses bras.

— Je suis venu, acquiesça-t-il. Ne vous l'avais-je pas promis ?

— Il me semble qu'il s'est écoulé une éternité, lui dit Bianca.

— Nous n'avons pas beaucoup de temps pour prendre la fuite, ma bien-aimée, lui dit-il.

— Agata, viens et aide-moi à laver la couleur foncée de mes cheveux, dit Francesca.

— Ne soyez pas longue, dit le prince pour prévenir la femme de chambre.

Puis, entraînant Bianca à l'écart, il lui expliqua la mascarade qui avait transparu alors qu'il enlevait la fiancée et l'emmenait sur son navire.

Bianca trouva toute l'affaire très drôle et rit comme elle ne l'avait pas fait depuis plusieurs mois. Mais ensuite, sachant qu'ils étaient encore en danger, elle se leva.

— Que dois-je emporter ? lui demanda-t-elle.

– Rien, sauf Agata, si elle veut venir, dit-il. J'ai des vêtements appropriés pour vous deux sur mon navire, ma bien-aimée. Vos atours vénitiens ne seraient pas du tout convenables pour la vie que vous allez mener. Êtes-vous encore certaine de vouloir venir avec moi, Bianca ?

– Oui ! Et oui un millier de fois, Amir ibn Jem, cœur de mon cœur, lui dit-elle.

– Agata, viens ! Nous devons partir maintenant ou risquer d'être pris.

La chevelure de Francesca était à présent lavée de la teinture foncée, mais mouillée. Elle courut jusqu'à Bianca et la serra fortement dans ses bras.

– Soyez heureuse, ma chère sœur !

Puis, elle murmura :

– Il est vraiment scandaleusement séduisant, Bianca. Je ne vous blâme pas.

– Je suis tellement désolée que votre journée de mariage à Enzo ait été gâchée, dit Bianca à sa jeune sœur. Si vous l'aimez réellement, Francesca, ne vous contentez pas d'un autre.

– Je ne le ferai pas, répondit Francesca. Mais d'abord, je vais le rendre jaloux. Maintenant, partez vite avant que l'on vous surprenne et qu'on emprisonne votre prince. Le doge adorerait un prisonnier semblable.

Les deux femmes et le prince quittèrent l'appartement et descendirent en hâte pour fuir le *palazzo*. Francesca avait eu raison. Les domestiques étaient si occupés à boire le vin de leur maître et à préparer le banquet de noces prévu sous peu que les fugitifs avaient réussi à entrer et à sortir sans être vus. Ils montèrent dans la gondole en attente. En peu de temps, on ramait pour les emmener sur le Grand Canal et à travers le lagon, puis on les soulevait sur le pont de la galère. Le gondolier, à leur surprise, vint aussi, car il était en fait un des hommes du prince. Le petit navire vogua vers la mer.

Bianca et Agata furent accompagnées jusqu'à une grande cabine où Amir les laissa pour qu'elles passent des vêtements turcs pendant qu'il donnait des ordres pour que le bateau s'échappe des eaux vénitiennes avant que la précieuse cargaison qu'il emportait soit découverte. Les tenues, quoique totalement différentes de ce qu'elles avaient porté toute leur vie, étaient magnifiquement conçues. Elles enfilèrent chacune un pantalon bouffant, qu'elles nouèrent avec une large ceinture à la taille, un chemisier modeste à manches longues, une veste sans manches et des chaussons confortables. Il y avait un seul voile transparent en soie pour la tête et le visage et elles comprirent vite qu'il était destiné à la plus jeune femme. Les vêtements étaient de toute beauté, faits avec les plus beaux tissus. L'une des tenues était de la couleur d'un melon mûr, et Agata avait tout de suite su qu'il était pour sa maîtresse, car elle était décorée de petits bijoux et de franges dorées. L'autre, qu'elle portait à présent, était simple, mais elle était en fait de la très jolie couleur de la mer bleue.

Quand les deux femmes s'aventurèrent sur le pont principal, maintenant adéquatement parées de leurs nouveaux vêtements, ce fut pour voir les tours brillantes et les dômes de Venise s'évanouissant au loin et la pleine mer s'étirant devant elles. Une nouvelle vie les attendait, et Bianca avait l'air plus heureuse et plus à l'aise qu'elle ne l'avait paru aux yeux de sa servante depuis des mois. Agata ne savait pas ce qui les attendait au-delà de la mer devant, mais la joie de Bianca était trop puissante pour l'ignorer. Peu importe ce à quoi elles feraient face, ce serait bon, décida la domestique.

Chapitre 13

Au milieu de l'après-midi, tout Venise avait maintenant entendu le récit de la manière dont la fiancée Venier avait été kidnappée le jour de son mariage et vite emmenée. On soupçonnait qu'elle avait été enlevée par un Turc sans foi ni loi – un prince, disait-on. Les domestiques d'Alessandro Venier furent rapides à commérer et ils racontèrent que la fille affirmait depuis des mois que son prince viendrait la chercher. Et elle n'avait pas caché qu'elle ne voulait pas épouser le charmant Enzo Ziani, alors que sa sœur cadette continuait de déclarer son amour pour l'homme.

Comme c'est beau, décrétèrent les commères de la *piazzetta* et de la *piazza* San Marco tandis qu'elles se promenaient de long en large avec les meilleures des courtisanes de la ville. La famille Ziani fut insultée du kidnapping de la fiancée, mais elle pouvait difficilement rendre le vieux prince responsable des événements. Néanmoins, elle cherchait quelqu'un à blâmer. Au lieu de construire une gondole aussi extravagante pour transporter la fiancée, Alessandro Venier n'aurait-il pas pu mieux organiser la sécurité de sa petite-fille ? Pourtant, les Ziani n'avaient pas pris les paroles de Bianca à propos de son prince plus au sérieux que sa propre famille.

Alessandro Venier était lui-même choqué par ce qui s'était produit. Il décida de blâmer Francesca pour la débâcle.

— Vous avez souhaité du malheur à votre sœur, l'accusa-t-il, et voilà le résultat de votre méchanceté !

— Je ne voulais pas qu'elle épouse mon Enzo, c'est vrai, dit Francesca, mais je ne souhaiterais jamais malheur à qui que ce soit, *nonno*. C'est votre faute, car vous avez poussé Bianca à épouser un homme dont elle ne voulait pas. Cependant, vous pouvez racheter le nom des Venier en leur proposant de me prendre. J'aurai quatorze ans dans moins de sept mois, et vous avez dit que je devrais me marier à quatorze ans.

Alessandro Venier regarda vivement sa petite-fille.

— Que savez-vous de ce qui s'est produit, Francesca ? Comment cet infidèle a-t-il communiqué avec Bianca ? Et où est sa femme de chambre ? J'aimerais lui parler.

— J'imagine qu'Agata est avec Bianca, dit gentiment Francesca. Elle est très dévouée à ma sœur, *nonno*.

— Cet enlèvement ne s'est pas produit par hasard ! Si la domestique est avec sa maîtresse, alors quelqu'un d'autre dans cette maison savait ce qui allait transpirer et il les a aidés, dit furieusement Alessandro Venier. Était-ce vous, Francesca ?

— *Nonno* ! Comment aurais-je eu la possibilité de contacter un infidèle sur qui je n'ai jamais posé les yeux et de concocter un événement comme celui qui s'est produit aujourd'hui ? Je n'ai rien eu à voir là-dedans !

« Évidemment, qu'elle n'a rien eu à y voir », songea son grand-père.

Il se raccrochait désespérément à n'importe quoi dans un effort pour sauver cette mauvaise situation. La vérité était que même s'ils avaient réussi à récupérer la garde de Bianca, la famille Ziani n'en voudrait plus à présent. En s'enfuyant avec son infidèle, elle les avait embarrassés publiquement. Même si Enzo Ziani était follement amoureux d'elle, il ne pourrait pas accepter de la reprendre. Francesca interrompit le fil de ses pensées avec une question encore plus troublante.

— Que direz-vous à mes parents sur cette journée ? demanda-t-elle à son grand-père.

— Allez dans votre chambre, dit-il.

Qu'allait-il dire à sa fille ? Qu'elle avait élevé une enfant impossible et désobéissante ? La vérité était que le premier mariage de Bianca était à la source de tout ce mal aujourd'hui. Si Orianna et son mari ne s'étaient pas laissés effrayés par Sebastiano Rovere, que Dieu maudisse son âme, Bianca aurait fait un mariage vénitien heureux, et cela aurait été la fin de l'histoire.

Toutefois, ils avaient pratiquement poussé la fille dans les bras de ce monstre décadent, et aujourd'hui, un second mariage avait amené l'idiote à se rebeller. Cette situation n'était pas sa faute, décida Alessandro Venier. C'était celle des parents de Bianca, et il comptait bien leur en faire porter la responsabilité.

Il allait devoir, évidemment, réparer les dégâts avec les Ziani. La dot de Bianca fut par nécessité abandonnée à eux à titre de dédommagement. Puis, il leur fit miroiter celle — plus importante — de Francesca. Il avait lui-même bonifié la dot de sa petite-fille préférée. La famille refusa poliment.

Il persista. Enzo Ziani faisait publiquement le deuil de sa perte aux yeux de tout Venise, buvant et courant les prostituées tous les soirs jusqu'à ce que tout le monde parle de lui.

— Il n'est pas en ce moment dans un état d'esprit pour se remarier, dit le patriarche Piero Ziani à son vieil ami Alessandro Venier. La famille souhaite lui accorder la satisfaction de passer sa peine et sa gêne, mais il doit se marier bientôt une seconde fois. Nous avons besoin d'un héritier. Je serai franc avec vous, Alessandro. Francesca est belle et accomplie. Cependant, elle est trop jeune pour mon petit-fils Enzo. Carolina avait quatorze ans quand elle l'a épousé et voyez comment tout cela s'est terminé. Non, nous devons chercher une femme plus âgée, peut-être de dix-sept ou dix-huit ans, qui aura de meilleures chances de porter un enfant vivant pour nous. Bianca était parfaite. Je regrette ce qui s'est passé en ce jour qui aurait dû être celui de leur mariage.

— Pas plus que moi, Piero, dit son compagnon.

— Savez-vous avec certitude qui l'a enlevée ?

— Il semble que son ravisseur soit Amir ibn Jem, le petit-fils du sultan Mehmet. Elle le connaissait un peu, car il était son voisin quand elle habitait dans la villa des Pietro d'Angelo, dit Alessandro Venier, racontant une demi-vérité.

— Enzo m'a rapporté qu'il avait dit qu'il viendrait la chercher, murmura Piero Ziani.

— Les paroles d'un fou romantique. Qui pouvait croire de tels mots, sauf une fille romantique encore plus folle ? Et qui aurait cru qu'il finirait par venir ?

Piero Ziani hocha la tête en signe d'assentiment.

— Certainement, il était plus qu'un voisin pour l'aimer autant, dit-il. Si ce n'était pas ma famille qui était embarrassée ou mon petit-fils qui avait le cœur brisé, j'admirerais un exploit aussi audacieux. Enzo a demandé au doge de déposer une plainte auprès du sultan et d'exiger de récupérer la fille, mais évidemment, le doge a refusé. Le scandale mourra, et nous ne pouvons pas mettre en danger nos relations avec une personne aussi puissante que le sultan Mehmet à cause d'une fiancée enlevée. D'ailleurs, aucun vœu n'avait été prononcé.

Alessandro Venier hocha la tête en guise d'approbation, mais en vérité, il était furieux de l'attitude de la famille Ziani. Puis, il en vint à la conclusion que son ami avait raison. Dans le contexte global, Bianca était une fille sans importance. Venise n'allait pas entrer en guerre avec un partenaire commercial puissant pour elle. Ce qui était fait était fait.

– Si Enzo n'est pas pressé de prendre Francesca de nouveau en considération, dit-il à Piero Ziani, souvenez-vous que sa mère a donné naissance à un fils en santé neuf mois après son mariage. Marco a presque vingt ans aujourd'hui, Piero. Orianna n'était pas beaucoup plus âgée que sa fille Francesca. Tous les enfants de ma fille ont survécu à la prime et à la petite enfance. Sept enfants. Tous en santé. Tous vivants.

– Voyons ce qui se passe dans un ou deux mois, dit Piero Ziani.

Alessandro Venier devait se satisfaire de cela. Il écrivit à sa fille Orianna, lui racontant tout ce qui s'était produit, déplaçant brillamment la responsabilité de la fuite de Bianca sur les épaules d'Orianna et de Giovanni Pietro d'Angelo. La famille Venier avait été la risée de Venise, et tout cela était leur faute. Ils auraient dû garder Bianca à Florence jusqu'à ce qu'elle soit débarrassée de son obsession pour son infidèle. Et si elle n'y avait pas réussi, on aurait dû l'emprisonner dans un couvent cloîtré où elle n'aurait pas fait tomber la honte sur leurs deux familles, comme elle l'avait fait en s'enfuyant. Ils devaient considérer qu'elle était morte pour eux. Son nom ne devait plus jamais être prononcé au sein de la famille.

Quant à Francesca, il ferait du mieux qu'il pouvait pour elle.

Lisant la lettre de son père, Orianna, tour à tour, était furieuse et avait le cœur brisé. Avoir ainsi été défiée par sa propre enfant la mettait en colère. Perdre sa fille aînée la réduisait aux larmes. Néanmoins, son père avait raison. Le nom de Bianca devait leur être interdit. Son souvenir, effacé. En choisissant son prince infidèle, elle s'était placée hors de portée de la bonne société respectée. Bianca était à présent morte pour eux tous.

Mais en voguant sur la côte Adriatique, Bianca ne pensait qu'à son bonheur retrouvé. Comme il n'y avait pas de véritable intimité sur le navire, cela signifiait que toutes relations sexuelles entre Amir et elle devaient être reportées pour l'instant, mais cela ne la dérangeait pas. Ils étaient à nouveau ensemble. Un pavillon avait été installé pour les deux femmes à l'extrémité de la poupe du navire. Il y avait un canapé en soie et plusieurs chaises en cuir et en bois pour s'asseoir et deux petites tables incrustées de tuile. Elles passaient la plupart des journées sous un auvent aux rayures bleues et dorées, qui les protégeait des rayons directs du soleil. L'équipage du navire n'avait pas le droit de s'approcher d'elles. Seul Amir pouvait les rejoindre.

Le voyage allait leur donner le temps de s'habituer à plusieurs changements dans leur vie. Leurs vêtements n'étaient que le début. Bianca ne porterait plus jamais les belles robes avec lesquelles elle avait grandi ou Agata, ses jupes pratiques. La tenue turque était, à leur grand étonnement, très modeste. Elles portaient des pantalons bouffants avec une blouse et par-dessus celle-ci, une veste brodée sans manches. Une ceinture large à la taille attachait ces pièces ensemble. Elles étaient couvertes du cou jusqu'aux chevilles. Quand elles montaient sur le pont, chacune des femmes portait une pelisse avec un capuchon qui pouvait se remonter, et le visage de Bianca était voilé. Cependant, le plus grand changement de tous était que Bianca serait à présent connue sous un nouveau prénom.

— *Bianca*, dit Amir, signifie « blanc » et il est indicatif de votre ancienne vie à Florence et à Venise. À compter d'aujourd'hui, vous serez appelée « Azura », pour vos beaux yeux aigue-marine.

Amir prit ses deux mains dans les siennes et il les embrassa.

— Ma belle lady Azura, lui murmura-t-il.

« Je suis Azura, à présent, songea-t-elle avec bonheur. Un nouveau prénom. Une nouvelle vie. » C'était bon. À son grand étonnement, elle trouva facile de se dépouiller de son ancienne identité de Bianca. Ainsi, elle laissait derrière elle toute la noirceur et la misère de son passé. Cependant, elle ressentit bien une certaine tristesse à abandonner sa famille. Néanmoins, ne l'avaient-ils pas jetée à Sebastiano Rovere afin de sauver son frère Marco ? Sa seule valeur pour eux avait été la façon dont ils pouvaient se servir d'elle pour aider la famille. Son bonheur signifiait peu de choses pour eux, mais elle avait fait l'impensable. Elle avait pris sa vie entre ses propres mains et fait son choix sur la manière dont elle allait la vivre. Contemplant Amir, elle sut qu'elle avait pris la bonne décision.

Tirant avantage des vents d'automne, leur navire fila sur la mer Adriatique vers la Méditerranée. Ils dépassèrent les îles de Corfou, Paxos, Céphalonie et Zakynthos. Bien que son vaisseau soit bien armé, Amir se découvrit soulagé d'avoir échappé à toute attaque des très féroces pirates des côtes locales. Un assaut sur son navire aurait été repoussé, mais il ne voulait pas que les deux femmes à bord souffrent d'un événement aussi effrayant.

Alors qu'ils contournaient la péninsule du Pénopolèse, il pointa l'île de Kythira, lieu de naissance de Vénus et foyer ancestral de la famille Venier. Les jours étaient chauds, même si de temps à autre, ils essuyaient une journée pluvieuse. Mais alors, ils se trouvaient dans la mer Égée, passant entre Lemnos et Lesbos, naviguant tranquillement dans le détroit des Dardanelles et enfin, dans la mer de Marmara tôt un matin brumeux. Lentement, tandis qu'ils atteignaient la légendaire cité d'Istanbul, la brume fut brûlée par un soleil vif.

Azura était restée debout, à regarder la ville prendre forme devant elle. « Elle est, songea-t-elle, encore plus belle que Venise. » La ville était construite sur sept collines au-dessus d'une haute et étroite pointe de terre entre Marmara et une baie connue sous le nom de « Corne d'Or ». Alors que leur navire s'approchait, Azura put voir les rues et les bâtiments descendre dans un désordre pêle-mêle des collines jusqu'à la mer. Ils passèrent devant des palais et des jardins érigés au bord de l'eau.

— Les Russes appellent cette ville *Tsarigrad*, ce qui signifie la « ville de César », lui dit Amir. Les Nordiques qui viennent ici l'appellent *Mickle Garth,* ce qui veut dire « puissante ville ».

— Elle est extraordinaire à contempler, mon seigneur, lui dit-elle. Vivrons-nous ici ?

— Non. Je veux que mon grand-père sache que nous sommes rentrés sains et saufs, mais ensuite, nous devons faire un voyage de trois jours pour aller chez moi. Comme je vous l'ai dit, c'est au bord de la mer Noire. Nous allons continuer sur ce vaisseau, et pendant notre séjour ici, vous resterez à bord. Il est peu probable que le sultan veuille vous voir, ma bien-aimée. Si on l'interroge, il doit sembler ignorant de vos actions et des miennes. Venise est un partenaire commercial important pour nous.

— Les hommes ! grogna Agata quand il fut parti. Je parierais que le doge n'a envoyé personne pour vous récupérer, maîtresse. Les chrétiens et les infidèles en appellent à la religion lorsque cela fait leur affaire, mais ni les uns ni les autres ne permettront d'interférence entre eux en ce qui a trait au commerce.

Azura rit.

— Tu as raison, acquiesça-t-elle, mais tandis qu'elle parlait, elle regardait Amir qui quittait le navire et montait sur un grand étalon blanc qui avait été amené afin qu'il chevauche depuis les quais jusqu'au palais de son grand-père.

Un homme noir comme le charbon, torse nu et vêtu d'un pantalon bouffant en tissu doré, retenait la bête, qui était magnifiquement caparaçonnée d'une belle selle en cuir rouge et d'une bride en argent. Six janissaires entourèrent son prince dès qu'il fut à cheval, et ils partirent.

Azura le regarda s'éloigner, pensant que dans trois jours, ils seraient au *palazzo* qu'elle appellerait dorénavant son foyer. Non, pas un *palazzo*. Un sérail. Le sérail du Clair de lune. Amir lui enseignait le turc et même si elle n'avait jamais auparavant parlé une autre langue que la sienne, elle découvrit qu'elle l'apprenait étonnamment facilement. Cela lui permettrait de parler avec ses deux autres épouses, ce qui était important pour nouer une amitié avec elles.

Agata ne l'avait pas aussi facile, par contre.

– Elle me tord la langue, se plaignit-elle, mais elle continua néanmoins à faire des efforts, découvrant à sa grande surprise qu'elle comprenait plus la langue quand on lui parlait que ce qu'elle était elle-même capable d'exprimer. Cela, se dit-elle, pouvait s'avérer utile pour elle et pour sa maîtresse. Si les gens de la nouvelle maisonnée dans laquelle on les intégrait pensaient qu'elle ne les comprenait pas, Agata pouvait découvrir plus d'information qui pouvait leur être utile. Elle expliqua cela à sa maîtresse.

– C'est très intelligent, Agata, lui dit Azura. Amir me dit que ses deux épouses sont prêtes à m'accueillir et impatientes de le faire, mais je ne suis pas idiote. Je ne peux pas être certaine de cela avant de les connaître. Leurs domestiques parleront devant toi, et tu seras capable de me tenir informée. Je serai la troisième épouse, me dit Amir, mais la première dans son cœur.

– On permet à ces infidèles d'avoir quatre épouses, ai-je appris, dit Agata. Je ne nie pas qu'il vous aime, maîtresse, mais vous allez devoir travailler fort pour conserver sa faveur.

Azura hocha la tête.

– Je sais, dit-elle. Je n'ai rien dit avant, mais je savais cela avant de décider de venir avec lui, Agata. Je savais, à

Luce Stellare, que si je le suivais, je devrais le partager avec les autres. Toutefois, je l'ai aimé presque dès l'instant où nous nous sommes rencontrés. J'aime mieux avoir une partie de lui que rien du tout.

— Vous êtes en effet une femme rare, maîtresse, dit Agata sincèrement.

— Ou une imbécile, dit Azura avec un sourire ironique. Néanmoins, je suis plus heureuse avec lui que je l'ai été avec n'importe qui d'autre.

Oui, elle l'était, mais ces dernières semaines en mer, privée de sa passion, une passion qu'on lui refusait depuis trop longtemps maintenant, avaient été difficiles. Pourquoi est-ce que les gens croyaient que les femmes ne pouvaient pas avoir les mêmes désirs que les hommes ? Elle souffrait dans tout son corps de l'absence de caresses d'Amir, et les quelques baisers qu'ils avaient réussi à voler depuis qu'ils étaient réunis n'avaient fait qu'empirer son besoin. Et maintenant, elle devait partager sa passion avec deux autres femmes ! Pourtant, même de telles pensées ne pouvaient pas nuire au bonheur de la nouvellement baptisée « Azura ». Elle avait fait son choix et elle ne pouvait pas reculer.

Le sultan Mehmet accueillit chaleureusement son petit-fils.

— D'après votre sourire, je suis enclin à croire que vous avez satisfait le désir de votre cœur, Amir, dit-il.

— Oui, répondit le prince, s'inclinant bien bas devant son grand-père et son seigneur.

— Et à quel point avez-vous causé des ennuis à Venise pour l'obtenir ? demanda le sultan.

— Leur représentant s'est-il plaint ? rétorqua Amir.

— Non, répondit le sultan.

Il fit signe à un esclave d'apporter des rafraîchissements, indiquant qu'il souhaitait que son petit-fils reste un moment.

— Laissez-moi vous raconter l'histoire d'une aventure, dit Amir.

Quand son grand-père hocha la tête, il commença.

— Il y avait une fois un prince si désespérément amoureux d'une belle dame qu'il ferait tout ce qu'il pourrait pour faire d'elle sa femme.

Amir poursuivit alors en racontant au sultan comment, sans que son prince le sache, la dame de son cœur et sa sœur avaient changé de place le jour fatal de son mariage. Il relata la farce où la mauvaise fille avait par conséquent été kidnappée et emmenée sur le vaisseau du prince. Comment, en découvrant la ruse, le prince avait dû ramener la mauvaise jouvencelle et aller chercher sa dame. Comment ils avaient fui Venise en laissant immanquablement le chaos derrière eux et un scandale pour les deux familles impliquées. Il n'utilisa pas de noms, de sorte que même les esclaves sur place, qui se laissèrent prendre à l'histoire, ne pouvaient pas prétendre que le prince du récit était Amir.

Le sultan Mehmet hurla de rire tandis qu'il pensait à l'enthousiasme d'Amir d'être réuni avec son amante, seulement pour découvrir qu'il s'agissait de sa sœur cadette. Il admirait la fille qui avait gardé son sang-froid malgré sa frayeur et aidé Amir à redresser toute cette situation.

— Donc, à Venise, personne ne sait que c'était la jeune sœur qui aurait épousé l'homme qu'elle aimait et non la dame du cœur de ce dernier ? Un plan adroit, mon garçon. Vous vous êtes approprié une femme intelligente. Je ne peux qu'espérer qu'elle s'entende avec Maysun et Shahdi. Rien de pire, pour un homme, qu'un harem querelleur.

– Mes épouses sont des femmes très agréables et au bon caractère, dit Amir. Elles accueilleront Azura dans notre foyer.

– Vous l'avez nommée « Azura » ? demanda le sultan.

– Pour ses yeux, grand-père. Ses yeux sont d'une nuance aigue-marine des plus extraordinaires, expliqua Amir.

Le sultan eut un léger sourire. Son petit-fils était en effet un homme amoureux. Il était heureux pour eux deux qu'il n'eût pas hérité de la nature désobéissante de son père. Mehmet savait qu'il pouvait remercier la *kadine* anglaise qui avait été pour cela la favorite de Jem.

Elle était une fille sage qu'ils avaient nommée *Zayna,* signifiant « beauté », qui avait rapidement appris les manières du harem. Elle avait soigneusement protégé son unique fils, lui enseignant la plus totale obéissance au sultan. Au moment de sa mort, quand Amir n'était encore qu'un garçon, il avait déjà bien assimilé sa leçon. Amir était le seul parmi ses fils et ses petits-fils en qui le grand sultan avait confiance pour ne pas le trahir.

Les propres fils du sultan se querellaient sans cesse. Les fils de son aîné, Bayezit, étaient aussi ambitieux que leur père, chacun ayant une mère différente aspirant à voir son propre fils régner un jour. Cependant, l'unique fils de Jem s'était sagement retiré de tout cela une fois qu'il avait été assez vieux pour prendre une telle décision. Il était devenu un prince marchand vivant à Florence, envoyant de petits renseignements et des potins à son grand-père de temps en temps.

Il avait ce faisant déçu son propre père. Aujourd'hui, Amir était de retour dans les limites de l'empire de Mehmet. Serait-il réellement satisfait d'être un gentleman de la campagne avec ses femmes, ses chiens et ses chevaux ? Mais alors, il aurait aussi ses trois navires marchands, et son intérêt pour eux avait toujours été très fort.

– Grand-père, mon seigneur.

Les pensées du sultan furent interrompues. Il fixa ses yeux sombres sur Amir.

– Mon seigneur, je vous demanderais une faveur. J'aimerais qu'Azura vienne au sérail du Clair de lune en tant que mon épouse légale. Voudriez-vous la représenter devant votre imam personnel afin que cela soit fait aujourd'hui ?

– Évidemment ! dit le sultan avec enthousiasme. Vous faites un grand honneur à cette femme, Amir.

Puis, il convoqua son imam afin qu'il les rejoigne. Un scribe vint aussi pour rédiger les documents qui lieraient légalement la femme connue sous le nom d'« Azura » au prince ottoman connu sous celui d'« Amir ibn Jem ». Au regard de la loi, il n'était pas nécessaire qu'Azura soit présente à un tel événement. Quand ce fut fait, l'imam pria pour la santé du sultan et de son empire avant qu'Amir reparte pour son navire, emportant les parchemins légaux déclarant qu'Azura était sa femme.

Il la trouva avec Agata dans la grande cabine du vaisseau, mangeant leur repas principal de la journée. Tandis qu'Azura se plaignait de l'absence de cette merveilleuse invention florentine qu'était la fourchette, elle semblait assez satisfaite de se servir à présent de ses doigts, prenant de petits morceaux d'agneau rôti avec deux doigts et ramassant le riz safrané avec les trois autres dans un mouvement imitant la cuillère. Il se joignit à elles, s'assoyant en tailleur à la tête de la petite table.

— Vous avez trouvé votre grand-père en bonne forme, mon seigneur ? lui demanda-t-elle poliment alors qu'elle cessait de manger pour lui préparer une assiette de nourriture avec l'aide d'Agata.

— Très bonne et assez content de me voir pour demander à son propre imam et à son scribe de veiller à la légalité de notre union, ma bien-aimée. Vous êtes à présent officiellement ma femme, lui dit-il.

— Ne dois-je pas me présenter à mon propre mariage ? lui demanda Azura, le ton légèrement agacé. Souvenez-vous que vous avez juré que je ne devrais pas abandonner ma foi personnelle, Amir.

— Vous ne le faites pas, dit-il.

— Alors, nous devons faire bénir cette union par un prêtre de ma confession, lui dit-elle.

— Vous ne trouverez pas un seul prêtre dans tout l'empire qui bénira une union semblable, ma bien-aimée, lui dit-il franchement. Vous devez vous satisfaire de savoir qu'à l'intérieur du cadre des lois de l'empire de mon grand-père, vous êtes à présent considérée comme ma femme légale, Azura.

Il sortit de sa robe le parchemin qu'il avait emporté du palais. Le déroulant, il le lui tendit.

— Il y a la signature du sultan sur ce document. Il a agi en votre nom, à titre de tuteur parental. Il vous a fait un grand honneur.

L'ancienne Bianca se réveilla brièvement, mais elle l'obligea à s'en aller, permettant à la femme qu'elle était aujourd'hui – et devait être – de parler pour elle. Elle avait librement choisi cette vie. Elle avait avec plaisir tout laissé derrière elle ce pour quoi elle était née afin de pouvoir vivre avec cet homme.

– Était-ce un beau mariage ? lui demanda-t-elle avec espièglerie.

Si elle était déjà condamnée à brûler en enfer pour ce mariage, ses paroles n'allaient pas empirer son cas auprès de Dieu.

– Il a été simple et rapide, dit-il en tendant la main pour saisir la sienne et la presser.

Il n'était pas un imbécile. Il savait tout ce que cette acceptation lui coûtait, mais qu'elle était prête à la supporter uniquement pour lui prouver son grand amour pour lui. Il embrassa la main dans la sienne.

– Dois-je vous laisser, maîtresse ? demanda Agata.

La femme de chambre sentait des larmes lui picoter l'arrière des paupières. L'amour entre ces deux personnes était irrésistible.

– Non.

Le prince répondit pour eux deux.

– Je ferais mieux d'aller en haut et donner des ordres pour notre départ.

Il se leva précipitamment et les quitta.

– Comme il vous aime, dit Agata.

– Je sais, répondit Azura. Je sais.

Leur navire s'éloigna du quai sur la Corne d'Or et se fraya un chemin à travers l'étroit détroit du Bosphore. De chaque côté d'eux, de belles collines vertes bordaient l'eau. Enfin, ils sortirent du détroit et entrèrent dans la mer Noire.

Leur trajet les gardait en vue du rivage, car cette mer pouvait s'avérer changeante. Les tempêtes qui survenaient rapidement étaient aptes à devenir très dangereuses et mortelles. Puis, le troisième matin, Agata réveilla Azura avec excitation.

— Venez ! Venez voir, dit-elle à sa maîtresse. Nous sommes ancrés, et le sérail du Clair de lune est en vue ! On dirait un bijou blanc immaculé dans les collines vertes, maîtresse ! Il est beau. Dans tout Florence et dans tout Venise, je n'ai jamais rien vu de si beau !

Azura se leva de son lit et vint regarder.

— Oh, comme c'est joli ! s'exclama-t-elle, contemplant le petit palais qui serait bientôt son foyer.

Il était situé sur une haute falaise surplombant la mer. Il y aurait des dépendances, évidemment, et des jardins, car Amir adorait les jardins. Elle ne pensait pas que tout endroit qu'il appellerait sa maison puisse être dénué de jardins. Elle était impatiente de tout voir.

— Habillons-nous vite, dit-elle à Agata.

La porte de la cabine s'ouvrit, et Amir entra.

— Ahh, dit-il, ravi, vous êtes réveillée et vous pouvez voir votre nouvelle demeure, ma bien-aimée.

— Quand descendons-nous à terre ? lui demanda-t-elle avec excitation.

— Sous peu, lui dit-il. Je dois aller voir si le messager que j'ai envoyé d'Istanbul est arrivé sain et sauf et si tout est prêt pour vous.

— Un messager ? dit Azura, curieuse.

— Un pigeon, lui dit-il. C'est ainsi que je communique avec mon grand-père ou mes épouses lorsque c'est nécessaire ou que mes capitaines communiquent avec moi quand leurs navires arrivent au port après un voyage. C'est très pratique.

– Oh, regardez ! s'écria Agata. Un drapeau vient à l'instant d'être hissé sur le toit du sérail, mon seigneur. Il est vert et il arbore un croissant de lune.

– On nous souhaite la bienvenue, dit Amir avec un sourire. À l'évidence, mon message a été reçu par le chef de mes eunuques, Diya al Din. Il dirige ma maisonnée comme un majordome servant dans la maison d'un noble à Venise ou à Florence. L'eunuque gardien de mon harem s'appelle « Ali Farid ».

– Avez-vous d'autres femmes dans votre harem en plus de vos deux premières épouses ? s'enquit Agata audacieusement auprès du prince.

C'était une question que sa maîtresse avait envie de poser, elle le savait, mais ne le ferait pas. Agata comprenait aussi qu'une fois qu'ils quitteraient le vaisseau, sa capacité de poser des questions de manière aussi candide serait sévèrement réduite.

Amir parut amusé par la question.

– Je n'ai aucun besoin d'un harem rempli de femmes querelleuses, leur dit-il. Il n'y en a pas une que j'ai besoin ou envie d'impressionner. Les seules autres femmes de ma maisonnée sont des servantes. Peut-être ta maîtresse ne te l'a-t-elle pas dit, Agata, mais mes deux premières épouses ont été prises à la demande du seigneur mon grand-père, le sultan, afin d'honorer des alliés politiques des familles dont elles sont issues. Leur statut doit être respecté, mais c'est ta maîtresse qui règne seule sur mon cœur. Dorénavant, ne te permets plus de me poser des questions, femme. Bien que tu ne sois pas une esclave, tu es une servante dans ma maison et sujette aux mêmes règles et coutumes que tous les autres qui me servent. Une telle audace perturbera les eunuques. Me comprends-tu ?

Il la regarda directement de ses yeux bleus sévères.

— Oui, prince, mon seigneur, répondit Agata en s'inclinant jusqu'à la taille, comme sa maîtresse lui avait récemment appris qu'il fallait le faire.

Un mouvement poli accompagnant toute réponse à son endroit, qu'il s'agisse d'un oui ou d'un non.

— Pardonnez mon impudence. Cela ne se reproduira plus.

La bouche d'Amir tressaillit, mais il réussit à ne pas rire. Ce genre d'adaptation allait être très difficile pour la Florentine spontanée, mais Amir savait qu'elle ferait de gros efforts pour le bien de sa maîtresse.

— Si l'on nous a souhaité la bienvenue, mon cher seigneur, sommes-nous donc libres de descendre à terre ? lui demanda Azura en souriant. Je veux bien admettre que je suis impatiente de prendre un bain, car je suis malodorante après plusieurs jours en mer.

— Habillez-vous et mettez vos pelisses, leur dit-il en les quittant. Je vais y aller maintenant et vérifier que le bateau est prêt à nous amener sur le rivage.

Peu de temps après son départ, les deux femmes, vêtues de leurs capes et voilées, le rejoignirent sur le pont. Ils furent installés dans un bateau, qui fut ensuite descendu du vaisseau et déposé dans la mer agitée. Azura pouvait comprendre comment la mer Noire avait hérité de son nom. Elle n'avait jamais vu auparavant des eaux aussi sombres et menaçantes. Elle pensa aux eaux bleu vif et turquoise de la mer Adriatique, Méditerranéenne et d'Égée sur lesquelles ils avaient navigué. Même la petite mer de Marmara avait semblé bien plus accueillante que ces eaux-ci. Les deux femmes furent soulagées de voir qu'on ramait rapidement pour amener l'embarcation jusqu'au rivage rocailleux, où un groupe de gens attendait leur arrivée.

– Prince, mon seigneur, bienvenue à la maison !

Un grand homme mince s'avança en exécutant une révérence.

– Merci, Diya al Din, dit Amir. La dame avec moi est ma nouvelle épouse Azura et elle est accompagnée de sa femme de chambre, qui s'appelle « Agata ». Sache qu'Azura a tout mon amour et toute ma confiance, mon vieil ami. J'ai attendu longtemps pour la trouver, puis la faire mienne.

– Je suis heureux de l'entendre, prince, mon seigneur, dit Diya al Din.

Puis, il se tourna vers Azura et, s'inclinant devant elle, il lui souhaita la bienvenue au sérail du Clair de lune.

Une litière avait été descendue du petit palais, car la remontée était considérée comme ardue pour une femme. Azura, tout comme Agata, fut confortablement installée et transportée par quatre porteurs, qui ne semblèrent pas le moins du monde essoufflés. Ils avancèrent au trot à travers un splendide jardin qui cédait lentement la place à l'automne, puis dans le palais lui-même. Quand ils reposèrent enfin la litière au sol, ses rideaux furent écartés par un eunuque à la peau claire qui les aida à en descendre. Elles se retrouvèrent en face d'un autre grand homme noir comme du charbon. Cet eunuque, cependant, était plus fortement charpenté que l'élégant Diya al Din.

— Je suis Ali Farid, le maître du harem du prince.

Il se présenta avec une voix haut perchée.

— Je souhaite la bienvenue à lady Azura au sérail du Clair de lune. Soyez prévenue que vous devez me rendre des comptes pour tout ce que vous faites, tout comme votre femme de chambre. Je n'accepterai pas de désobéissance parmi les femmes sous ma responsabilité. En tant que troisième épouse de mon maître, votre statut est inférieur à celui des deux autres. Maintenant, suivez-moi, et je vais vous accompagner dans vos appartements.

Agata donnait l'impression d'être sur le point d'exploser comme un feu d'artifice chinois, mais un regard d'avertissement de sa maîtresse l'aida à garder le silence.

Ali Farid les précéda dans le vestibule où la litière avait été déposée et à travers deux portes à larges battants ouvrant sur une vaste pièce au sol carrelé, vide de meubles.

— Ici, nous permettons aux femmes locales de venir étaler leurs marchandises pour votre examen. Vous pouvez acheter ce qui vous plaît, dit-il, expliquant l'usage de cette pièce. Je vais payer pour vos achats.

Tournant à droite, il les guida à travers une plus petite porte lambrissée ouvrant sur une petite antichambre, puis il passa une autre porte lambrissée donnant sur un petit salon carré. Il était meublé de tables basses, de lampes et d'un grand assortiment de coussins multicolores. À l'extrémité du salon il y avait un mur de fenêtres en verre au plomb. Au-delà, un merveilleux jardin surplombait la mer.

— Je n'ai jamais vu un si splendide étalage de fenêtres ! dit Azura à voix haute. C'est beau, Ali Farid, comme toute cette pièce.

– Oui, ce l'est, acquiesça-t-il, content du compliment.

Il semblerait que la troisième épouse du prince soit une femme bien disposée.

– Ce corridor, dit-il en pointant à sa gauche, mène aux bains du harem. Peut-être que lady Azura et sa femme de chambre souhaiteraient prendre un bain sous peu, dit-il en reniflant délicatement.

– En effet, oui ! lui dit Azura et elle rit. Moi-même, je trouve l'odeur qui flotte autour de moi nauséabonde après tous ces jours en mer, Ali Farid.

– Si je l'ai offensée, je demande pardon à lady Azura, dit l'eunuque gardien du harem.

– Nenni, je crains que ce ne soit moi qui vous aie offensé, lui dit Azura.

Il hocha légèrement la tête, puis il pointa une arche menant à un autre corridor.

– Les chambres à coucher pour les dames de la maison sont là. Il y en a trois d'un côté du vestibule et une de l'autre côté. Chacune des trois plus petites chambres possède une pièce séparée pour une servante.

Il les entraîna à l'extrémité de la rangée, faisant entrer les deux femmes dans une petite suite. Voici vos chambres, dit-il à Azura. Je vais envoyer un eunuque pour vous servir, milady, et il vous escortera jusqu'aux bains.

Puis, sur une petite révérence, il les quitta.

– Bien ! dit Agata. Je ne suis pas certaine d'aimer cet Ali Farid.

– Il sert bien Amir, et c'est tout ce qui compte, dit Azura. Nous sommes entrées dans un monde différent. Tu savais qu'il ne ressemblerait pas à notre ancien monde. Observe, écoute et apprends. As-tu vu les deux autres épouses lorsque nous sommes arrivées ? C'est presque comme si ce harem est déserté de tous, sauf par nous. Je n'ai même pas vu d'autres servantes.

— Elles sont là, vous pouvez en être sûre, milady, et elles vous ont déjà épiée de l'endroit où elles se sont cachées, répondit Agata.

Puis, elle marcha jusqu'à la chambre à coucher.

— *Madre di Dio* ! Cette chambre est loin d'être un endroit convenable pour recevoir le prince, milady. Il n'y a pas réellement de véritable lit non plus.

Azura suivit sa femme de chambre et regarda autour d'elle. La pièce n'était pas grande, mais pas petite non plus. Ses murs étaient à moitié blanchis à la chaux et à moitié recouverts de tuiles d'un beau bleu turquoise. Le lit, un épais matelas posé sur une estrade basse, aurait de la peine à accueillir deux personnes. Il y avait un unique coffre peint pour ses effets personnels, qu'elle possédait maintenant en petit nombre ; une petite aire pour s'asseoir sur des coussins ; une table basse en ébène et plusieurs lampes, une suspendue, les autres installées sur la table.

— Je dois supposer que c'est tout ce à quoi je dois m'attendre, dit Azura. Les appartements du prince seront plus grands. Je soupçonne que c'est là que nous aurons nos moments en privé, Agata.

— C'est maigre en effet, milady Azura, mais comme pour tous les nouveaux départs, cela requiert une touche personnelle, dit une voix.

Un vieil homme brun entra dans la pièce.

— Je suis Nadim, envoyé par le zélé Ali Farid pour vous servir d'eunuque personnel, milady Azura. Je ne suis ni important ni influent, mais alors, une troisième épouse ne l'est pas non plus. Je me doute, par contre, vous ayant vue, que l'incomparable Ali Farid se trompe cette fois dans son jugement. Il lui faudra du temps pour le comprendre, mais quand il le fera, j'espère vous être devenu suffisamment indispensable pour qu'il ne soit pas en mesure de me congédier. Je vais vous servir loyalement, milady Azura.

Elle rit et même Agata, qui avait compris les paroles de l'eunuque, sourit. Elle aimait déjà cet homme et savait qu'en effet, il la servirait bien.

– On me dit que vous avez grandement besoin d'un bain, milady. Je vais vous escorter maintenant, si vous êtes prête, dit l'eunuque. J'ai déjà prévenu les esclaves du bain.

Elles le suivirent depuis les nouveaux quartiers d'Azura jusqu'aux bains, mais quand Nadim les suivit dans l'antichambre des bains, Agata s'indigna.

– Vous ne pouvez pas entrer ici ! le réprimanda-t-elle en s'efforçant de trouver les bons mots dans cette nouvelle langue.

– C'est mon devoir, dit-il lentement afin qu'elle le comprenne. Je suis un eunuque et je ne ressens aucun désir pour le corps féminin.

Azura parla rapidement dans leur propre langue florentine.

– Je sais que c'est très différent pour nous, mais il a raison. Et les femmes du bain font ce qui doit être fait, Agata. Nadim m'aidera simplement à me déshabiller et il ira chercher des vêtements propres. Tu n'as pas à te sentir honteuse.

– Bien, maîtresse, si cela ne le dérange pas, je vais simplement attendre son départ avant de me dévêtir, dit nerveusement Agata.

— Ma femme de chambre n'est pas à l'aise avec les eunuques pendant le bain, dit Azura à Nadim alors qu'elle lui permettait de la déshabiller.

Il hocha la tête, compréhensif.

— C'est différent pour les femmes qui arrivent de l'Occident, dit-il. Vous opposerez-vous si je brûle ces tenues ? Je ne crois pas que l'on puisse leur rendre leur propreté après de si nombreuses semaines d'usage. Que possédez-vous d'autre ?

— Il y avait deux tenues pour chacune de nous deux sur notre navire, lui dit Azura. Ces vêtements étaient ceux qui étaient dans le meilleur état, je le crains.

— Je vais veiller à ce que vous ayez des vêtements propres une fois que vous serez lavée. Et je vais veiller à ce que l'on vous donne une nouvelle garde-robe complète aussi vite que l'on peut la coudre, milady. Je n'ai pas l'intention de voir l'une ou l'autre de ces deux femelles suffisantes qui se réclament du titre de première et deuxième épouses vous éclipser. Elles ne sont pas dignes du prince Amir. Vous, je le vois, l'êtes.

Il détailla son corps nu avec des yeux étonnamment perçants.

— Oui, vous êtes réellement belle.

Puis, sur une petite révérence, il partit en hâte en emportant ses vieux vêtements.

— Bon ! se hérissa Agata. Il est très impudent pour un vieil esclave.

— Non, dit lentement Azura. Il se révélera un grand atout pour moi dans ce nouveau monde une fois que je serai assurée de sa loyauté.

— Comment pouvez-vous savoir s'il est votre créature ou non ? se demanda Agata tandis qu'elle retirait sa propre tenue sale.

— Je n'en suis pas sûre encore, lui dit Azura, mais je le saurai.

La préposée en chef des bains se précipitait vers elles à présent, souriant largement.

— Bienvenue, bienvenue, milady Azura. Bonté, nous avons beaucoup de travail pour vous rendre présentable pour le prince. Nous avons déjà été avisées qu'il voudra vous avoir dans son lit ce soir. Je peux vous dire, dit-elle en baissant la voix, qu'il y avait certaines personnes très irritées dans cette maison quand la nouvelle s'est répandue.

— J'apprécie vraiment beaucoup votre assistance, dit poliment Azura, soupçonnant déjà que cette femme était très importante dans la hiérarchie du harem.

Amir l'avait informée que les bonnes manières dans le harem, même envers les plus humbles, étaient très valorisées. Elle laissa la femme l'emmener ailleurs pendant qu'Agata, à présent aussi nue que sa maîtresse, la suivait.

— Je suis Halah, dit la chef des bains. Tout d'abord, vous devez être rincée. Entrez dans cette coquille de marbre, dit-elle à Azura.

Puis, elle tapa dans ses mains, et deux femmes commencèrent à verser de l'eau chaude sur la nouvelle épouse. Une fois rincée, elle fut emmenée dans une autre coquille où les deux femmes, maniant de grandes éponges savonneuses, la lavèrent une fois, la rincèrent et la lavèrent une deuxième fois. Mais après le deuxième savonnage, Halah vint avec ce qui ressemblait à une longue et mince lame et elle la passa sur chaque centimètre de la peau d'Azura. La jeune femme fut stupéfaite de voir l'eau savonneuse se remplir de saleté avec chaque passage de la lame. Elle fut encore rincée. Un troisième savonnage et rinçage suivirent. Puis, elles lavèrent sa chevelure ébène.

Tandis qu'Halah s'occupait personnellement d'Azura, les deux autres préposées au bain assistaient Agata, lui enseignant comment se laver correctement.

— Je ne pense pas avoir été un jour aussi propre de toute ma vie, dit Agata dans sa nouvelle langue.

Les deux préposées sourirent et hochèrent la tête en signe d'assentiment, emmenant ensuite Agata jusqu'à une piscine chaude où elle rejoignit Azura pour tremper un certain temps dans les eaux parfumées. Les esclaves féminines brossèrent leurs chevelures jusqu'à ce qu'elles soient sèches pendant qu'elles se reposaient.

— Nous ferons cela quotidiennement, dit Azura à sa servante. Voilà quelque chose que j'aurais aimé partager avec ma mère et mes sœurs.

— Les prêtres dénonceraient cela comme de la vanité de la chair, dit Agata.

Azura rit.

— Tu as probablement raison, dit-elle.

Elles furent sorties de la piscine avant qu'aucune partie d'elles n'ait eu le temps de plisser. Les ongles de leurs doigts et de leurs orteils furent coupés et leurs pubis, épilés. Agata fut emmenée ailleurs et trouva Nadim l'attendant avec des vêtements propres. Elle rougit, mais l'eunuque l'ignora, sauf pour lui tendre chaque article à mesure qu'il était requis. Entre-temps, Azura fut emmenée sur un banc en marbre où avait été installé un matelas de plumes afin qu'elle s'y allonge. On étala de la lotion sur son corps par partie, et les mains fortes mais douces d'un jeune eunuque la massèrent jusqu'à ce qu'elle soit presque endormie. Elle était satisfaite et détendue.

Nadim l'attendait avec des vêtements propres.

– Cela s'appelle un caftan, dit-il à Azura. Vous trouverez cela très confortable à porter et pour dormir. J'ai envoyé votre Agata à la cuisine pour chercher le repas léger que j'ai commandé pour vous plus tôt. Elle m'a dit que ni l'une ni l'autre, vous n'aviez mangé aujourd'hui.

Il fit glisser le caftan sur sa tête, le tirant avec précaution vers le bas.

– Vous avez de beaux cheveux, observa-t-il. Ils sont comme la soie la plus noire.

– Dans ma ville natale, une chevelure foncée est considérée comme ordinaire. Ce sont les jouvencelles avec des cheveux dorés et roux qui sont complimentées, dit Azura à Nadim.

– Et pourtant, vous êtes incroyablement belle, dit l'eunuque.

– Le prince me dit que les femmes du harem s'espionnent les unes les autres et se servent des eunuques pour leur apporter de l'information, lui dit Azura. Vas-tu m'espionner ?

– Non, lui dit-il sans hésitation. Le fait que le prince vous ait fait demander dans son lit ce soir, ignorant la tradition qui exige que ses épouses soient amenées pour satisfaire ses besoins dans l'ordre de leur importance, me dit que vous allez éventuellement détenir tout le pouvoir dans ce harem. Ali Farid ne le voit pas encore, sinon il ne m'aurait pas envoyé à vous. J'ai servi la mère de votre prince jusqu'à sa mort. Avant son décès, elle a demandé au prince Amir de toujours me garder dans sa maison. Il l'a fait, mais parce que mon passé a été oublié par cet eunuque suffisant, je n'ai été que toléré, et l'on m'a confié uniquement des tâches sans importance.

» Quand le prince est venu à la maison la dernière fois, il nous a dit qu'une nouvelle épouse intégrerait sous peu le harem, et je suis allé le voir en secret pour le supplier d'être nommé votre eunuque. Le prince s'est souvenu de mon long et fidèle service à sa mère, puis il m'a emmené devant Ali Farid, lui disant que je serais l'eunuque qui allait servir sa nouvelle femme. Comme on ne me croit pas important, on a pensé que la nouvelle épouse ne le serait pas non plus. Mais ce n'est pas le cas, milady Azura, n'est-ce pas ? Je soupçonne que vous possédez le cœur du prince. Une fois qu'elles en prendront conscience, lady Maysun et lady Shahdi accepteront que vous soyez la première dame de ce harem. Jusque-là, elles chercheront à vous déstabiliser, car c'est ainsi que fonctionne le harem, et vous devriez le savoir.

— Le prince a dit qu'elles allaient bien m'accueillir, dit Azura à Nadim.

— Évidemment qu'elles le feront, car elles n'ont pas d'autre choix, dit l'eunuque. Cependant, le prince ne vit pas à l'intérieur des murs de son harem. Les femmes, oui. Si vous me protégez d'Ali Farid, lady Azura, je vais vous protéger des autres. Mes intérêts sont servis par ma loyauté envers vous, et vous seule.

— On dit que les Florentins sont sournois en politique, lui dit Azura, mais les complexités du harem sont encore plus hypocrites, je le constate. Je vais te croire sur parole,

Nadim, et je vais mettre ma confiance en toi. Cependant, si tu me trahis, sois prévenu que ma vengeance sera rapide et finale.

– Je suis prévenu, milady Azura, mais vous ne serez pas obligée de perdre votre confiance en moi, car de même j'ai fidèlement servi la mère du prince Amir, je vous servirai, lui dit Nadim.

Chapitre 14

Ils revinrent à son petit appartement, où Agata attendait déjà avec un plateau de nourriture pour elles deux. Ils s'assirent sur des coussins devant la petite table et mangèrent. Il y avait du pain frais chaud, du yaourt, un rayon de miel, une grappe de raisins verts et du thé à la menthe chaud. Nadim et Agata servirent d'abord Azura et, lorsqu'elle eut mangé tout son content, ils terminèrent l'abondante nourriture qui restait. Puis, les deux femmes s'allongèrent pour se reposer pendant que Nadim s'assoyait en tailleur devant les quartiers de sa maîtresse. Il pouvait entendre le bourdonnement des voix venant du salon au bout du corridor. Il se concentra fortement dans le silence et il fut capable d'entendre la conversation en cours.

– Elle est belle, dit la première épouse, Maysun.

Elle ne paraissait pas heureuse.

– Beaucoup trop belle, acquiesça la deuxième épouse, Shahdi.

– On ne peut rien y faire.

Maysun reprit la parole.

– Elle deviendra peut-être arrogante et difficile, à force d'avoir la faveur du prince.

— On doit l'espérer, dit Shahdi. Souvenez-vous, nous avons promis de l'accueillir. Je ne romprai pas une promesse faite au prince.

— Nous l'accueillerons lorsqu'on nous en donnera l'occasion, mais au début, Ali Farid a insisté pour que nous restions dans nos quartiers. Nous ne pouvions pas la rencontrer dans les bains, et maintenant, ce vieil eunuque qui lui a été assigné monte la garde pendant qu'elle dort, répondit Maysun.

— L'eunuque est un vieux fou. Il ne lui sera pas très utile, dit Shahdi, semblant très contente.

Nadim sourit à lui-même en l'entendant.

« Stupide paysanne. Fille d'un chef de tribu et si dénuée d'importance que le sultan vous a refilée à un de ses petits-fils. Que pouvez-vous savoir, enfermée ici dans un harem de campagne ? »

— Le vieil eunuque a déjà servi la mère de notre prince, dit Maysun à sa compagne.

— Une femme morte et oubliée depuis longtemps. La femme d'un prince rebelle qui rencontrera un de ces jours une fin malheureuse, dit Shahdi. Remercions Allah que notre prince soit un homme plus prudent.

— Et si elle a un enfant ? demanda Maysun.

— Sûrement, on l'a rendue stérile, tout comme nous, répondit Shahdi. Le sultan ne veut plus de rivaux qui prétendent à son trône. C'est pourquoi nous avons été rendues stériles avant d'être offertes à notre prince.

— Cette Azura est une étrangère, fit remarquer Maysun. Ce n'est pas une esclave, et elle n'était pas de notre monde avant aujourd'hui. Il l'aime et s'il l'aime, il voudra un enfant d'elle.

— N'y a-t-il aucun moyen pour nous de la rendre comme nous ? se demanda Shahdi. Nous devrions peut-être consulter Ali Farid sur cette question. Il doit exister un poison que nous pourrions insérer dans sa nourriture ou ses vêtements, qui ferait en sorte qu'elle ne puisse pas porter l'enfant de notre prince. Au moins, alors, nous serions des égales.

— Ne faites rien avant que j'aie longuement et soigneusement réfléchi là-dessus, dit Maysun à sa compagne. Un seul enfant ne serait pas si terrible et il pourrait tout aussi facilement être une fille qu'un fils. Cela pourrait être agréable pour nous d'avoir un enfant à élever.

— Vous avez le cœur trop tendre, la réprimanda Shahdi.

— Et vous êtes trop prompte à l'action, répondit Maysun.

— Avant de la rencontrer, nous ne pouvons pas savoir grand-chose, dit Shahdi.

— Peut-être qu'une fois qu'elle se sera reposée, le vieil eunuque nous l'emmènera pour qu'elle fasse notre connaissance, dit Maysun. Je pense que nous devrions maintenant aller voir la maîtresse des bains et découvrir ce que ses préposées et elle ont à dire sur cette nouvelle épouse qu'a pris le prince.

Nadim entendit les femmes se lever. Il ne savait pas si elles allaient d'abord retourner à leurs propres petits appartements, alors il baissa la tête et feignit le sommeil, assis sur place. Cependant, elles ne vinrent pas, se rendant plutôt directement aux bains. Il était content de ce qu'il avait entendu. Maintenant, il veillerait à préparer personnellement ce que sa dame mangeait ou à en surveiller la préparation. Il allait devoir prévenir sa femme de chambre de ne pas accepter de nourriture en cadeau. De la pâte de bonbon et des fruits empoisonnés étaient les armes préférées des femmes du harem.

Quand Azura se réveilla, elle ressentit une brève confusion quant à l'endroit où elle se trouvait, puis elle s'en souvint. Elle ne se rappelait pas s'être un jour sentie aussi détendue et aussi propre. Et elle avait faim.

— Agata ! appela-t-elle.

Sa servante arriva.

— Je suis affamée. Où est Nadim ? Il saura quoi faire à propos de ma faim.

— Je suis ici, lady Azura, dit le vieil eunuque. Vos compagnes, les épouses, mangeront sous peu. Aimeriez-vous vous joindre à elles ou rester ici, en privé ?

— Je pense, comme nous sommes à présent une famille, qu'il vaudrait mieux que je rencontre ces femmes, lui répondit-elle.

— Une sage décision, lui dit-il. Elles sont curieuses et elles craignent un peu votre arrivée. Les femmes des bains ont chanté vos louanges. Je vous dirais, si vous ne le savez pas déjà, que lady Maysun et lady Shahdi sont sans enfant. Elles ne peuvent pas porter un enfant. Vous, je crois, le pouvez. Souhaitez-vous donner un enfant à votre mari ? Ou bien aimeriez-vous que je vous prépare quotidiennement un breuvage qui empêchera la conception d'un enfant ?

Les yeux d'Azura s'arrondirent de surprise.

— Non ! Non ! se récria-t-elle doucement. Je voudrais donner à Amir un enfant de notre amour.

— Alors, ne dites rien de votre cher désir à l'une ou l'autre des épouses. Et n'acceptez aucune nourriture de leurs mains, la prévint Nadim. Le harem d'un prince peut devenir un foyer de jalousie, particulièrement si une femme favorisée donne à son mari ce que les autres ne peuvent pas. Comprenez-vous ce que je vous dis ?

Azura hocha la tête.

– Il semble que le monde soit partout le même, dit Agata dans sa langue maternelle. À Florence, le poison est également une arme préférée des femmes.

– Qu'a dit votre femme de chambre ? demanda l'eunuque à Azura.

– Que le poison est le moyen de la femme, même chez nous. Son nom est Agata, et elle sait parler un peu de cette nouvelle langue, mais elle est difficile pour elle. Elle ne l'a pas été pour moi, même si je sais que l'on devra me corriger, et tu dois le faire afin que j'apprenne à la parler correctement, lui dit Azura. Si tu te souviens de parler lentement lorsque tu t'adresses à Agata, elle finira par apprendre.

– Elle comprend déjà plus qu'elle ne le laisse voir, dit l'eunuque avec un petit sourire. C'est intelligent de sa part, de feindre l'ignorance. Elle entendra ainsi beaucoup de choses qui vous seront utiles, milady Azura.

– Comment peux-tu être aussi certain de ce que tu avances ? lui demanda Azura.

– Je l'ai observée aux bains suivre les instructions des préposées sans difficulté tout en trébuchant sur ses propres paroles, les faisant rire, répondit-il. Elle va devoir améliorer ses aptitudes avec notre langue, et je vais devoir apprendre la vôtre. Agata et moi devons travailler ensemble pour vous assurer votre sécurité et votre bonheur, dit Nadim à Azura.

– Nous nous ferons mutuellement la leçon, dit Agata, surprenant l'eunuque, mais il émit un petit rire.

— Nous nous entendrons bien, toi et moi, dit-il à la femme de chambre.

Elle hocha la tête en guise d'assentiment.

— Maintenant, venez, milady Azura, et je vais vous amener au salon où vos compagnes vous attendent, lui dit Nadim.

Les deux femmes suivirent l'eunuque depuis le petit appartement d'Azura, le long du corridor, puis dans le salon. Le soleil se couchait déjà dans les collines derrière le sérail du Clair de lune. Il tachetait les eaux sombres de la mer devant le palais. Maysun et Shahdi étaient assises, attendant l'arrivée d'Azura.

— Mesdames, je vous présente la nouvelle épouse du prince, lady Azura, dit Nadim.

La plus jeune femme s'inclina jusqu'à la taille.

— Je vous salue, lady Maysun, lady Shahdi, dit-elle dans un turc soigné.

— Joignez-vous à nous, l'invita Maysun.

Les femmes des bains avaient raison. La peau d'Azura était parfaite.

— Nous vous souhaitons la bienvenue dans votre nouvelle demeure, lady Azura.

— Oui, bienvenue, répéta Shahdi sans donner l'impression d'être tout à fait sincère.

— Vous avez voyagé sur une longue distance pour nous rejoindre. Notre mari était des plus désireux de vous trouver et de vous récupérer, dit Maysun.

Elle regarda les serviteurs en attente et hocha la tête.

Presque immédiatement, ils disparurent, puis ils réapparurent plusieurs instants plus tard avec des bols et des plateaux qui furent déposés sur la table, autour de laquelle les trois femmes étaient assises. Il y avait un jarret d'agneau rôti découpé en fines tranches disposées sur un plateau, des bols de riz au safran, du yaourt, du pain et un grand plateau de fruits frais.

Nadim observa tandis que Maysun et Shahdi se servaient pour noter si elles favorisaient un côté d'un bol ou d'un plateau. Ce n'était pas le cas. Néanmoins, il choisit personnellement les tranches d'agneau pour Azura, qu'il posa sur un morceau de pain plat avec un peu de yaourt. Il trempa les doigts dans le bol de riz, il le goûta, puis il hocha la tête vers Azura.

– Votre eunuque est extrêmement précautionneux, dit Maysun.

– En effet, grogna Shahdi. Nous ne sommes pas à Istanbul.

Azura chassa Nadim d'une main et d'un petit hochement de tête, le réprimandant silencieusement.

– Il est gentil et il prend son rôle très au sérieux, dit-elle d'une voix douce. Je me découvre déjà reconnaissante de ses soins attentionnés envers moi. Ce monde qui est le vôtre est nouveau pour moi. Je ne désire pas vous offenser, mais je soupçonne que le comportement des femmes est assez semblable à Florence où je suis née qu'ici au sérail du Clair de lune.

Elle leur offrit un petit sourire.

– Nous ne sommes pas une grande famille. Le crime d'empoisonnement pourrait difficilement passer sans soulever de questions ici, comme il le pourrait dans un grand harem, dit sèchement Maysun. Votre eunuque est stupide de croire que nous vous ferions du mal. Autant Shahdi que moi-même, nous avons été des femmes *données*. Vous êtes une femme *choisie*. Nous savions toutes les deux qu'un jour, notre mari tomberait amoureux. J'espère, pour notre bien à toutes, que nous pouvons nous entendre, Azura.

— Tout comme moi, vint la réponse. On me dit que vous venez toutes les deux de culture où un homme a le droit, s'il le choisit, d'avoir quatre épouses. Vous savez certainement que le monde duquel je viens accorde à un homme une seule épouse. La jalousie est une émotion qui vient facilement aux femmes. Sachant qu'Amir peut se procurer les faveurs de chacune d'entre nous, cela doit tout de même être aussi pénible pour vous que ce l'est pour moi. Il y a eu une brève période où il était à moi seule, leur dit candidement Azura. Néanmoins, j'ai été élevée dans une maison avec plusieurs sœurs. Je suis habituée à la compagnie des femmes et je suis généralement pacifique. Cependant, comprenez que si je suis attaquée, je vais rendre la pareille. C'est dans ma nature.

Shahdi éclata de rire.

— Vous êtes très directe, remarqua-t-elle. Je pourrais finir par vous aimer lorsque je vous connaîtrai, Azura.

« Comme elle est intelligente, songea Shahdi. Et forte. Nous allons avoir de la difficulté à nous débarrasser d'elle, si nous décidons de le faire. »

Maysun sourit. Elle prenait son statut de première épouse d'Amir très au sérieux, mais elle était au fond de son cœur une femme gentille.

— Racontez-nous comment vous avez rencontré Amir ibn Jem, dit-elle.

Ainsi, pendant qu'elles mangeaient, Azura leur relata un peu de sa vie lorsqu'elle était Bianca Pietro d'Angelo, de son mariage malheureux et de la manière dont elle avait fait la connaissance du prince. Elles furent fascinées par son récit et rirent en apprenant le rôle qu'avait joué Darius, le grand chien de chasse, pour rapprocher les deux amants. Ni l'une ni l'autre ne s'étaient jamais souciées du chien. Dans les mondes d'où elles venaient, les chiens n'étaient pas des animaux de compagnie, mais on s'en servait pour la chasse, garder les troupeaux et protéger les villages. Quand le repas fut emporté, elles restèrent assises avec de petites tasses de porcelaine contenant du thé à la menthe, à échanger des histoires.

Azura apprit que Maysun était la plus jeune sœur d'un féroce guerrier géorgien qui admirait le grand ottoman Mehmet, par la suite connu comme « le Conquérant » ; il avait offert ses services, ainsi que ceux des guerriers sous ses ordres, au sultan. Mehmet avait gracieusement accepté l'allégeance du seigneur de guerre géorgien, prenant sa sœur dans son propre harem à titre de gage de loyauté. Qu'elle soit de peu d'intérêt pour le sultan ne désolait pas son frère. Elle avait été donnée et acceptée comme gage et engagement. Rien de plus. Maysun n'entretenait pas d'illusions et comprenait sa place dans le monde.

— Je n'ai vu le Conquérant qu'une fois, dit Maysun à ses compagnes, quand on m'a présentée à lui. Après cela, j'ai été absorbée dans son grand harem, une fille insignifiante parmi bien d'autres comme moi. Je suis très chanceuse d'avoir été donnée à Amir ibn Jem. Je sais que je suis jolie, mais je ne suis pas une beauté capable comme vous de capturer le cœur d'un homme, conclut Maysun.

— Mon histoire n'est pas tout à fait comme la sienne, dit Shahdi. Je suis circassienne. Nos femmes sont considérées comme des beautés, dans cette partie du monde. Mon père m'a vendue quand j'avais dix ans à l'un des grands marchands d'esclaves, qui a décidé que j'étais prometteuse. J'ai été formée, puis achetée par un seigneur de guerre qui promettait également son allégeance au sultan. J'ai été incluse dans un grand cortège de cadeaux et d'esclaves que cet homme a envoyé au Conquérant en guise de gage de sa bonne foi. Comme Maysun, j'ai fini dans l'oubli, jusqu'à ce que je sois choisie pour être offerte à notre prince.

— Tant de femmes sont données au sultan pour son plaisir, mais quelques-unes seulement sont un jour emmenées dans son lit; et de celles-là, encore moins nombreuses sont celles qui réussissent à obtenir sa faveur personnelle; certaines brièvement, d'autres plus longtemps. Être envoyée dans le harem du sultan, cela signifie habituellement une vie de solitude, à moins que vous ne soyez assez chanceuse pour être offerte à un autre homme que le sultan souhaite honorer, comme nous qui avons été données à notre mari, expliqua Shahdi.

— Que font les femmes du harem ? lui demanda Azura, curieuse.

— Elles passent leurs journées à se mettre belles, dans l'espoir que le sultan les remarque. Certaines, plus intelligentes que les autres, trouvent des tâches à faire qui les rendent utiles aux personnes de pouvoir qui règnent sur le harem. Leurs vies sont plus intéressantes et valorisantes, répondit Shahdi.

— Il y a tant de choses à propos de votre monde que j'ignore, dit lentement Azura.

Elle aimait Amir, mais à présent, elle se demandait si cela suffirait.

– Vous n'avez qu'à nous interroger si vous êtes embrouillée, dit gentiment Maysun.

Elles s'étaient montrées assez gentilles, songea après coup Azura pendant qu'elle se préparait à se mettre au lit. Le caftan lui avait été retiré, et une chemise de tissu très fin et léger, avec un col haut arrondi et de longues manches fermées lui avait été donnée pour dormir. Elle était sur le point de s'allonger, quand Nadim s'écarta pour permettre à Ali Farid d'entrer dans la petite chambre.

– Le prince souhaite votre présence, Azura, dit-il. Retirez votre vêtement de nuit et venez avec moi.

Elle regarda Nadim. Il secoua la tête et, rapidement, souleva son vêtement de soie ; il le tendit à Agata afin qu'elle le range. Dénouant son unique tresse, il fit courir une brosse dans sa longue chevelure ébène. Elle brillait sous la lumière de la lampe alors qu'elle tombait en vagues ondulées sur son dos et jusqu'à la base de son épine dorsale. La faible odeur des gloires du matin en fleur flotta jusqu'à ses narines. C'était le parfum parfait pour elle.

Ali Farid détailla Azura d'un œil critique, puis il hocha la tête.

– Vous êtes une belle femme. Pas étonnant que le prince soit tombé amoureux de vous.

Puis, il pivota et se hâta de sortir.

Azura resta figée ; Nadim lui donna une petite poussée.

– Marchez lentement et avec la tête haute, murmura-t-il. Il n'y a personne pour vous voir, milady Azura. C'est notre façon de faire.

Suivant sa directive, elle sortit de son petit appartement. Ali Farid la guida hors de l'aile du harem dans un corridor faiblement éclairé, puis à travers deux grandes portes de bronze.

Ils se trouvaient dans une antichambre. Il pointa une porte sculptée en bois.

— Votre seigneur et maître vous attend, milady. Quand il aura tiré son plaisir de vous, vous devez retourner à votre propre lit, à moins qu'il vous invite à rester. Vous trouverez Nadim attendant devant ces portes pour vous guider au retour.

Puis, il pivota et la laissa.

Azura frappa à la porte sculptée, l'ouvrit et elle entra dans la chambre à coucher d'Amir. Elle avait envie de courir jusqu'au lit et se couvrir, mais il était tout simplement impossible d'éviter sa nudité. Elle s'avança silencieusement sur le sol pendant qu'il l'observait. Il avait envie de sourire largement, car il voyait sa détresse. Elle avait renoncé à beaucoup de choses pour lui, sans véritablement connaître le monde dans lequel elle était sur le point d'entrer, et il ne pouvait pas supporter qu'elle soit malheureuse maintenant.

— Habituellement, lorsqu'elle est convoquée dans le lit de son mari, une épouse rampe sur le plancher, puis grimpe sur le lit, la taquina-t-il alors qu'elle se glissait à côté de lui.

Lui aussi était nu.

— Cela est presque aussi affreux que ridicule, lui dit Azura.

Puis, sans attendre une autre minute, elle l'embrassa directement sur les lèvres, le repoussant parmi ses oreillers.

Ses bras forts s'enroulèrent autour d'elle, la tirant sur lui. Sa main glissa doucement sur son dos gracieux et sur ses fesses délicieusement arrondies.

– Je vois que je vous ai manqué, ma bien-aimée, dit-il en riant doucement.

Elle était si différente des deux autres, laissant sa passion s'épanouir sous ses yeux alors que les deux premières épouses conservaient toujours leur retenue sous lui. C'était lui qui avait éveillé son amour. C'était elle qui l'avait échauffé.

– Tout ce voyage a été empiré par les beaux paysages devant lesquels nous avons navigué, les nuits sous le clair de lune et notre incapacité à être ensemble. Je peux voir que je vous ai manqué aussi, mon mari, lui dit Azura, l'embrassant à nouveau. Elle s'assit, le chevauchant avec audace.

Levant la main, il attrapa une mèche de ses cheveux et l'amena à ses lèvres pour l'embrasser. Son parfum l'assaillit, mais autant il aurait aimé la prendre ici et tout de suite, il n'allait pas le faire. Lorsqu'ils étaient devenus amants au début, pendant cette brève et douce période à Luce Stellare, il avait été doux avec elle, l'aimant d'une façon qui n'allait pas l'effrayer. Aujourd'hui, cependant, elle était sa femme. Maintenant, elle apprendrait que l'homme qu'elle avait épousé était rempli d'une grande passion et d'un grand désir pour elle.

Il la contempla en souriant. Elle était tellement belle. Ses seins ronds l'enchantaient. Il se pencha en avant afin de pouvoir embrasser leurs mamelons délicats, l'attirant légèrement plus bas afin d'enfouir son visage dans la douce vallée entre ses seins et inhaler le parfum de sa peau. Il était dur avant même qu'elle entre dans sa chambre à coucher. Le simple fait de penser à Azura l'excitait. Aucune femme ne l'avait jamais touché comme elle. Aucune femme n'avait eu son amour avant Azura.

Elle s'écarta encore, de sorte qu'elle plana juste au-dessus de lui. Les paumes de ses petites mains effleurèrent son torse nu et lisse, dessinant de petits cercles. Sa peau était merveilleusement douce, mais son corps était aussi dur et sculpté sous sa main. Il resta allongé parfaitement immobile, se délectant de ses attentions. Ses cuisses bien proportionnées le retenaient comme s'il était sa monture.

La main d'Amir se tendit pour effleurer son pubis charnu. Deux doigts poussèrent entre ses grandes lèvres et plus loin, passé son bijou d'amour, glissant lentement dans son fourreau humide. Il eut un sourire lent en voyant ses yeux s'arrondir de surprise.

— Je veux que vous montiez mes doigts, dit-il doucement tandis qu'il caressait sensuellement la chair chaude cachée qui se refermait sur les doigts envahisseurs. Allez et venez jusqu'à ce que je vous dise d'arrêter, Azura. Ce plaisir n'est que le premier parmi d'autres que nous allons partager ensemble, ma bien-aimée.

Ses yeux bleu foncé brillèrent de malice.

Au début, elle fut incapable de bouger. Son souffle même semblait coincé dans sa gorge. Il ne lui avait jamais fait une telle demande, ni ne l'avait touchée d'une manière si affriolante que son corps donnait l'impression qu'il allait exploser sur un simple mot, une seule caresse. Cependant, elle n'était jamais montée sur lui d'une façon aussi audacieuse auparavant. La sensation de ces deux doigts en elle était vive et très excitante. Elle obéit à son ordre sans un mot de plus.

Azura se sentait délicieusement perverse quand elle commença à remuer son corps légèrement afin que les doigts à présent enfouis profondément en elle commencent à imiter son rythme, la caressant, attisant les flammes de son désir croissant. Ses yeux se fermèrent, et avec chaque mouvement subtil qu'elle effectuait, son besoin augmentait. Elle bougea plus vite, plus vite, plus vite jusqu'à ce que soudainement, elle sente les murs de son fourreau se convulser autour des doigts d'Amir. Elle frissonna avec son orgasme et sentit ses joues s'enflammer en comprenant ce qui s'était passé.

– *Oh ! Oh ! Oh !* haleta Azura alors qu'un dernier tremblement la secouait.

Les doigts d'Amir glissèrent hors de son corps. Il la tira vers le bas, la faisant rouler sur le dos.

– Un agréable début, ma bien-aimée, lui murmura-t-il à l'oreille qu'il embrassa, le souffle chaud, mordillant le petit lobe de chair. Vous êtes une femme des plus obéissantes, Azura, la taquina-t-il.

Elle ouvrit ses yeux aigue-marine et les leva vers lui.

– Vous m'avez traitée avec plus de délicatesse dans ma villa près de la mer, lui dit Azura.

– Vous étiez une Florentine bien élevée, une jeune veuve, avec seulement une connaissance cruelle et fruste de la passion. Je pense que je vous aurais effrayée à mort si je m'étais montré aussi osé que je le serai aujourd'hui, lui dit Amir.

– Aujourd'hui que je suis l'épouse d'un infidèle, dit-elle doucement.

– Oui, vous êtes ma femme, ma bien-aimée. La mienne ! Je vais ouvrir ces beaux yeux comme des pierres précieuses que sont les vôtres aux nombreuses agréables façons dont on peut pratiquer l'amour, lui dit-il.

Elle leva un sourire vers lui et dit simplement :

— Je vous adore, Amir. Enseignez-moi à vous satisfaire et donnez-moi du plaisir à votre gré. Je ne crains pas votre amour, car je sais qu'il ne me blessera jamais. J'ai confiance en vous, mon amour, tant et tant que je suis prête à vous partager avec vos deux autres épouses.

— Ne les emmenez jamais dans cette chambre quand nous sommes ensemble, Azura, dit-il doucement. Je les aurai toujours en grande estime, mais c'est vous que j'aimerai pour toujours.

Puis, il l'embrassa, ses lèvres prouvant à Azura le vrai de ses paroles tandis qu'elles bougeaient sur les siennes. Tout chez elle l'excitait. Son odeur exotique, sa chevelure soyeuse, cette chaleur qui était sa douce nature, sa sagesse grandissante, son cœur bon.

Ils ne semblaient pas pouvoir arrêter de se caresser mutuellement. Il prit ses seins en coupe dans ses deux mains. Elle caressa son pénis avec des doigts aguicheurs. Leurs corps s'entremêlèrent et se dégagèrent, apprenant, redécouvrant. Leurs langues goûtèrent la chair de l'autre, léchant, mordillant, leurs doux gémissements de désir résonnant dans l'air. Le temps et la distance qui les avaient séparés n'avaient qu'augmenté la passion qu'ils ressentaient l'un pour l'autre.

Enfin, Azura prit son visage séduisant entre ses deux mains, éparpillant de petits baisers sur ses paupières, sur l'arête de son long nez et sur sa bouche mince mais sensuelle.

— Suis-je une femme éhontée parce que je ne peux plus attendre ? lui demanda-t-elle.

En réponse, il la couvrit de son corps, glissant dans son fourreau accueillant.

– Et moi ? rétorqua-t-il en souriant. J'ai attendu votre retour trop longtemps, ma bien-aimée.

Puis, il commença à remuer en elle, poussant lentement en avant, se retirant lentement, encore et encore et encore jusqu'à ce qu'elle enroule ses membres autour de son torse. Ses ongles égratignant son long dos, elle siffla deux seuls mots :

– *Plus vite* !

Avec un grognement de plaisir, il obéit, son pénis apparaissant, puis disparaissant avec une rapidité croissante.

Les yeux d'Azura se fermèrent tandis qu'elle commençait à se perdre dans son plaisir. Elle se délecta de la sensation de son membre épais, de sa longueur, du feu qu'il allumait dans son âme même. Son corps lui semblait tellement solide sous ses mains, sous ses jambes qui le serraient. Elle ne se rappelait pas avoir été remplie avec cette satisfaction si profondément sentie. Cela avait toujours été merveilleux avec lui, mais soudainement, cela dépassait tout. Sa tête tournait à cause des sensations aussi intenses qu'elle ne savait pas si elle allait leur survivre.

– Amir ! Oh, Amir ! cria-t-elle quand la sensation d'être emportée au ciel la submergea.

Il grogna fortement. Il ne semblait pas pouvoir se rassasier d'elle. Il donna des coups de reins de plus en plus forts et profonds jusqu'à ce que son membre gonflé crie sa reddition, explosant, son sperme chaud remplissant le jardin secret d'Azura, débordant sur la literie sous eux. Il avait de la difficulté à reprendre son souffle. Il était brusquement à la fois épuisé et totalement satisfait. Quand les jambes d'Azura tombèrent de son torse, il l'enveloppa dans ses bras, l'attirant si près de lui qu'elle protesta, mais faiblement. Puis, ils tombèrent tous les deux dans un profond sommeil.

Vers l'aube, Ali Farid arriva pour découvrir Nadim assis en tailleur devant la porte de la chambre à coucher du prince.

— Pourquoi n'as-tu pas escorté ta maîtresse pour qu'elle retourne dans sa propre chambre à coucher ? demanda-t-il au vieil eunuque.

— Ils ne sont pas encore prêts à être séparés, dit Nadim au gardien du harem.

— Il ne s'est jamais attardé aussi longtemps avec les deux autres, dit Ali Farid, perplexe. En fait, il a toujours pris rapidement son plaisir, puis il les congédiait.

— Il n'aime pas les deux autres, répondit Nadim. Par contre, il aime ma maîtresse, lady Azura. Elle a son cœur.

Ali Farid hocha lentement la tête. Le vieil eunuque pourrait avoir raison, et si c'était le cas, il importait peu que Maysun et Shahdi soient, l'une la première et l'autre, la deuxième épouse. Ce serait Azura, la troisième épouse, qui détiendrait le pouvoir dans le harem. Il observerait et il réfléchirait à cette nouvelle information.

— Continue d'attendre, dit-il à Nadim.

Quand la lumière du soleil remplit enfin la pièce devant la chambre à coucher du prince, la porte s'ouvrit. Nadim fut instantanément sur pied, d'une agilité étonnante pour son âge. Il drapa un caftan de coton doux autour d'Azura et, sans un mot, il l'éloigna des quartiers de son mari et l'accompagna aux bains du harem où elle fut lavée, puis il l'amena dans sa propre petite chambre à coucher où elle s'allongea et dormit plusieurs heures. Quand elle se réveilla, un repas l'attendait.

Les quartiers du harem étaient silencieux. Elle appela Agata, et ensemble, elles sortirent dans les jardins. Là, elles découvrirent Maysun et Shahdi émondant soigneusement des rosiers. Les deux autres épouses saluèrent Azura avec des sourires joyeux, et Maysun suggéra qu'elles se promènent ensemble, tendant ses cisailles à un jardinier présent.

– Vous l'avez bien satisfait hier soir, dit-elle à Azura. Nous l'avons entendu chanter ce matin. Il est rare qu'il chante.

La vérité était qu'elles ne l'avaient jamais entendu chanter.

Azura rougit. Voir ses moments intimes avec Amir commentés si ouvertement par une autre femme était une nouvelle expérience. Elle n'était pas sûre que ce fût une chose à laquelle elle s'habituerait et elle ne savait pas trop quoi répondre. Les deux autres épouses prirent son silence comme de la modestie et en furent très contentes.

– Vous l'avez rendu à nouveau heureux, ce qui signifie que tous ici, au sérail du Clair de lune, nous pouvons être heureux, ajouta Shahdi.

Secrètement, elle était un peu agacée, car elle avait cru que leur mari était satisfait avant l'arrivée d'Azura. Maintenant, il semblait que tel n'avait pas été le cas. Pourquoi Maysun et elle ne pouvaient-elles pas suffire à un prince dénué d'importance qui évitait à la fois la guerre et les responsabilités de sa grande famille ?

— Je suis contente, alors, répondit Azura, saisissant enfin que les deux épouses plus âgées appréciaient sa réserve.

— Vous n'avez pas été formée aux manières des femmes du harem, dit Maysun. J'ai entendu dire que les femmes bien élevées de l'Occident arrivent vierges dans le lit de leurs maris, sans rien savoir sur la façon de faire l'amour. Elles se fient à leurs hommes pour leur enseigner ces choses. Vous avez déjà eu un mari, n'est-ce pas ?

— Oui, un homme cruel, dit Azura. Ses manières avec moi étaient dépravées et corrompues. Quand ma mère l'a découvert, elle m'a enlevée à lui, elle m'a cachée, et ma famille a tenté de faire annuler cette union. C'est à ce moment-là que j'ai rencontré le prince Amir. Nous sommes devenus des amis et non des amants, car j'étais une femme mariée, même si je ne vivais pas avec mon mari. Un jour, mon mari m'a retrouvée. Il m'a battue, mais les femmes qui me servaient l'ont chassé de ma maison. Il rentrait à Florence, quand on l'a assassiné sur la route.

— Des voleurs ? demanda Shahdi. Ou des ennemis ? Ou était-ce votre famille ?

— Ce n'était pas un vol, car ses bijoux sont restés sur sa personne, et sa bourse pleine était encore à sa ceinture, dit Azura. Personne n'a jamais découvert qui l'avait tué. Sa réputation était telle que personne, même ses propres fils, ne s'en souciait. Ils étaient contents de le voir mort. C'était un homme mauvais et il n'avait pas de véritables amis.

— Être une vierge innocente était alors tout à fait acceptable, dit Maysun, mais à présent, nous partageons un mari. Nous serions négligentes si nous ne vous enseignions pas les manières du harem. Amir vous aime, mais comme pour tous les hommes, l'amour ne suffit pas. Nous allons vous apprendre comment le divertir comme une bonne femme turque. Il ne doit pas s'ennuyer et chercher à accroître son harem.

— Vous voulez parler d'une quatrième épouse ? demanda Azura.

— Ce n'est pas uniquement une autre épouse à qui nous devons penser, dit Maysun.

— Il pourrait ajouter d'autres femmes, par exemple des concubines, dans son harem, expliqua Shahdi. Il n'aurait pas à leur donner le statut d'épouse, comme il l'a fait pour nous, mais il peut avoir d'autres femmes. Vous devez apprendre à le garder heureux, Azura, pour nous toutes.

Agata grogna en entendant cela et elle s'exprima dans leur langue florentine.

— Elles mettent beaucoup de responsabilités sur vos épaules, grommela-t-elle. Je ne sais pas si je ferais confiance à ces deux-là. Que souhaitent-elles vous enseigner ? Est-ce que ce sera un comportement convenable ou cela choquera-t-il le prince, entraînant pour vous la perte de sa faveur ?

— Je pense que je peux faire confiance à Nadim pour me guider, répondit Azura. Je pense qu'elles ont de bonnes intentions. Elles ne se font pas d'illusions sur l'amour d'Amir pour elles ni sur son amour pour moi.

— Que dit votre femme de chambre ? demanda Maysun.

— Cette nouvelle langue est difficile pour elle, expliqua Azura. Elle voulait savoir ce que vous me disiez exactement. Elle est avec moi depuis de nombreuses années et elle n'était pas obligée de me suivre ici, car ma jeune sœur l'aurait prise à son service à Venise. Mais elle est venue et, comme une mère, elle me protège.

— Ahh, dit Maysun en souriant et en tendant la main pour tapoter Agata dans un geste rassurant. Vous ne devez pas vous inquiéter, femme loyale, dit-elle. Nous ne voulons aucun mal à votre maîtresse.

Agata hocha la tête avec enthousiasme, souriant en retour.

— Je comprends maintenant, milady, dit-elle à la première épouse dans un turc hésitant. Merci ! Merci !

Selon Azura, c'était une performance très crédible. En ce qui concernait Maysun et Shahdi, Agata était une domestique dévouée, même si elle n'était pas trop intelligente.

— Dans quelques jours, quand vous serez bien installée, dit Maysun, nous commencerons à vous enseigner les nombreuses façons qu'a une femme de plaire à un homme et de lui donner du plaisir.

— Je serai heureuse de voir mon ignorance repoussée et j'espère être une bonne élève pour profiter de votre sagesse, assura Azura à la première épouse.

Au cours des jours suivants, Maysun devint plus rassurée en voyant l'attitude respectueuse affichée par la nouvelle troisième épouse. Azura était fondamentalement une femme bonne. Shahdi, cependant, demeurait méfiante et soupçonneuse. Elle avait secrètement espéré un jour gagner le cœur d'Amir et plus particulièrement maintenant qu'il était de retour pour de bon à la maison. L'arrivée d'Azura lui avait donné matière à réfléchir. Shahdi se demandait si elle pouvait enlever Amir à la belle Azura ou s'il pouvait finir par partager son cœur avec elle aussi. Elle devait repenser à sa stratégie.

Les deux femmes éprouvaient peut-être du ressentiment envers Azura parce que leur mari commun convoquait Azura dans son lit toutes les nuits, mais celle-ci avait un comportement si gentil, et la vérité était qu'Amir était le maître de la maison. Elles n'avaient pas de voix dans cette affaire. Cependant, Azura était sensible aux deux autres femmes qui s'étaient débattues avec leur propre jalousie et leurs craintes pour l'accueillir. Elle pouvait voir que Shahdi, en particulier, s'en sortait mal, malgré les efforts gentils de Maysun pour qu'elle garde son calme.

– Vous ne pouvez pas continuer à m'appeler dans votre lit, mon amour, le réprimanda-t-elle plusieurs soirs plus tard alors qu'ils étaient allongés ensemble, récupérant d'une période de passion enthousiaste.

– Oui, je le peux, dit-il. Je respecte leur statut dans ma vie, mais vous êtes la femme que j'aime et adore, ma bien-aimée.

– Vous vous comportez comme un enfant avec un nouveau jouet, répondit-elle en continuant à le disputer. Toutes les femmes ont besoin de tendresse. Elles vous ont fait un foyer agréable à vivre. Et avant que j'entre dans votre vie, elles vous donnaient leurs corps pour étancher vos désirs. Vous ne pouvez pas simplement les ignorer aujourd'hui. Sinon dans leur intérêt, alors faites-le pour le mien ; emmenez-les dans votre lit aussi, mon cher mari. Si vous ne le faites pas, elles finiront par vous en vouloir. Elles n'ont pas d'enfant à qui prodiguer leur amour et leurs attentions, Amir. Elles n'en auront jamais. Soyez gentil envers

Maysun et Shahdi, car elles ont été de bonnes épouses pour vous.

— J'ai passé plus de temps dans votre monde que dans le mien ces dernières années, dit-il. Ma propre mère était anglaise et l'épouse préférée de mon père. J'ai fini par voir que c'est tout aussi sage d'avoir une seule épouse que trois, admit Amir. Pourtant vous, ma bien-aimée, élevée dans votre société stricte, avez un cœur plus ouvert que moi. Quand vous serez indisposée par votre cycle mensuel, je vais divertir les deux autres. Je vous le promets.

Il caressa son visage d'une main délicate.

— Me donnerez-vous un enfant, ma bien-aimée ? lui demanda le prince.

— Si Dieu le veut, je le ferai avec bonheur, lui répondit Azura.

— Une fille, lui dit-il. Ne me donnez pas un fils.

— Tous les hommes veulent des fils, dit-elle, étonnée.

— Moi, pas, lui dit-il. J'aimerais une fille aussi belle que sa mère.

Azura ne put se retenir de répéter son étrange demande à Maysun et Shahdi.

— Pourquoi ne voudrait-il pas un fils ? leur demanda-t-elle.

— Ahh, répondit Maysun, s'il était n'importe qui, sauf le petit-fils du sultan, il voudrait un fils, mais le sang coulant dans ses veines est ambitieux et guerrier. Notre propre sultan a deux fils qui se querellent pour déterminer qui lui succédera. Le père de notre mari, le prince Jem, est un guerrier talentueux qui dirige ses propres hommes dans la bataille. Son demi-frère, Bayezit, cependant, est plus intelligent. Il délègue seulement les meilleurs généraux pour mener ses troupes. Le prince Bayezit a déjà plusieurs fils, dont l'un, Selim, est parmi les préférés de son grand-père, comme notre mari. Notre prince croit que son oncle Bayezit héritera du trône du sultan Mehmet. Quand cela se produira, il pourrait respecter la tradition et tuer tous les autres prétendants au trône, à l'exception de son propre enfant ; parfois, même un fils ennuyeux est étranglé. C'est pourquoi Amir ibn Jem ne veut pas de fils. Une princesse d'une maison royale a de la valeur pour le sultan. Un autre prince n'est qu'un rival de plus pour le trône.

— Donc, Amir pourrait être assassiné quand le vieux sultan mourra, dit craintivement Azura.

— Notre mari est plus en sécurité que la plupart des princes, répondit Maysun. Il n'a jamais montré d'ambition. Aussi, son oncle a de l'affection pour son frère. Le seigneur notre mari est plus brillant que la plupart. S'il se croyait en danger, il fuirait.

— Alors, je vais prier pour une fille, dit Azura.

— Dans quel genre de monde sommes-nous maintenant ? grommela Agata dans sa propre langue.

— Il n'est ni meilleur ni pire que les mondes que nous avons connus à Florence et à Venise où les empoisonnements et les meurtres sont presque un art, lui répondit Azura.

— Mais l'assassinat des parents mâles quand on accède au trône est barbare, répondit la femme de chambre.

— Je pense que c'est probablement très efficace, dit lentement Azura en y réfléchissant. On ne veut pas gaspiller tout son temps et ses ressources à se quereller et à lutter contre ses parents pour le trône. Un seigneur veut diriger et, pour le bien du peuple, il doit le faire. Éliminer les fauteurs de troubles vaut probablement mieux, quoique, au moins, je leur accorderais une chance avant de le faire.

Elle gloussa.

– Nous devons prier toutes les deux pour que si Dieu me donne un enfant, ce soit une petite princesse et non un prince ennuyeux.

Chapitre 15

Soucieuse de la sécurité de sa maîtresse, Agata consulta Nadim.

– Si ma lady a un fils, ils seront tous les deux en danger, se tracassa-t-elle, ayant maintenant appris que souvent, le nouveau sultan se débarrassait des épouses des princes indésirables. Seul Dieu peut prédire le sexe de l'enfant. Il vaut donc mieux qu'il n'y en ait pas, dans ce cas-là.

– Ta maîtresse est encore jeune, dit Nadim. Il sera encore temps pour un enfant lorsqu'elle se sentira plus en sûreté. Si elle accouchait d'un fils et qu'il courait un danger, le prince ne les abandonnerait pas derrière lui. Néanmoins, nous pouvons temporairement empêcher la conception, Agata. Est-ce ce que tu souhaites ?

– À Florence, il y avait une femme qui concoctait une potion exactement dans ce but. Ma tante, Fabia, allait chercher ce genre de panacée pour la mère de ma maîtresse quand elle désirait se reposer entre les naissances de ses sept enfants.

– Oui, il y a de telles choses offertes ici aussi, dit Nadim. Aimerais-tu que je trouve un élixir semblable pour notre lady ?

– Oh, Nadim, répondit Agata, s'inquiétant à voix haute. Oserons-nous nous ingérer dans les affaires de Dieu et faire cela ? Pourtant, j'ai peur pour ma maîtresse.

– Il n'y a pas de mal à la protéger entre-temps, Agata, dit le vieil eunuque, calmant la femme de chambre.

– Cela ne la rendra pas stérile comme les autres, n'est-ce pas ? demanda Agata.

– Maysun et Shahdi ont été stérilisées par un médecin de la maison du sultan, expliqua Nadim. Notre potion sert tout simplement à empêcher la conception d'un enfant temporairement.

– Alors, nous devons le faire, répondit Agata.

– Tout d'abord, tu dois t'assurer qu'elle ne porte pas déjà un enfant. Le prince s'est servi d'Azura très régulièrement et avec enthousiasme depuis qu'elle est arrivée, fit remarquer l'eunuque.

– Elle a commencé son cycle ce matin, dit Agata.

– Était-ce au moment prévu ? demanda-t-il.

– Précisément. Elle saignera pendant quatre jours. Pas un de plus, lui dit Agata.

– Alors demain, nous commencerons à lui donner une boisson *énergisante*, dit Nadim. Je vais rassembler les ingrédients moi-même et les mélanger avant son réveil.

Agata hocha la tête en guise d'approbation.

Pour la première fois depuis plusieurs mois, sa maîtresse était heureuse. Elle était mariée à l'homme qu'elle aimait et si elle avait perdu sa famille à cause de cet acte, elle en avait reçu une nouvelle. Habituée à la compagnie des autres femmes, Azura était à l'aise avec Maysun et Shahdi. Les trois femmes s'étaient installées dans une relation relativement facile. Maysun semblait en fait contente de la situation. Shahdi patientait et observait en attendant ce qui serait un jour, espérait-elle, son tour.

Même si les deux premières femmes savaient qu'Amir aimait Azura plus qu'elles, sa présence l'avait ramené à la maison. Il n'avait pas pu les emmener à Florence, car deux femmes appelées « épouses » n'auraient pas été tolérées, même s'il était un étranger. Après plusieurs années à vivre seules pendant la majeure partie de l'année, Maysun et Shahdi étaient heureuses de son retour, de ses attentions, même si elles ne les recevaient que quelques jours par mois. Il y avait toujours la possibilité qu'Amir ait un enfant d'Azura. Ensuite, les deux premières épouses se le partageraient jusqu'à la naissance de l'enfant.

Amir se découvrait satisfait de la manière dont son foyer s'était arrangé de l'ajout d'Azura dans son harem. Il chassait. Il montait à cheval et souvent, il emmenait Azura avec lui, ce qui au début, étonna Maysun et Shahdi. Même si elles avaient toutes les deux été élevées dans une atmosphère tribale, il était rare que les femmes montent à cheval. Les femmes marchaient ou roulaient dans des charrettes. Depuis une terrasse, elles observaient en ce moment Azura et Amir, accompagnés de Darius, qui faisaient la course sur le côté sablonneux de la plage de cailloux sous leur petit palais. Le plaisir du spectacle fut interrompu par l'apparition soudaine de Diya al Din.

— Sont-ils sur la plage ? demanda-t-il, regardant en bas pour voir lui-même. Toi !

Il tendit la main pour saisir le bras d'un serviteur.

— Descends et va dire au maître qu'il doit revenir immédiatement. Un messager vient à l'instant d'arriver d'Istanbul. Dépêche-toi ! Cours !

Pivotant, il dit aux deux femmes.

– Retournez dans le harem, mesdames.

– Quel messager ? lui demanda Maysun.

– Cela ne vous concerne pas, femme, dit le chef des eunuques.

– Ne soyez pas aussi pompeux, Diya al Din, lui dit Shahdi. Cela a quelque chose à voir avec notre mari, alors cela nous concerne très certainement.

– J'ignore ce que dit le message qu'il apporte, mais l'homme arbore l'insigne de notre grand seigneur et maître, le sultan Mehmet, répondit le chef des eunuques. Le sultan est vieux. Qui sait de quoi il s'agit, mais jusqu'à ce que le prince vienne, nous devons attendre les réponses et prier pour qu'il n'y ait pas de janissaires derrière ce messager.

– Mieux vaut prier pour qu'il n'y ait pas les jardiniers du sultan derrière le messager, dit nerveusement Maysun.

– Qu'Allah nous protège ! s'écria Shahdi, effrayée, car elle savait, comme tout le monde, que les hommes qui entretenaient si amoureusement les jardins du sultan étaient également ses bourreaux.

– Il n'y a aucune raison de s'inquiéter, dit Diya al Din avec plus de conviction qu'il n'en ressentait.

– Où se trouve ce messager ? demanda Maysun.

– Je l'ai installé dans l'antichambre du prince, lui dit Diya al Din.

– Il y a un judas dans cette pièce, murmura Shahdi.

Elle attrapa la main de Maysun.

– Allons-y tout de suite afin de pouvoir observer et écouter.

– Je vous accompagne, dit Diya al Din. J'ignorais qu'il y avait un judas à cet endroit, mesdames. Comment le saviez-vous ?

Shahdi sourit malicieusement, mais elle ne lui répondit pas.

Les trois se rendirent en hâte dans les appartements du prince et se cachèrent afin de pouvoir écouter. Ils pouvaient voir le messager arpenter le sol pendant qu'il attendait le prince Amir. Quand le destinataire du message entra dans la pièce, le messager exécuta une révérence et se laissa tomber sur un genou, tendant le rouleau de parchemin à Amir. Il le prit, le déroula, le lut, puis il dit :

– Combien de temps as-tu mis à venir d'Istanbul ?

– Deux jours, Votre Altesse. J'ai chevauché à fond de train, fut la réponse.

– Sais-tu si le sultan vivra ? demanda Amir.

Le messager secoua la tête.

– Il n'était pas à Istanbul, Votre Altesse, mais il avait traversé à Bursa et commencé sa campagne du printemps.

– Alors, qui t'a envoyé ? voulut savoir Amir.

– Je l'ignore, Votre Altesse. On m'a simplement dépêché dans ce palais, fut la réponse.

– Ce n'est pas bon. Pas bon du tout, murmura Diya al Din.

– *Chut* ! siffla Maysun en direction de l'eunuque.

Comprenant que le messager était exactement cela et ne savait rien de plus, le prince l'envoya aux cuisines pour y être nourri. Aucune réponse n'était nécessaire quant à l'information qu'il avait reçue.

– Va manger. Repose-toi cette nuit avant de rentrer à Istanbul, dit-il à l'homme.

Le messager se leva, exécuta une révérence et s'en alla. Amir relut le parchemin reçu une seconde fois. Azura sortit de l'alcôve où elle était restée et rejoignit son mari. Elle leva un regard interrogateur vers lui, une main douce sur son bras.

– Allez trouver les autres, lui demanda-t-il, et dites à Diya al Din de rassembler tous les gens de la maison. Je vais m'adresser à eux.

Tandis qu'il parlait, ceux cachés devant le judas partirent vite rejoindre les endroits où ils devaient être. Azura entra dans le harem et appela ses deux compagnes.

– Je ne sais rien de plus que vous, dit-elle. Venez et allons découvrir ce que disait le message envoyé à notre mari.

– Quel message ? demanda innocemment Shahdi.

Azura rit.

– Ne feignez pas avec moi, Shahdi. J'ai découvert le judas il y a des semaines. Les maisons florentines en ont, et j'ai reconnu la différence dans la texture du mur, leur dit-elle. Et je vous ai entendus. Même en se servant de sa voix la plus discrète, Diya al Din est reconnaissable. Comment saviez-vous qu'il y avait un judas à cet endroit ?

Maysun gloussa devant l'air chagrin de Shahdi, mais elle ne dit rien.

– Il n'y avait rien à faire pendant toutes ces années où notre mari était absent. Je connais ce petit palais de fond en comble. Probablement mieux que personne, admit Shahdi.

Ensemble, les trois femmes se joignirent à leur mari et à la maisonnée rassemblée dans le salon utilisé pour les visiteurs.

– J'ai reçu un message d'Istanbul, commença Amir. Le sultan venait tout juste de commencer sa campagne du printemps quand il est tombé gravement malade. Je ne peux pas vous dire s'il vit encore ou s'il est déjà parti pour l'autre vie. Mon oncle, le prince Bayezit, était avec lui. Je m'attends à ce que nous ayons d'autres nouvelles dans les prochains jours.

Un faible gémissement s'éleva des esclaves de la maison, et même les deux chefs eunuques semblaient ébranlés par ce qu'ils venaient d'entendre.

– Il n'y a rien à craindre, les rassura le prince Amir. Retournez maintenant à vos tâches. Diya al Din, veille à ce que l'on monte la garde sur la route, de jour comme de nuit. Je ne veux plus recevoir un visiteur inattendu.

Il se tourna vers les femmes.

– Venez, dit-il avant de sortir de la pièce, retournant avec elles dans les quartiers du harem où il s'assit dans la salle de séjour commune des femmes, les invitant à faire de même.

Il pouvait être plus explicite avec elles en privé.

Maysun dit aux esclaves d'apporter du thé à la menthe et des gâteaux sucrés. Quand ce fut fait, elle les congédia et demanda à Agata de s'assurer qu'ils partaient. Shahdi retira le petit turban sur la tête d'Amir pendant qu'Azura installait des coussins autour de lui et pour lui. Les rafraîchissements arrivèrent, et enfin, Amir s'adressa à elles.

– S'il meurt, il y aura une lutte pour la succession, leur dit-il. Mon oncle gagnera, car bien que mon père soit un meilleur tacticien, les janissaires sont du côté de mon oncle. Il sait comment déléguer son autorité bien mieux que mon père, qui est un homme trop moderne et se tourne vers l'Occident. Mon oncle, même s'il a l'esprit ouvert, est un traditionaliste. Les janissaires préfèrent la tradition, comme faire campagne au printemps.

– Vous allez devoir vous montrer prudent, le prévint Maysun.

– Et si votre oncle vous envoie ses jardiniers ? demanda Shahdi.

– Je ne pense pas qu'il le fasse, car je n'ai pas l'intention de soutenir mon père, répondit Amir. Bayezit est un homme juste et il me connaît bien.

– Il a trois fils vivants, rappela Maysun à Amir.

– De trois mères différentes et des trois, seul mon cousin Selim est fait pour régner. Ahmed aime trop la vie, et Korkut est un érudit.

– Selim est le plus jeune, remarqua Shahdi.

– Si mon grand-père est mort, c'est mon oncle qui régnera. Ses fils devront attendre leur tour, dit Amir, et Selim serait vigilant, j'en suis convaincu.

– Vous êtes le plus vieux des petits-fils de Mehmet, fit remarquer Maysun.

– Et celui qui souhaite le moins régner et combattre, comme tout le monde le sait, lui dit-il. On ne considère pas que je suis apte à régner. Ma mère a rapidement appris la coutume du harem et savait comment aider un fils à survivre. Tous ceux qui sont importants sont au courant que le fils du prince Jem est une déception pour lui, accordant sa loyauté inconditionnelle au sultan d'abord et préférant tâter du commerce des tapis et des antiquités plutôt que de la guerre et du pouvoir. On m'a qualifié de non-ottoman, dit-il avec un petit sourire.

Ce fut à ce moment-là qu'Azura parla.

– Vous ne pouvez pas savoir ce que votre oncle fera, mon seigneur, peu importe son amitié passée pour vous. Vous devez être sur vos gardes, du moins en attendant.

Nous devons planifier une fuite si jamais il ne nous reste pas d'autre choix.

Ils la regardèrent, étonnés.

— Comprenez-vous donc la situation, Azura ? lui demanda Shahdi.

— Je suis florentine, lui répondit-elle. La tromperie est dans notre sang, quand il est question de survie ou de profit. Je comprends très bien ce qui se passe. Je n'ai pas défié ma famille pour devenir la femme d'Amir, seulement pour le perdre ensuite.

Elle se tourna vers lui.

— Nous devons nous préparer pour tout ce qui peut se passer, mon seigneur.

— Le sérail du Clair de lune n'est pas un château. C'est un palais d'agrément et en tant que tel, il ne nous fournit pas de véritable défense, comme le pourrait un château, lui expliqua-t-il.

— Alors nous devrions partir, dit Azura.

— Non, répondit-il. Fuir ne ferait que me proclamer coupable d'un crime quelconque. Je ne ferai pas cela. Je vais faire confiance à la bonne volonté de mon oncle. Quelqu'un au palais de mon grand-père a envoyé un messager me prévenir des changements qui pourraient survenir. Je vais rester et montrer ma loyauté au nouveau sultan, qui qu'il soit — si en effet, mon grand-père est mort.

Néanmoins, il s'assura que Diya al Din poste des esclaves sur les collines pour le prévenir de l'arrivée de tout visiteur.

Ils n'eurent plus aucune nouvelle au cours des quelques semaines suivantes. Le printemps céda sa place au début de l'été.

Enfin, un matin à la fin juin, les gardes sur les collines entourant le sérail du Clair de lune commencèrent à s'envoyer des signaux les uns aux autres, et en dernier, le petit palais lui-même reçut la nouvelle qu'un large groupe de cavaliers approchait. Amir envoya porter le message à ses femmes, puis tout le monde patienta : Amir resta dans ses propres quartiers, ses trois épouses dans les leurs.

— Il s'agira des janissaires, dit Maysun.

Shahdi hocha la tête.

— Pourquoi craignez-vous autant ces janissaires ? demanda Azura. Vous parlez d'eux comme s'ils étaient les soldats du diable en personne.

— Ils le sont ! répondit Shahdi.

— Les janissaires sont de jeunes fils de chrétiens enlevés pendant la guerre, expliqua Maysun. Ensuite, on les dorlote, on en prend grand soin avec beaucoup de gentillesse, on les convertit à l'Islam et enfin, on les forme dans les arts les plus féroces de la guerre et on leur enseigne une loyauté absolue envers le sultan. Quiconque a derrière lui les janissaires deviendra le sultan. En vérité, le Conquérant préférait Jem parmi ses fils en raison de sa propension à faire la guerre, malgré le fait que le prince se rebellait toujours contre son père. Cependant, les janissaires penchent pour Bayezit, car il représente les anciennes traditions ottomanes. Il est fort probable que les janissaires qui approchent du palais ont été envoyés par Bayezit soit pour s'assurer de la position de notre mari quant à la succession, soit pour nous tuer tous.

Pour cela, elle avait fui Florence, fui Venise, abandonné sa famille ? Pour mourir aux mains d'étrangers dans une histoire de succession ? Azura sentit une grande frayeur l'envahir. Furieusement, elle l'étouffa.

– Nous n'allons pas mourir, dit-elle.

– Non, répondit Shahdi. Avec de la chance, après avoir toutes été violées, on nous donnera à un officier ou on nous vendra pour augmenter la somme dans les coffres déjà pleins des janissaires.

Maysun émit un petit sanglot.

– Arrêtez, vous deux ! dit Azura. Personne ne va mourir aujourd'hui. Quel duo de brebis idiotes vous faites, toutes les deux ! Je vais aller jusqu'à ce judas dans l'appartement de notre mari pour découvrir ce qui se passe. Ne le dites pas à Ali Farid, si vous pouvez le trouver. Je me doute qu'il s'est déjà caché, à l'heure qu'il est. Agata, viens avec moi !

Les deux femmes sortirent en vitesse des appartements du harem, se frayant rapidement un chemin jusqu'aux quartiers d'Amir. Les corridors du petit palais étaient vides et silencieux, car tous sauf les plus braves des esclaves devaient être déjà cachés. Discrètement, Azura et Agata se dissimulèrent dans les limites étroites devant le judas. Amir faisait les cent pas dans son antichambre à pas lents et mesurés. Il était vêtu sobrement d'une robe de soie bleu foncé, bordée de broderie argentée. Sa tête était couverte par un petit turban assorti. Azura s'inquiéta en pensant qu'il pourrait avoir l'air trop majestueux.

Elles entendirent le bruit de pas bottés dans le corridor. Agata tendit la main pour serrer la manche de sa maîtresse. Azura regarda intensément à travers le judas, ses yeux rencontrant ceux d'Amir. Il savait qu'elle était là. Les grandes portes à doubles battants de l'appartement du prince furent ouvertes à la volée par deux esclaves effrayés qui étaient néanmoins restés. Diya al Din était avec eux. Il avait le visage blême, mais lui aussi était resté.

– Prince, mon seigneur, dit le chef des eunuques. Vous avez des visiteurs.

Un capitaine des janissaires s'avança. Il s'inclina respectueusement.

– Prince Amir, je suis le capitaine Mahmud, envoyé par votre oncle, le sultan Bayezit, commença-t-il.

– Mon grand-père est-il mort ? demanda Amir au capitaine.

– Le Conquérant est mort le quatrième jour de mai, à l'heure de la prière d'après-midi, dit le capitaine Mahmud.

Amir ferma brièvement les yeux, ses lèvres prononçant silencieusement une prière. Quand il rouvrit les yeux, il regarda directement le janissaire.

– Comment puis-je servir le sultan ? demanda-t-il à l'homme devant lui.

– Je n'ai pas d'autres instructions que de vous livrer mon message, Votre Altesse, fut la réponse.

Le capitaine Mahmud comprenait la position délicate de ce prince ottoman.

Le prince se tourna brièvement vers Diya al Din.

– Veille à ce que les hommes du capitaine soient bien nourris et qu'on s'occupe de leurs chevaux, ordonna Amir au chef du personnel de maison.

L'eunuque exécuta une révérence.

– Tout de suite, mon prince, répondit-il.

Amir reporta ensuite son attention sur le janissaire.

– Je suis reconnaissant à mon oncle d'avoir pensé à m'envoyer la nouvelle, dit-il.

Les lèvres du capitaine Mahmud tressaillirent d'amusement, mais il répondit poliment :

– Et je vous suis reconnaissant de votre hospitalité, comme mes hommes le seront. Par contre, nous entreprendrons notre voyage de retour dans la capitale dès qu'ils auront mangé et que vos esclaves auront soigné leurs chevaux.

– Mes épouses seront soulagées, répondit Amir avec un grand sourire. L'approche de votre troupe les a effrayées.

– J'espère que les enfants n'ont pas peur, dit le capitaine Mahmud.

– Il n'y a pas d'enfants, répondit Amir. Mais joignez-vous à moi pour les rafraîchissements.

Il tapa dans ses mains et, à son grand soulagement, ses esclaves entrèrent vite avec des sorbets sucrés froids et un léger repas de poulet rôti, de riz au safran et de pain plat chaud avec un bol de yaourt mélangé avec de l'aneth et des concombres comme trempette.

Les deux hommes s'assirent sur les coussins autour d'une petite table incrustée d'ébène et d'ivoire.

– Les femmes avec des enfants ont tendance à reporter toute leur attention sur leur progéniture, remarqua le capitaine Mahmud. Les femmes sans enfant accordent toute leur attention à leur seigneur et maître. C'est une bonne chose, hein, Votre Altesse ?

Et il rigola.

Amir hocha la tête.

— Je dois admettre que mes épouses me gâtent terriblement et je ne me sens pas privé de l'absence d'un enfant, dit-il.

Puis, il se pencha en avant, trempant un bout de pain dans la sauce, le mettant dans sa bouche et le mastiquant songeusement.

— Racontez-moi ce qui se passe, capitaine. Je ne peux pas croire que mon père a pris la décision de mon oncle à la légère ou avec facilité.

Le capitaine Mahmud mit un morceau de poulet dans sa bouche et ramassa un peu de riz.

— Non, dit-il, puis il avala. Votre oncle a réussi à atteindre Istanbul le premier, où nous avions déjà asservi la ville pour lui.

— Le grand vizir de mon grand-père favorisait mon père, remarqua Amir.

— Nous l'avons exécuté avant l'arrivée du nouveau sultan dans la ville et nous avons aussi intercepté et exécuté les émissaires qu'il avait dépêchés au prince Jem, dit le capitaine Mahmud.

« Tous, sauf un », pensa Amir, comprenant à présent qui avait envoyé le messager pour le prévenir des changements à venir.

— Et mon père ? demanda-t-il.

— Il soulève les tribus turkmènes afin qu'elles combattent dans cette lutte pour la suprématie, dit le capitaine des janissaires. Je dois admettre mon admiration pour l'esprit fougueux du prince Jem, Votre Altesse, mais il ne gagnera pas.

— Non, dit Amir, il ne gagnera pas. Mon oncle souhaite-t-il que je rentre à Istanbul avec vous ?

— Non, non, ce n'est pas nécessaire, Votre Altesse. Vous êtes satisfait ici, dans votre petit palais, et le sultan sait qu'il a votre loyauté totale et absolue, répondit le capitaine en souriant de toutes ses dents.

— En effet, le sultan a ma loyauté absolue, répondit Amir.

— Donc, il n'y a plus rien à ajouter, répondit le capitaine Mahmud.

Alors qu'il cessait de manger, un esclave apporta un bol d'eau de rose et une serviette en lin pour ses mains. Le janissaire lava la graisse et les autres résidus de nourriture sur ses doigts, puis il les sécha. Amir l'imita. Puis, les deux hommes se levèrent tandis que Diya al Din arrivait pour dire à son maître que la troupe des janissaires avait été nourrie et que l'on avait soigné leurs montures et qu'elle était prête à partir.

— Laissez-moi vous accompagner jusqu'à votre cheval, dit Amir. Je vous prie de transmettre à mon oncle, le sultan, mes remerciements sincères pour m'avoir fait porter la nouvelle des événements en cours. Il a honoré ma maison.

Le prince s'inclina devant le capitaine Mahmud, qui répondit de même avant d'enfourcher sa bête. Amir resta poliment debout pendant que la troupe des janissaires tournait et partait au galop, ses hommes vêtus de leurs uniformes caractéristiques rouges et verts sur leurs chevaux bruns.

— Assure-toi qu'ils partent, ordonna le prince au chef des eunuques. Envoie les gardes sur les collines pour en être sûr. Dis-leur qu'ils doivent demeurer à leurs postes jusqu'à ce que j'ordonne le contraire.

— Tout de suite, Votre Altesse, dit Diya al Din.

— Ensuite, regroupe les esclaves afin que je puisse leur apprendre ce qu'ils doivent savoir, dit Amir à l'eunuque avant de retourner dans sa maison et de se rendre dans les quartiers du harem, où ses femmes l'attendaient anxieusement.

Azura s'avança immédiatement jusqu'à lui, et les bras d'Amir l'enveloppèrent brièvement.

— J'ai tout écouté, dit-elle.

— Je sais, répondit-il, puis il la tira sur les coussins avec les autres. Le sultan Mehmet n'est plus, leur dit-il. Mon oncle s'est emparé du trône et il est maintenant le sultan Bayezit. Mon père le combat déjà, mais je crois que nous sommes en sécurité. Mon oncle sait que je ne me joindrai pas à mon père. Je n'ai pas de soldats ni de partisans pour ennuyer le sultan. Il n'y a pas d'héritier issu de mon corps. Je ne suis pas une menace pour Bayezit.

— Alors, pourquoi a-t-il jugé nécessaire d'envoyer une troupe complète de janissaires pour vous annoncer le trépas de votre grand-père ? voulut savoir la méfiante Shahdi.

— Mon oncle fait la démonstration de son pouvoir nouvellement acquis, répondit Amir avec un petit rire. Il sait que ma maison n'est pas défendable. Il me faisait la preuve de son autorité sur nous.

— Les janissaires sont-ils vraiment partis ? demanda Azura.

— Je le crois, mais les gardes sur nos collines nous le diront s'ils sont revenus. À compter d'aujourd'hui, je vais établir un tour de garde afin que nous ne soyons pas pris au dépourvu.

— Que se passera-t-il si votre père ne met pas fin à cette querelle ? voulut savoir Maysun. Le sultan nous punira-t-il ?

— Mon oncle est un homme patient, ressemblant plus en cela à son grand-père, le sultan Murad, répondit Amir à sa première femme.

Il pouvait voir que ses épouses étaient effrayées par cette nouvelle tournure d'événements, et cela le perturbait qu'il en soit ainsi.

— Le sultan trouvera un moyen de faire taire les ambitions de mon père, leur assura-t-il.

Cependant, le prince Jem était un homme déterminé. Alors que Bayezit était plus sérieux, plus patient et plus contemplatif, son frère était un personnage plus romantique, un soldat brillant et étrangement, un poète extrêmement talentueux. Bayezit se cramponnait aux grandes traditions de l'empire ottoman, ce qui expliquait pourquoi les janissaires le préféraient autant. Jem, cependant, se tournait vers l'Europe occidentale et le changement. Les janissaires ne voulaient pas le changement.

Jem rassembla une armée de guerriers turkmènes et s'empara de la ville de Bursa, se déclarant sultan. Il régna sans partage pendant presque trois semaines. Il offrit à Bayezit de se partager l'empire. Jem régnerait en Asie et Bayezit, en Europe. Le sultan à Istanbul nomma plutôt le grand héros janissaire, Gedik Ahmed Pasha, chef de ses troupes qui combattaient le prince Jem. Bayezit était le premier des sultans ottomans à ne pas diriger ses propres soldats, envoyant plutôt un commandant compétent. Deux fois, Jem fut vaincu, mais Gedik Pasha ne le captura pas, et Jem fut finalement poussé à l'exil.

Cependant, même en exil, il attisa les ressentiments contre son frère. Les navires marchands d'Amir lui rapportaient des nouvelles des voyages de son père pendant sa fuite. Jem passa par Jérusalem pour rejoindre Le Caire, où il chercha refuge auprès du sultan mamelouk, Kait Bey. Il fit un pèlerinage religieux à la Mecque et à Médine, puis il revint en territoire ottoman pour tenter encore une fois d'arracher le trône à son frère. Cette fois, cependant, son armée le déserta avant les portes de la ville d'Angora. Jem s'enfuit au sud vers la Cilicie et la Méditerranée.

Encore, le sultan tenta d'apaiser son frère, lui offrant un revenu généreux.

– L'Empire est une jeune mariée qui ne peut pas être partagée entre deux rivaux, dit-il à Jem.

Bayezit fut attristé quand son frère, refusant de comprendre, chercha refuge auprès des chevaliers Hospitaliers, sur l'île de Rhodes. Évidemment, il fut reçu avec les honneurs, les chrétiens étant ravis d'avoir le frère du sultan en leur sein pour s'en servir comme d'un appât. Le sultan signa alors un traité avec l'ordre du grand maître, payant aux chevaliers quarante-cinq mille pièces d'or chaque année afin que le prince Jem reste parmi eux.

La rumeur de tout cela remontait lentement jusqu'au prince Amir par bribes. Elle arrivait par l'entremise de ses propres capitaines de navire marchand, qui avaient eu comme directive d'apprendre tout ce qu'ils pouvaient sur les activités du prince Jem. Amir ne comptait pas être pris à l'improviste, s'il pouvait l'éviter. Il n'avait pas l'intention de souffrir à cause de la rébellion de son père. Son oncle se montrait très patient, mais un jour, le sultan perdrait sa patience. Il avait tout fait pour pacifier son frère, mais Jem refusait de se laisser amadouer.

Toutefois, au grand soulagement d'Amir, son oncle ne semblait pas considérer son neveu comme coupable des actes de son père. L'armée des janissaires du capitaine

Mahmud était rentrée à Istanbul. La vie au sérail du Clair de lune adopta un rythme égal et presque tranquille. Les navires marchands du prince allaient et venaient régulièrement. Les saisons arrivaient, puis repartaient. Azura pensait souvent que sa mère serait très surprise de savoir à quel point sa fille menait une vie calme à présent. Elle se demanda si Francesca avait réussi à capturer le cœur d'Enzo ; s'interrogeait sur ses sœurs qui grandissaient. Pensaient-elles parfois à elle ? Ou est-ce qu'Orianna était si furieuse d'avoir été déjouée dans ses plans pour la fille qu'elle avait baptisée « Bianca » que son nom n'était jamais prononcé dans le *palazzo* des Pietro d'Angelo ?

Puis, un jour, elle fut surprise d'une manière inattendue. Son mari vint la trouver après avoir discuté avec un de ses capitaines de vaisseau. Il apportait une lettre scellée qu'il lui tendit. Azura la prit avec un air interrogateur.

— Qu'est-ce que c'est ? lui demanda-t-elle.

— Quelqu'un vous a écrit, répondit-il. Elle a été remise à l'un de mes capitaines à Bursa, mon amour. Ouvrez-la.

Azura brisa le sceau de cire et déplia le parchemin. Ses yeux s'arrondirent en voyant l'écriture familière.

— Elle vient de mon frère Marco, lui dit-elle tandis qu'elle lisait rapidement la missive. Il viendrait me voir, Amir.

Elle vit le visage du prince se crisper sous une colère réprimée et elle dit rapidement :

— Je ne suis pas obligée de le voir, Amir. Nous allons ignorer cette lettre.

Elle replia lentement le parchemin.

— Je me demande ce qu'il fait à Bursa, dit-elle, presque pour elle-même.

— La route de la soie se termine à Bursa, lui dit Amir.

— Mais comment savait-il comment me trouver ? se demanda Azura.

— Il a sans aucun doute appris que j'avais des navires et il a cherché l'un de mes capitaines dans ce port, raisonna le prince. C'était très intelligent de sa part.

— Je n'ai jamais cru que Marco était particulièrement intelligent, dit sèchement Azura.

— Voulez-vous le voir ? lui demanda Amir.

— Oui, admit-elle, mais si cela vous perturbe, je ne le ferai pas. Il vaut peut-être mieux ne pas réveiller le chat qui dort, mon seigneur.

— Non ! répondit-il, ravalant sa fierté et sa colère contre la famille d'Azura qui tentait encore une fois d'intervenir dans leur vie. Votre famille est curieuse et va à nouveau essayer de vous tromper afin de vous ramener à eux. Qu'il vienne ! Je ne vais pas vous libérer, ma bien-aimée. Je ne le ferai pas !

Là, Azura rit et glissa ses bras autour de son cou, son corps se pressant contre le sien.

— Je ne veux pas rentrer, Amir, mon très cher amour. Je suis juste intriguée par la raison pour laquelle Marco a choisi ce moment pour me contacter, même s'il est sans aucun doute curieux de la vie que je mène avec vous. Je l'ai tenu responsable de mon mariage avec Rovere. Je crois qu'il veut voir si je suis heureuse avec vous. Si vous acceptez qu'il vienne, alors c'est à vos conditions. Je suis satisfaite de m'y plier.

Elle l'embrassa d'un long et doux baiser.

L'enveloppant dans ses bras, il profita du baiser. Depuis combien de temps étaient-ils ensemble ? Presque trois ans, et il était aussi heureux aujourd'hui que le jour où il l'avait emmenée au sérail du Clair de lune. Non, plus heureux, conclut-il en changeant d'avis.

— Il peut venir, mais il doit dormir sur le navire qui l'amènera. Je vais le dire à mon capitaine.

Il lui donna un long baiser passionné.

« Comme il est vulnérable, songea tout à coup Azura ; il savoure son bien. »

— Évidemment, mon très cher seigneur.

— Il ne rencontrera pas les autres, dit Amir.

— Certainement pas ! répondit Azura, choquée.

Elle avait fini par adopter certaines sensibilités des Turcs. Le harem d'un homme était sacro-saint.

— Et vous vous verrez dans le salon servant aux visiteurs, lui dit Amir.

— Peut-être aussi dans le jardin, suggéra-t-elle.

— Si les épouses vos compagnes ne souhaitent pas se promener, ajouta-t-il.

— Vous êtes des plus généreux, mon seigneur, dit-elle.

— Vous vous moquez de moi, l'accusa-t-il.

— C'est mon frère aîné qui souhaite me rendre visite, Amir et non un ancien prétendant, répondit-elle en riant doucement.

— Tout autre homme qui tenterait de vous rendre visite et qui ne serait ni mon oncle ni mon père se retrouverait la gorge tranchée, lui dit le prince sérieusement.

— Alors, je vais assurément dire à Marco de ne révéler la localisation de mon foyer à personne, mon seigneur, dit-elle. Je ne voudrais pas avoir le sang de gens innocents sur mes mains.

— Azura, c'est sérieux, dit-il. Il est inhabituel pour la famille d'une femme comme vous qu'elle vienne lui rendre visite dans de telles circonstances. Je ne veux pas permettre à votre frère de venir ici, mais je vois que cela a beaucoup de signification pour vous. Je vais toujours m'efforcer de vous faire plaisir, ma bien-aimée.

Il soupira.

— Vous savez à quel point je vous aime.

— M'aimer ne veut pas seulement dire me posséder, Amir, dit-elle en le réprimandant gentiment. Vous devez me faire confiance, car je ne vous trahirais jamais d'aucune façon. J'ai l'occasion de faire ce que tant de femmes emmenées dans l'Empire ne peuvent pas. Je peux dire à ma famille que je vais bien et que je suis merveilleusement heureuse avec vous. Plus heureuse que j'ai été de toute ma vie. Être votre épouse me convient, même si je dois vous partager avec Maysun et Shahdi. C'est cela que je dirai à mon frère afin qu'il puisse le rapporter à ma famille. Qu'il n'y ait aucun doute sur ce que je ressens. Je vous aime, mon seigneur Amir. Seule la mort nous séparera.

— Je suis un jaloux idiot, dit-il.

— Vous l'êtes, approuva-t-elle, et j'en suis flattée, mais je vais voir Marco et le rassurer sur mon bonheur. Qu'il soit ou non d'accord avec moi, il racontera ce que j'ai dit à ma famille.

Marco Pietro d'Angelo fut amené pour la traversée de la mer Marmara et dans le détroit du Bosphore, puis dans la mer Noire. Quand le bateau s'ancra juste à côté de la côte nord, il put tout juste voir le palais de marbre blanc sur les collines vertes au-dessus. On l'amena à la rame sur le rivage et il fut accueilli par un grand homme séduisant à la peau claire, aux yeux bleus intenses et à la chevelure sombre, qui n'avait pas du tout l'air d'un étranger.

— Je suis Amir ibn Jem, dit le prince en se présentant. Bienvenue dans ma maison.

Marco exécuta malgré lui une révérence. L'homme en face avait une présence et de la dignité.

— Je suis Marco Pietro d'Angelo, le frère aîné de Bianca, répondit-il. Je dois supposer que vous m'avez amené ici afin que je puisse voir ma sœur.

— Venez ! dit le prince sans se donner la peine de répondre à la question du visiteur. Nous devons grimper cette colline pour arriver au palais où votre sœur vous attend.

Le prince escalada facilement et rapidement ; mais Marco, non habitué à l'exercice physique, fut plus lent. Au moment où ils rejoignirent le sommet de la colline, il soufflait, hors d'haleine.

Amir se sourit malicieusement à lui-même. Le frère d'Azura devrait grimper cette colline chaque fois qu'il viendrait la voir. Il partirait rapidement.

— Votre sœur vous attend dans le jardin, Marco Pietro d'Angelo, dit le prince à son invité essoufflé.

Puis, il la pointa.

Marco regarda dans la direction désignée par le prince. Il vit la silhouette d'une femme voilée vêtue d'une robe de soie violette, debout en silence.

— Bianca ?

Il s'avança et quand il la rejoignit, Marco reconnut les beaux yeux de sa sœur au-dessus de son voile léger.

Azura tira sur la soie délicate couvrant son visage.

— Marco, dit-elle en lui souriant.

Puis, elle se pencha en avant et l'embrassa sur les deux joues. Ensuite, en lui prenant la main, elle l'invita à s'asseoir à côté d'elle.

– Pourquoi êtes-vous venu ? lui demanda-t-elle. Vous avez secoué mon mari avec vos actions.

– Votre mari ? Vous êtes mariée ?

Il semblait surpris.

– Sous la loi de ce pays, oui, je suis la troisième épouse du prince Amir, dit Azura à voix basse. Pensiez-vous que j'avais été kidnappée et obligée de devenir une esclave charnelle ?

Elle rit.

– Je suis certaine que mère a répandu ce genre de rumeur, car admettre que sa fille aimait un infidèle était incompréhensible pour elle.

– Ils ont dit que vous avez crié et lutté quand on vous a enlevée dans votre bateau nuptial, lui dit Marco. Cela a fait toute une histoire à Venise et un scandale quand le doge a refusé d'intervenir auprès du sultan.

– Ce n'était pas moi qui avais été enlevée sur cette gondole décorée de fleurs, dit Azura. C'était Francesca. Elle était amoureuse d'Enzo, et je savais qu'Amir venait pour me chercher. Donc, nous avons conspiré afin de changer de place ce jour-là.

Elle poursuivit alors en expliquant à son frère comment, lorsqu'Amir avait découvert que la fiancée voilée n'était pas Bianca, il était retourné au palais de leur grand-père avec l'aide de Francesca afin qu'elles puissent reprendre leurs places initiales.

– Francesca a-t-elle réussi à capturer le cœur d'Enzo ? demanda Azura à son frère.

— Non. Il s'est marié trois mois plus tard avec une Orsini. Une veuve qui avait donné deux fils à son mari décédé, lui dit Marco.

— Ahh, pauvre Francesca, dit Azura avec empathie. Est-elle déjà mariée ? Je suis certaine qu'on lui a trouvé un autre mari.

— Grand-père l'a renvoyée à Florence. Il a dit qu'il était maintenant trop vieux pour affronter des jeunes filles en âge de se marier. Il a prétendu que toutes les deux, Francesca et vous, aviez déshonoré le nom des Venier. Mère était furieuse, comme vous pouvez l'imaginer.

— Oui, en effet, je me l'imagine, dit Azura. Les autres se portent-ils bien ? Et notre père ?

— Tous en pleine forme, lui dit Marco.

— J'en suis contente, dit Azura.

Puis, elle se leva.

— Vous pouvez revenir me voir demain, Marco. Et vous pourrez me dire alors pourquoi vous avez cherché à me voir.

Pivotant, elle l'abandonna à la surprise de son départ.

Un esclave se trouvait à côté de lui.

— Je dois vous escorter en bas sur la plage, monsieur, dit-il à Marco. On vous ramènera sur le navire, et mon maître dit que vous devez revenir demain à la même heure.

Il guida l'invité hors du jardin du prince et en bas de la pente abrupte jusqu'au rivage où un petit bateau attendait déjà de ramener Marco sur le bateau ancré.

Marco Pietro d'Angelo était déçu. Il avait tant de questions pour Bianca, mais elle avait dirigé la conversation. Néanmoins, on lui avait dit qu'il pouvait revenir. Il poserait ses questions à ce moment-là, et cette fois, il obtiendrait des réponses.

Chapitre 16

Azura le regarda partir depuis une des fenêtres du harem. Il était devenu un homme pendant les quatre ans, ou presque, depuis qu'elle l'avait vu. Pourtant, il lui semblait un étranger à bien des égards. Elle avait vu les nombreuses questions dans ses yeux. Elle allait devoir y répondre s'il devait repartir satisfait. Les bras d'Amir l'enveloppèrent, et elle s'appuya contre lui.

— Vous êtes triste, dit-il.

— Oui ; étrangement, je le suis, admit Azura, mais pas à cause de la vie que je mène. Plutôt par la conviction que ma famille n'a pas encore fait la paix avec mes décisions.

Elle lui raconta tout ce que son frère lui avait dit.

— Je ne peux qu'imaginer l'ampleur de la colère de ma mère à voir ses plans déjoués, mais d'avoir sa seconde fille renvoyée chez elle en disgrâce a dû être terrible pour elle. Cela se reflétera sur mes deux sœurs plus jeunes, je le crains. J'aurais aimé ne pas le savoir. J'aurais aimé que Marco ne vienne pas.

— Ce n'est pas obligé qu'il revienne, dit Amir.

— Oui, il le faut, car je ne peux pas le renvoyer sans lui fournir les réponses à toutes ses questions, mon amour. Je dois cette fois fermer la porte avec fermeté et pour toujours, dit Azura avec un soupir.

Il savait qu'elle avait raison, mais cela le peinait de voir la détresse que la venue de son frère causait en elle. Demain, après qu'ils se seraient parlé, lui-même discuterait avec Marco Pietro d'Angelo. Ensuite, il le renverrait avec la directive de ne plus jamais revenir. Il ne voulait plus jamais qu'Azura soit à ce point bouleversée.

Le lendemain, Marco vint encore une fois rendre visite à sa sœur. Cette fois, l'esclave l'escorta dans le charmant petit palais, l'amenant dans un petit salon. Il fut invité à s'asseoir parmi les coussins disposés autour d'une table basse. Une boisson sucrée et une assiette de douceurs au miel lui furent apportées. Malgré toute son impatience de voir Bianca, il découvrit qu'il s'installait facilement dans cet étrange décor. Il trouva délicieuse la boisson aux fruits qu'il sirota, ainsi que les petits gâteaux secs auxquels il ne put résister, les faisant sauter dans sa bouche les uns après les autres tant ils étaient irrésistibles.

Sa sœur entra dans le salon en souriant. Elle ne portait pas de voile et elle était vêtue d'une robe luxueuse en brocart de soie cramoisie bordée de broderie dorée et noire. Sa belle chevelure noire était libre et non couverte.

— Marco, bienvenue, dit-elle gracieusement, s'assoyant en face de lui, prenant une petite coupe de sorbet de l'esclave en service.

— Vous êtes différente aujourd'hui, remarqua-t-il. Vous ne m'accueillez pas voilée.

— Nous sommes à l'intérieur. Je n'ai pas besoin de me voiler dans ma propre maison, expliqua-t-elle. Je vois que nos serviteurs ont assuré votre confort et que vous possédez encore une prodigieuse dent sucrée, grand frère.

— Votre maison, dit-il doucement, presque interrogativement.

— Oui, Marco, ma maison, répéta Azura. Ce petit *palazzo* s'appelle le « sérail du Clair de lune ». *Sérail* est le mot pour « *palazzo* » ici. Je vis avec mon mari, le prince Amir et ses deux autres épouses, Maysun et Shahdi. Nous sommes heureux ensemble.

— Étiez-vous au courant pour les deux autres avant votre arrivée ? lui demanda-t-il.

Elle hocha la tête.

— Oui, je l'étais, mais cela ne faisait pas de différence pour moi, Marco. J'aime Amir, et l'aimer était tout ce qui comptait pour moi. Pas la famille. Pas la foi. *Uniquement lui.*

— Vous a-t-il donc ensorcelée ? se demanda son frère.

— Ne soyez pas idiot, Marco, dit Azura en riant. N'avez-vous donc jamais été amoureux pour me demander une telle chose ? Mais bien sûr, les hommes admettent rarement leurs sentiments tendres, au cas où on les croirait faibles.

— Je ne sais pas ce que vous voulez dire par « cet amour dévorant », admit-il. J'ai une bonne épouse. J'ai un enfant. J'ai de l'affection pour eux, mais je dois m'occuper d'autres choses dans la vie. Je n'ai pas le temps pour un amour tel que celui que vous décrivez.

Il avait l'air sincèrement perplexe face à ses paroles, à son attitude.

— Pourquoi vouliez-vous me voir alors, Marco ? lui demanda candidement sa sœur.

— Je vous ramènerais à la maison si vous vouliez partir, dit-il.

— Oh, mon frère, comme vous êtes naïf, lui dit Azura. Je ne veux pas rentrer, mais même si c'était le cas, mon seul moyen de revenir serait d'entrer dans un couvent où je serais honnie par les bonnes sœurs pour mon comportement mauvais et obscène et où l'on s'attendrait à ce que je passe mes journées dans le plus profond repentir pour mes péchés. J'ai de nombreux péchés, Marco, mais aimer Amir ne peut pas compter parmi eux.

» Je ne souhaite pas vous renvoyer aujourd'hui sans que vous compreniez que les choix que j'ai faits étaient les miens. Je les ai faits librement. Je n'ai aucun regret pour mes actions. Aucun ! Et c'est vraiment très simple. Nous sommes deux personnes qui sont tombées amoureuses, qui voulaient être ensemble malgré tous les obstacles que les autres posaient sur notre chemin pour empêcher notre union. Mais nous les avons tous surmontés. Je suis sa femme et je suis plus heureuse que je ne l'ai jamais été dans ma vie.

— Votre ancienne vie ne vous manque-t-elle pas du tout ? lui demanda-t-il.

Elle rit.

— Mon ancienne vie et ma nouvelle vie sont très semblables, mon frère. À Florence, ou même à Venise, on cloître la femme mariée dans sa maison pour la protéger. Elle quitte rarement son foyer. En Turquie, une femme mariée est également cloîtrée chez elle pour sa protection et elle quitte rarement son foyer. Je dirige mes esclaves dans leurs tâches, bien que je partage cette corvée avec mes sœurs les autres épouses. J'aurais fait presque la même chose à Florence ou à Venise. Si j'ai un enfant, je vais l'élever ici comme je le ferais ailleurs. Quand l'enfant sera adulte, je chercherai un bon mariage pour lui. Quand je mourrai, je serai enterrée. Comme vous pouvez le voir, il y a peu de différences entre ma vie ici et là-bas, Marco.

– Vous n'avez pas de famille, ici, remarqua-t-il durement.

– Notre mère planifie de grands mariages pour ses autres filles, mon frère. Nous savons tous les deux que cela signifie que les autres quitteront Florence quand elles se marieront. La fille d'un riche marchand florentin est un prix grandement convoité, particulièrement par la noblesse qui est toujours en manque d'argent. Notre mère trouvera les meilleurs titres pour mes sœurs, vous pouvez en être convaincu. Et une fois mariées et parties, elles seront comme moi. Leurs maris, leurs enfants et les parents autour d'eux deviendront leurs familles.

– Combien de temps avez-vous pour nos parents à présent que vous êtes marié, Marco ? Le fait que vous travailliez avec notre père dans son commerce de soie est la seule raison pour laquelle vous le voyez quotidiennement. Voyez-vous nos deux frères, Georgio et Luca ? Ou nos sœurs ? Ou notre mère, la voyez-vous fréquemment maintenant, Marco ? Je me doute que non. Pourquoi cela devrait-il être différent pour moi ? Rentrez chez vous. Si vous pouviez dire à nos parents que je suis heureuse, je serai satisfaite. Vivez votre vie pour vous-même et votre famille et non pour les autres, Marco.

– Comme vous l'avez égoïstement fait ? lui demanda-t-il avec colère.

Azura rit, pas le moins du monde bouleversée par son ton.

— Oui ! lui dit-elle. Comme je l'ai fait. Je ne vais m'excuser devant personne pour ce que j'ai fait.

— Il est interdit de prononcer votre nom dans la maison de nos parents, lui dit-il.

Elle rit encore, mais cette fois, il y avait une touche d'amertume dans son rire.

— Oui, je crois que mon nom est interdit, mais est-ce à cause de mes actes ou parce que j'ai défié notre mère ? Peu importe, Bianca Pietro d'Angelo ne vit pas au Clair de lune. La troisième femme du prince Amir est appelée « Azura », en raison de ses beaux yeux.

Le visage de Marco se défit.

— Je me considérerai toujours comme responsable de ce que vous avez fait, de ce que vous avez souffert, lui dit-il. Si Stefano et moi n'avions pas disposé du corps de cette pauvre femme dans l'Arno, Rovere n'aurait pas pu faire chanter père pour qu'il vous donne à lui pour épouse. Sa cruauté et sa brutalité vous auraient été épargnées, Bianca. Vous auriez fait un bon mariage et auriez été heureuse.

Maintenant, elle comprenait ! Il n'avait pas cherché à la voir parce que leurs parents l'avaient envoyé. Leurs parents comprenaient que sa décision de partir avec Amir avait été irrévocable. C'était le pauvre Marco qui ne comprenait pas. Il croyait que son premier mariage obligé l'avait amenée à prendre le mauvais chemin dans la vie. Tendant la main par-dessus la table, Azura prit celle de son frère dans la sienne et regarda droit dans ses yeux bruns troublés.

— Écoutez-moi, Marco, commença-t-elle. Oui, mon mariage avec Rovere a été un cauchemar, mais à cause de cela, j'ai été capable de reconnaître l'amour réel et véritable lorsque je l'ai trouvé. Je ne voudrais pas qu'il en soit autrement. J'aurais traversé la vie telle une femme effrayée et obéissante avec un homme pour qui j'aurais eu peu de sentiments, tout comme notre mère l'a fait. Je sais que vous ne comprenez pas vraiment ce que je veux dire en parlant de l'amour que je vous ai décrit, mais vous ne devez pas vous sentir coupable pour la voie que j'ai choisi de suivre, mon frère. Je devrais vous remercier, Marco ; et je le fais. Il est vrai que je vous ai déjà tenu responsable de ma misère en tant qu'épouse de Rovere, mais plus maintenant. Le malheur qu'il m'a causé était son péché et non le mien. Cependant, sans savoir ce qu'est le bien et le mal, je n'aurais pas trouvé mon véritable bonheur, grand frère.

Elle pressa la main qu'elle tenait et sourit à son visage familier et troublé. Comme il était devenu une version plus jeune de leur père, pensa-t-elle affectueusement.

— Maintenant, je veux que vous rentriez à la maison et soyez heureux et satisfait vous-même, continua-t-elle. Devenez un marchand de soie prospère en suivant les traces de notre père. Respectez et prenez soin de votre femme et de vos enfants. Obtenez un bon prestige avec une maîtresse enviée. Servez l'État aussi souvent qu'il voudra de vous. Soyez charitable en vous rappelant tout ce dont vous êtes béni. Et quand il se trouve que vous pensez à moi, Marco, sachez que je suis l'épouse heureuse et satisfaite de mon très cher infidèle. Je ne voudrais pas qu'il en soit autrement, et vous ne le devriez pas non plus. Si vous avez encore l'impression d'avoir péché contre moi, mon frère, je vous offre volontiers mon pardon absolu.

Les yeux de Marco étaient emplis de larmes, qu'il essuya rapidement du revers de la main.

— Bianca…, dit-il.

Au grand étonnement de sa sœur, il éclata en sanglots.

Elle contourna vite la table pour l'envelopper dans une étreinte tandis qu'il pleurait.

— Mon cher frère, dit-elle, vous ne devez plus pleurer maintenant. Je vous en prie, oh, je vous en prie, dites-moi que vous comprenez, Marco. Cela me chagrine de penser que vous partirez sans comprendre. Que puis-je faire pour vous éclairer ?

Il s'était abasourdi lui-même avec les émotions qui l'avaient submergé si brusquement. Il n'avait pas pleuré depuis qu'il était un petit garçon. Les hommes ne pleuraient pas comme des jouvencelles ou des vieilles femmes. Puis, alors que le son de sa douce voix le calmait, il finit par comprendre qu'elle lui avait réellement pardonné, si vraiment elle l'avait un jour tenu responsable de son malheur. Son étreinte chaleureuse l'apaisa. Il reprit à nouveau son sang-froid, se dégageant gentiment de ses bras.

— Je comprends, Bianca, lui dit-il. Comment puis-je faire autrement quand je vous vois remplie d'un tel bonheur et d'une telle paix ?

Elle lui sourit, ses doigts délicats essuyant doucement la preuve de son chagrin.

— Je suis contente, alors ; et je peux vous renvoyer chez vous sans le fardeau d'une culpabilité inutile, Marco. Transmettez mon amour à Francesca et racontez-lui mon bonheur. Je prie pour qu'elle trouve le sien. Et les autres aussi.

— Vous priez encore notre Dieu ?

Il pensait qu'on le lui aurait interdit et qu'on l'aurait obligée à prier la divinité des infidèles.

— Évidemment que je prie Dieu, dit-elle presque en riant. Amir m'a promis que je ne serais pas forcée de renoncer à ma foi. Je n'ai pas de prêtre, c'est vrai, mais je sais que Dieu entend mes prières même sans lui.

Il hocha la tête, puis il dit :

– Je ne vous ai pas posé la question avant, Bianca, mais avez-vous des enfants ? Je le dirais à notre père, qui recevra avec plaisir des nouvelles de vous, même si les autres n'en voudront pas.

Ils savaient tous les deux qu'il faisait référence à leur mère.

– Non, mais j'espère en avoir un jour. Maysun et Shahdi sont stériles, car il n'est pas sage pour les princes ottomans d'avoir trop d'enfants, particulièrement des fils. Les fils représentent un danger pour le sultan, pour son héritier et pour leur famille.

– C'est donc pour cela que le prince Amir vivait à Florence, dit Marco, fasciné.

– Il m'a dit, lorsque l'on est un petit-fils de sultan, il vaut mieux être marchand que guerrier. Son père se querelle même aujourd'hui avec son frère, le sultan Bayezit.

– Cela vous met-il en danger ? demanda Marco, inquiet.

– Non, lui dit Azura. Amir a toujours été fidèle au sultan, qui qu'il soit. Il ne se mêle pas lui-même de politique. Son oncle sait qu'il ne se rebellera pas, même dans l'intérêt de son père. On nous dit que le prince Jem réside à présent sur l'île de Rhodes, sous la protection des chevaliers Hospitaliers.

– J'en sais peu sur la politique, sauf quand elle a un effet sur le commerce de la soie, lui dit Marco. Je suis venu à Bursa parce que c'est ici que la route de la soie prend fin et je désirais m'entretenir avec certains marchands de la ville. J'ai découvert une nouvelle source de soie particulièrement belle et de brocart de soie qui fera grandement plaisir à notre père. La robe que vous portez est magnifique. Avec un tissu comme celui-là, les Pietro d'Angelo pourraient monopoliser le commerce de la soie.

Elle rit.

— Vous êtes le véritable fils de notre père, Marco. Je sais qu'il est fier de vous.

— Il ne le dit pas, si c'est le cas, grommela Marco, se resservant à présent une des petites friandises mielleuses aux noix qui se trouvaient encore sur le plateau.

Ils passèrent environ une heure de plus à partager un moment agréable entre frère et sœur. Les soucis entre eux étaient maintenant réglés. Azura savait que c'était à elle de mettre fin à l'après-midi. Enfin, elle s'obligea à se lever, et il l'imita.

— Vous devez partir, Marco, lui dit-elle. Je suis contente que vous soyez venu. Il est peu probable que nous nous revoyons dans cette vie, mon frère.

— Je sais, admit-il, mais je suis soulagé de savoir à quel point vous êtes heureuse, Bianca ; et je vous suis reconnaissant pour votre pardon.

Le frère et la sœur s'étreignirent, puis Azura l'accompagna hors du salon, étonnée de voir Amir les attendant à l'extérieur.

— Mon seigneur ? dit-elle.

— Je vais escorter votre frère sur la plage, ma bien-aimée, lui dit-il.

Elle se contenta de hocher légèrement la tête.

— Vous êtes très aimable, mon seigneur.

Puis, elle se tourna une dernière fois vers son frère.

— Adieu, Marco. Rappelez-vous mes paroles ; que Dieu vous accompagne dans vos voyages.

Puis, elle l'embrassa sur les deux joues, elle pivota et partit en hâte dans le corridor, disparaissant de sa vue.

— Venez ! dit Amir à son invité.

— Je vous suis reconnaissant de votre permission de voir Bianca, dit Marco tandis qu'ils sortaient du petit palais et entreprenaient la descente de la pente raide jusqu'au rivage. Elle a apaisé mon esprit et m'a pardonné pour mes fautes passées.

— J'en suis content, mais vous ne pouvez plus revenir, lui dit Amir. Cela n'a pas été facile pour Azura de laisser derrière elle tout ce qui lui était familier, mais elle l'a fait par amour pour moi. Je ne peux qu'espérer qu'une femme vous aime autant un jour, Marco Pietro d'Angelo.

— Cela a aussi été difficile pour moi, dit Marco à son compagnon, refusant d'être intimidé, même un peu, par ce prince. Elle est ma sœur, la plus proche de moi en âge parmi tous les enfants. Je ne la bouleverserais pas exprès. Si c'est votre désir, mon seigneur, que nous ne nous revoyions plus, alors je l'accepte. Ma sœur m'a déjà dit la même chose avec beaucoup de fermeté, conclut-il avec un petit sourire.

Amir lâcha un rire sec.

— Vraiment ? Elle l'a vraiment fait ? Ah, quelle merveilleuse créature que cette femme.

Son visage séduisant se détendit à ce moment-là alors que la menace de la famille d'Azura s'évanouissait doucement.

Ils atteignirent la plage, où un petit bateau attendait de ramener le jeune marchand de soie sur le vaisseau ancré.

— Le capitaine a reçu l'ordre de mettre immédiatement les voiles, dit le prince à son invité. Sa destination est Istanbul. Vous trouverez un bateau là-bas pour vous raccompagner chez vous.

Il tendit la main à Marco.

— Je vous ai accueilli dans la paix, frère de ma femme. Je vous dis à présent adieu. Partez en paix et avec mon amitié.

Marco accepta la main du prince et la serra.

— Merci, mon seigneur, lui dit-il. Je vois que vous avez bien traité ma sœur. Je ne peux pas nier son amour pour vous. Je vous offre mon amitié, *signore*.

Puis, il pataugea jusqu'à la petite embarcation et monta à bord. Il se tourna avec le sourire et salua amicalement Amir de la main. Ensuite, Marco Pietro d'Angelo se retourna face à la mer.

Le prince regarda pendant que le petit bateau à rames avançait rapidement jusqu'au plus gros navire. Au moment où le prince avait remonté la pente jusqu'aux jardins du palais, son vaisseau était déjà en route, voguant hors de la petite crique qui desservait le sérail du Clair de lune et se dirigeait vers le Bosphore. Il rentra dans sa maison et se rendit directement au harem. Là, il trouva Azura, comme il s'y était attendu, debout près d'une fenêtre, à regarder elle aussi.

L'entendant arriver, elle se tourna en souriant.

— Il n'est pas venu dans l'intérêt de ma famille. Il est venu pour lui-même. J'ai soulagé sa pauvre conscience tourmentée.

Elle poursuivit en lui expliquant sa conversation de l'après-midi avec son frère.

— Êtes-vous triste de le voir partir en sachant que vous ne le reverrez probablement jamais ? lui demanda-t-il.

— Non. Ma vie est ici avec vous, lui dit Azura, se souriant à elle-même tandis qu'elle parlait.

« Les hommes ! Pourquoi est-ce qu'ils semblent toujours avoir besoin d'être rassurés par ceux qu'ils aiment ou dont ils prennent soin ? » se demanda-t-elle.

Puis, elle regarda dans ses yeux bleus intenses et lui dit :

— Je veux un enfant, Amir. Un enfant issu de notre amour mutuel. Maysun et Shahdi aimeraient aussi que j'aie un enfant, car le harem est triste sans le rire des bambins.

— Vous connaissez les dangers, ma bien-aimée, lui rappela-t-il. Mon oncle pourrait se retourner contre moi n'importe quand à cause de mon père. Souvenez-vous qu'il a lui-même trois fils vivants. Si notre enfant était un mâle, il pourrait représenter un danger pour nous tous, mais pour vous en particulier. De plus, il n'y a eu aucun signe d'un enfant depuis tout ce temps que nous sommes ensemble.

— Parce que Nadim prépare chaque matin une potion qu'Agata me présente comme une boisson énergisante. Je ne suis pas censée savoir qu'elle empêche la conception. Elle n'est pas dangereuse, alors je la bois très scrupuleusement, lui dit Azura avec un petit rire.

— Je devrais les faire battre, tous les deux ! s'exclama Amir en feignant la colère.

Elle rit encore.

— Ils nous protègent avec leurs actions, lui dit-elle.

— Un enfant, dit-il lentement. Je n'avais pas pensé avoir un enfant, particulièrement alors que vous ne sembliez pas vous avérer fertile. Une fille qui favoriserait sa mère serait une joie. Néanmoins, c'est un risque sérieux que vous considérez, ma bien-aimée.

Amir connaissait bien son oncle. Bayezit était un homme patient, mais il n'avait pas peur d'agir pour défendre ses intérêts, comme l'avait prouvé sa course pour atteindre Istanbul quand le sultan Mehmet était mort. Il se trouvait à une distance plus longue que son frère et pourtant, il avait rejoint la capitale le premier, où il avait promis aux janissaires ce qu'ils voulaient et payé les bons pots-de-vin afin que son frère n'ait aucune chance d'accéder au trône. Et que ressentirait Azura si on lui arrachait son nouveau-né des bras et qu'on l'étouffait ? Pouvait-il la soumettre à cela ?

Néanmoins, s'ils osaient, un enfant apporterait une telle joie dans leur foyer. Et cela pourrait tout aussi facilement être une fille qu'un fils. Une fille qui, un jour, pourrait être utilisée pour servir au mieux le sultan dans une alliance maritale importante. Une princesse ottomane ferait plaisir à son oncle. Parmi tous ses cousins, Amir soupçonnait que le plus jeune fils du sultan, Selim, serait celui qui engendrerait une grande famille. Ahmed, malgré sa position de favori de Bayezit, préférait jouer à l'argent, boire des vins interdits et les jolis pages. Korkut était un érudit sérieux que seules ses études intéressaient. Mais Selim ressemblait beaucoup à Bayezit lui-même. Selim prendrait le trône un jour ; il se montrerait plus rusé que ses frères, tout comme son père avant lui, et ce serait la famille de Selim qui prévaudrait.

— Je ne sais pas si je peux nous mettre en péril à ce point, ma bien-aimée, dit Amir en songeant à la question. Le sultan s'est montré favorable envers moi, mais il y a ceux qui ont son oreille et qui voudraient bien voir mon père et moi morts. Les trois *kadine*s de mon oncle sont des femmes ambitieuses, particulièrement la mère d'Ahmed, Besma. La rumeur veut qu'elle ait réussi à faire assassiner le fils aîné de Bayezit, l'enfant d'une autre *kadine*, pour augmenter les chances de son propre fils pour la succession. Que ressentiriez-vous si, après avoir donné naissance à un fils, il vous était immédiatement enlevé pour être tué ?

Azura eut le souffle coupé, horrifiée.

— Ils ne feraient pas cela !

Il ne dit rien, et son silence était la confirmation de ses paroles.

— Le feraient-ils ? murmura-t-elle.

— Je ne peux pas supporter de vous voir malheureuse, ma bien-aimée, lui dit Amir. Si vous voulez un enfant, je vais vous en donner un, mais comprenez les risques impliqués si je le fais et que vous me donniez un fils.

— Si nous avions un fils, pourquoi le sultan devrait-il le savoir ? demanda Azura. Nous ne vivons pas à Istanbul. Comment même apprendrait-il que nous avons une famille ?

Amir rit.

— Si je ne l'informe pas de l'arrivée d'un enfant, cela ressemblerait à une trahison de ma part. Vous pensez comme une Florentine.

— Je suis une Florentine, dit-elle.

— Non, lui dit-il. Vous êtes ma bien-aimée, ma femme et tout ce qui était avant nous n'est pas pertinent. Je ne vais pas vous partager avec votre passé, sauf lorsque j'y ai participé. Je suis un homme jaloux, en ce qui concerne ma femme.

Elle l'embrassa gentiment sur la bouche.

— Vous devez apprendre à me partager, car je veux un enfant, Amir. Je vais courir le risque et espérer que votre oncle soit clément envers nous si nous avons un fils, mais je vais avoir une fille ; inutile donc pour nous de nous faire du souci.

— Vous n'avez pas encore montré de signes que vous portez un enfant, dit-il. Comment pouvez-vous être certaine que vous en aurez un maintenant que vous l'avez décidé ?

— Je vous ai dit qu'il me suffit d'arrêter de boire la boisson énergisante que Nadim prépare et qu'Agata me donne chaque matin. Ils pensent que je ne sais pas, lui expliqua Azura. Ma mère buvait un liquide semblable quand elle ne souhaitait plus avoir d'autres bébés. Il est possible de faire ce genre de chose.

Elle lui avait déjà mentionné cela auparavant, se rappela-t-il, mais il était tellement préoccupé par d'autres affaires que cela lui était complètement sorti de l'esprit. Une fois encore, il se demanda s'il devait être en colère ou non. Il prit conscience que ses esclaves tentaient en effet de les protéger, lui et ses épouses, tout autant que les autres membres de la maison.

— Cessez de boire la potion, lui dit-il. Je vais parler à Nadim et à Ali Farid. Nous allons courir le risque et avoir un enfant, ma bien-aimée.

Tandis qu'il le disait, il se demanda s'il se montrait sage. Les femmes étaient connues pour mourir en couches. Il ne voulait pas la perdre, mais il voulait également la rendre heureuse. Il s'empara de sa main et l'embrassa avant de la poser sur son cœur un instant. Puis, il la relâcha avec un sourire.

— Maintenant, je serai comblée, lui promit Azura. Et Maysun et Shahdi le seront aussi, car cet enfant nous appartiendra à nous tous, mon amour.

— Venez à moi ce soir, dit-il.

Elle sourit en regardant ses yeux.

— Il sera fait selon les ordres de mon seigneur, ronronna-t-elle en lui donnant un baiser rapide.

Il lui sourit avec espièglerie et il émit un petit rire.

— Comme vous êtes docile, ma bien-aimée, quand vous obtenez ce que vous voulez de moi.

— Toutes les femmes sont faciles à vivre quand elles sont heureuses, répondit-elle.

Agata ne lui apporta plus la boisson énergisante le matin, et ils commencèrent tous à l'observer attentivement. Néanmoins, malgré la passion partagée entre Amir et Azura, il n'y eut pas de signe rapide de grossesse. Azura s'en trouva déçue, mais Nadim et Agata la réconfortèrent, assurant à la troisième épouse que la conception d'un enfant était selon la volonté de Dieu et non celle de l'homme. Cela faisait tout juste un mois que la décision avait été prise.

Puis, tard un matin, le capitaine Mahmud et une petite troupe de janissaires arrivèrent au sérail du Clair de lune. Ils avaient l'ordre de dire au prince Amir de revenir à Istanbul, car son oncle, le sultan, souhaitait s'entretenir avec lui.

Azura était méfiante.

— Que veut-il ? Pourquoi ne vous a-t-il pas tout simplement envoyé un message ? Pourquoi devez-vous le voir ?

Maysun et Shahdi, très au fait de la politique de l'Empire ottoman, étaient encore plus inquiètes, même si elles gardèrent leurs inquiétudes pour elles. Elles ne souhaitaient pas bouleverser Azura quand elle tentait de se reproduire. Mais si Amir était convoqué seulement pour être accueilli par les jardiniers du sultan, ses bourreaux ? Et si le comportement du prince Jem avait finalement étiré la patience de son frère au maximum et que son unique fils devait en souffrir la conséquence en étant puni de mort ?

— Il est le sultan et il a requis ma présence, dit Amir. Je dois y aller.

— Une requête est écrite sur un parchemin et livrée par un seul messager. Ceci est une demande avec une troupe de janissaires envoyée pour vous ramener, répondit Azura.

— Néanmoins, je dois y aller, dit Amir à voix basse, puis il embrassa chacune de ses épouses tour à tour avant de les quitter, partant avec le capitaine Mahmud et sa troupe de janissaires à cheval.

La vérité était qu'il ignorait totalement pourquoi son oncle l'enverrait chercher à moins que cela ait à voir avec son père rebelle. À son grand soulagement, il fut amené immédiatement devant le sultan Bayezit dès son arrivée. Entrant en l'auguste présence, il s'inclina bien bas à chaque pas qu'il fit.

Bayezit regarda son neveu s'avancer vers lui en montrant l'obéissance adéquate. Il sourit faiblement pour lui-même.

« Amir est un homme prudent », songea-t-il.

— Venez, mon neveu, et assoyez-vous à côté de moi afin que nous puissions discuter, invita-t-il le prince.

Amir fit ce qu'on lui demandait, embrassant la main de son oncle respectueusement, ses yeux se promenant rapidement autour de la pièce pour chercher un signe des jardiniers. Il n'y en avait pas.

— Merci, mon seigneur, dit-il. Je suis heureux de voir que vous vous portez aussi bien.

— Au contraire de votre pénible père, mon neveu, vous êtes loyal. Grâce à votre fidélité, je vous envoie à Rhodes avec le paiement pour la garde de votre père. Je veux que vous parliez personnellement à Jem. Essayez de le convaincre de cesser de me résister et de faire la paix. Je serais heureux de l'accueillir ici pour gouverner l'une de mes provinces, celle qu'il choisira. Je vais aussi vous donner une province et son revenu, si vous réussissez.

– J'irai volontiers à Rhodes au nom de votre amour, mon oncle, mais je ne souhaite pas un rôle dans le gouvernement, et mes navires me rapportent un revenu suffisant pour que je n'aie ni besoin ni envie d'une allocation gouvernementale. Accordez ces honneurs à vos fils. Je suis satisfait.

Le sultan dévisagea son neveu, puis il dit enfin :

– Vous êtes unique parmi les mâles de notre lignée, Amir, car vous êtes, ou semblez être satisfait simplement d'exister.

– J'ai vu les effets de l'ambition, mon seigneur, répondit Amir à son oncle. J'ai ma propre fortune, trois épouses, un foyer que j'aime. Je ne veux rien. Je suis peut-être simplement paresseux, car être sultan représente beaucoup de travail.

– Vous n'avez pas d'enfant, donc ? demanda le sultan.

– Aucun, répondit le prince. Je vous l'aurais dit dans le cas contraire, mon seigneur.

Bayezit hocha lentement la tête.

– Votre fidélité est impressionnante, Amir ibn Jem, lui dit son oncle. Mon père a toujours dit que vous étiez digne de confiance. Allez à Rhodes pour moi. Je ne vous tiendrai pas responsable si vous ne réussissez pas à ramener votre père à la raison, mais vous devez essayer pour mon bien et celui de mon frère.

– Je ferai de mon mieux pour vous, mon oncle, mon seigneur, lui dit Amir. Quand me proposez-vous de partir ? Et dois-je supposer qu'il y aura des janissaires avec moi pour protéger l'or ?

– Vous partirez dans un mois et chevaucherez jusqu'à la côte Méditerranéenne. De là, vous embarquerez pour Rhodes. L'or vous attendra à votre destination et sera chargé à bord du vaisseau vous amenant à Rhodes. Le capitaine Mahmud vous rejoindra d'abord à Bursa et continuera avec vous. On n'a pas besoin d'une troupe de ses janissaires, car elle ne ferait qu'attirer l'attention. J'aimerais que vous soyez discret, mon neveu, dit le sultan à Amir. Pouvez-vous vous rendre à Bursa par vos propres moyens ?

– Je le peux, dit Amir. Aimeriez-vous que j'utilise l'un de mes propres navires pour transporter l'or, mon seigneur ? Je vous en prêterais un volontiers.

– Certainement ! Vous êtes généreux, mon neveu, dit le sultan.

– Nenni, mon seigneur, je suis un homme pragmatique, lui dit Amir. Chargez l'or à Bursa. Le capitaine Mahmud et moi allons naviguer à partir de là plutôt que voyager sur terre. Cela sera plus sécuritaire.

– Si vous croyez que cela vaut mieux, mon neveu, lui dit le sultan, alors faites-le. Je vais veiller à ce que le ministère des Finances envoie l'or à Bursa.

– Si vous n'avez plus besoin de moi, mon seigneur, j'aimerais rentrer chez moi pour informer mes épouses que vous m'avez confié une mission. Elles n'ont pas besoin d'en savoir davantage, mais je ne voudrais pas qu'elles s'inquiètent, dit Amir.

Son oncle hocha la tête et il le chassa d'un signe de la main. Le prince se retira vite, et trois jours plus tard, il revint à la maison retrouver ses épouses folles de joie, qui avaient été sincèrement effrayées. Elles avaient des tas de questions sur la raison pour laquelle Bayezit avait convoqué Amir et quand elles apprirent qu'il devait aller à Rhodes, ses femmes ne furent pas trop contentes.

– Vous serez parti plusieurs mois, se plaignit Maysun. Si le sultan vous charge d'essayer de ramener votre père à la raison, vous devrez rester assez longtemps avec le prince Jem afin que l'on puisse dire que vous avez fait une réelle tentative, mais pas assez pour que des doutes retombent sur vous et que l'on suggère que vous complotez avec votre père. Je n'aime pas cela. Je n'aime pas cela du tout. Pourquoi le sultan ne peut-il se satisfaire de savoir que vous n'êtes pas votre père ni l'homme de votre père ? Cette tâche que vous envoie accomplir votre oncle pour lui m'apparaît comme un genre de test. On vous met encore une fois à l'épreuve, même si vous n'avez rien fait pour le mériter.

– Et c'est un jeu de dupes, intervint Shahdi. Votre père ne peut pas être influencé, et tous les gens de la terre le savent. Une personne qui jouit d'une influence auprès du sultan joue à un jeu tordu. Qui est votre ennemi, mon seigneur ? En avez-vous la moindre idée ?

– C'est un truc de femme, dit Azura doucement, et tous se retournèrent, étonnés encore une fois par sa compréhension de la politique ottomane. Amir n'a rien fait qui peut ou doit éveiller les doutes de qui que ce soit sur sa loyauté envers le trône, envers son oncle, le sultan. Mais une femme, ambitieuse pour son fils, se méfierait de lui. Il est le petit-fils aîné du Conquérant. Il a un droit légitime pour réclamer un jour le trône ottoman. Pourtant, il évite la politique, il ne veut pas accepter un poste au gouvernement pour le sultan, il ne prête pas son épée à la conquête continuelle pour l'Empire. Il vit paisiblement en amassant une fortune et sans un enfant qui pourrait être utilisé contre lui. Pourquoi fait-il cela ? Quels motifs se cachent derrière son comportement ? Espère-t-il un jour s'emparer du trône lorsque les trois fils vivants de Bayezit se querelleront pour lui ?

– Certaines personnes doivent en effet regarder un homme semblable avec méfiance. On doit le mettre constamment à l'épreuve. L'obliger à dévoiler ses véritables motifs, dit Azura. Et quand on a fait cela, alors on doit le détruire et effacer toute trace de lui sur la face de la terre et dans l'esprit des gens. Ainsi, on protège ses propres intérêts et ceux de son fils. Qui, parmi les *kadine*s du sultan, bénéficierait de ce genre d'influence sur lui et ferait une telle chose ?

– Besma, dit Amir sans hésitation. C'est la mère d'Ahmed. On croit qu'elle est derrière le meurtre du fils aîné de mon oncle issu d'une autre de ses épouses. À présent, c'est son fils l'aîné. Elle est déterminée à ce qu'il suive les traces de son père.

– Elle est décidée à ce que son fils règne, dit Shahdi sèchement. Elle assassinerait le sultan si elle croyait pouvoir réussir et mettre son garçon sur le trône. Je ne serais pas le moins du monde étonnée si Azura avait raison sur cette vache.

– Nous devons protéger notre mari de ce complot, dit Maysun.

– Il n'y a pas de complot à mes yeux, dit Amir. Vous laissez vos imaginations s'emporter. M'envoyer personnellement livrer le premier paiement pour l'entretien de mon père au grand maître des chevaliers Hospitaliers à Rhodes est le moyen pour mon oncle de montrer de la courtoisie envers ces hommes. C'est un geste élégant et il ne passera pas inaperçu. Souvenez-vous que la réputation du sultan ottoman dans le monde chrétien est celle d'un barbare. Mon oncle souhaiterait que l'on ait pour nous autre chose que de la crainte. Il veut le respect des autres, et les bonnes manières feront beaucoup pour effacer l'idée que nous sommes des sauvages. Que je tente aussi de détourner mon père de son chemin de destruction ne sera pas considéré comme inhabituel pour un fidèle serviteur du sultan Bayezit.

– Je pense toujours qu'on vous met à l'épreuve, insista Maysun.

Shahdi hocha la tête en guise d'approbation, mais elle garda le silence.

– Quand partirez-vous, mon seigneur ? Parlez-nous de vos plans, dit Azura, tentant de détourner les autres de leurs inquiétudes.

Elle n'était pas convaincue qu'elles se trompaient, mais elle pouvait voir qu'Amir ne souhaitait pas le croire. C'était un honnête homme, éthique, préférant croire que ceux avec qui il traitait l'étaient aussi. Il avait tort, évidemment ; elles allaient devoir le protéger. Azura avait écouté attentivement à la table de son père quand il discutait d'affaires avec sa mère. La nature humaine n'était pas toujours aussi franche qu'Amir lui-même. Cependant, s'il y avait un complot, elles ne pouvaient pas y faire grand-chose, sauf espérer que le comportement honnête du prince démente ses détracteurs.

Il leur dit qu'il enverrait chercher l'un de ses propres navires et naviguerait jusqu'à Bursa. Une fois que l'or serait chargé à bord et que le capitaine Mahmud l'aurait rejoint, ils partiraient pour Rhodes. Krikor, son valet, voyagerait avec lui. Les femmes passèrent les semaines suivantes à préparer la garde-robe d'Amir. Il devait avoir l'air d'un prince ottoman jusqu'au bout des ongles; il devait faire honneur au sultan et impressionner les chevaliers Hospitaliers, la plupart étant des nobles dans leurs propres pays.

Tout en traitant Maysun et Shahdi avec autant de gentillesse que toujours, Amir voulait passer autant de temps que possible avec Azura. À elle seule, sa présence dans sa vie chaque jour lui offrait une paix et une force qu'il n'avait jamais connues. Il n'avait aimé aucune femme avant elle. La certitude qu'ils allaient être séparés pendant de longues semaines lui causait véritablement une douleur physique. Il l'aurait emmenée avec lui s'il l'avait pu, mais il connaissait la gravité de la mission que lui avait confiée son oncle.

Arriver dans une forteresse chrétienne avec une femme n'aurait fait que donner foi à tout le mal que l'on pensait de son monde. Non que les chevaliers Hospitaliers n'aient pas leurs propres maîtresses installées sur l'île pour s'occuper de leurs besoins et leur tenir compagnie. Il mettrait de côté ses propres désirs au profit de ceux de son oncle quand il voyagerait jusqu'à Rhodes pour le sultan; tandis qu'il demeurait au sérail du Clair de lune, il profiterait de la compagnie et de la faveur de sa belle épouse florentine.

Ce qu'il préférait, c'était quand ils étaient allongés ensemble, seuls et nus. La chambre dans laquelle il dormait était une pièce simple, de forme carrée avec quelques meubles ordinaires. Le lit qu'ils partageaient avait un matelas épais recouvert de soie noire, posé sur une plateforme basse en ébène. Voir sa peau crémeuse sur le tissu foncé et sa longue chevelure noire soyeuse disparaître sur ce même tissu enflammait ses désirs. Si elle avait été n'importe qui d'autre que celle qu'elle était, la tendresse avec laquelle elle l'aimait l'aurait laissé impuissant. Au lieu de cela, elle lui donnait une force telle qu'il n'avait jamais connue.

Ils s'embrassèrent lentement, leurs lèvres douces mais fermes profitant de la sensation d'un début tendre qui, la plupart du temps, se transformait en passion brûlante tandis que les lèvres se déplaçaient de la bouche, sur le pouls sous la peau de la gorge, sur le poignet, sur la vallée entre les seins d'Azura ou au-dessus du cœur battant d'Amir. Les mains caressaient la chair enflammée, taquinant les mamelons, caressant le ventre, pétrissant les fesses. Les doigts d'Azura prirent en coupe la poche fraîche qui contenait les bijoux du sexe d'Amir, les câlinant dans sa paume chaude jusqu'à ce qu'il gémisse sous l'impulsion de son désir grandissant.

La bouche d'Azura téta son pénis qui palpitait comme il lui avait enseigné à le faire longtemps auparavant. Sa langue léchait l'imposante longueur jusqu'à ce qu'il pense finir par exploser sous son immense besoin de la posséder. Les doigts d'Amir explorèrent entre ses grandes lèvres, effleurant la chair moite, trouvant et jouant avec le joyau sensible de sa féminité jusqu'à ce qu'elle crie le plaisir qu'il lui donnait. Ils avaient appris à prolonger leur union avant sa culmination parce qu'Amir, tout comme Azura, avait vite découvert qu'assez, ce n'était jamais assez pour eux. Leur passion l'un pour l'autre semblait augmenter avec le temps qui passait plutôt que de diminuer à cause de son côté familier.

Là, pendant cette nuit avant le départ d'Amir, Azura était allongée sous lui, haletant de plaisir tandis qu'il s'enfonçait lentement dans son fourreau serré.

– Oh oui, mon amour ! cria Azura, l'encourageant à continuer. Oui !

Elle s'enroula fermement autour de lui. Il la remplit, et elle lutta pour imprimer chaque petit instant de ce souvenir tout au fond de sa conscience pour ces mois à venir quand elle vivrait sans lui.

– Je veux pousser plus profondément, gronda-t-il doucement dans son oreille. Desserrez vos membres et laissez-moi nous guider, ma bien-aimée.

Elle obéit, et une fois que ce fut fait, il poussa doucement ses jambes aussi loin que possible derrière ses épaules, puis il s'enfonça dans son corps enthousiaste. Azura haleta quand il adopta un rythme féroce, s'enfonçant plus profondément et plus violemment avec chaque coup de reins furieux. Elle fut rapidement submergée par son désir et elle cria son plaisir, mais il ne cessa pas d'aller et venir de plus en plus vite en elle. Une seconde vague commença à naître en elle. Il le sentit et il ralentit jusqu'à s'arrêter pour mieux prolonger leur passion. Azura sentit le désir d'Amir battre fortement et elle resserra son fourreau autour de lui.

– Sorcière ! gémit-il alors qu'il reprenait son va-et-vient en elle.

Ils n'avaient jamais atteint tout à fait ce genre de perfection comme ce soir-là. Azura cria quand son sperme explosa, la noyant avec son hommage amoureux. Elle ne savait pas si elle était consciente ou non. Elle s'envola comme une flèche. Elle vola. Il gémit et frissonna entre ses bras, enfouissant son visage dans sa chevelure parfumée tandis que ses jambes retombaient faiblement sur le matelas, et elle pleura sa joie pour ce qu'ils venaient de partager. Il embrassa ses larmes sur ses joues.

Chapitre 17

Quand il eut retrouvé son souffle, il l'enveloppa dans ses bras et il dormit. Il n'y avait plus de mots nécessaires entre eux maintenant. Elle se réveilla plusieurs heures plus tard et revint dans sa propre chambre à coucher, mais elle ne se rendormit pas, se levant même avant Agata, se hâtant vers les bains, puis s'habillant rapidement afin de pouvoir le voir partir. Quand elle revint à sa chambre pour s'habiller, autant Nadim qu'Agata l'attendaient avec ses vêtements. Ils avaient choisi l'une de ses couleurs préférées. Pêche.

Sur le portique du petit palais, prince Amir fit ses adieux à ses épouses. Maysun demanda que Krikor s'assure que son maître soit gardé au chaud pendant le voyage en mer. Shahdi lui conseilla d'être prudent dans ses tractations avec son père et avec les chevaliers Hospitaliers. Azura, cependant, l'embrassa tendrement tout en plongeant ses yeux dans les siens et elle lui dit :

— Revenez-nous sain et sauf, mon très cher seigneur. Chaque jour que nous serons séparés sera comme cent ans pour moi.

— Chaque nuit que je serai sans vous me semblera mille ans, murmura-t-il en retour. Je vous aime, ma bien-aimée. Rappelez-vous que mon cœur est sous votre protection.

Il l'embrassa délicatement. Puis, il pivota brusquement et partit, Krikor sur ses talons.

Debout ensemble, les trois femmes observèrent les deux hommes descendre sur la plage, où une petite embarcation attendait déjà de les emporter jusqu'au vaisseau ancré dans leur crique. Elles virent Amir atteindre le navire avec Krikor et monter à bord. Elles entendirent le tambour du maître des esclaves qui marquait le rythme auquel les esclaves de galère devaient s'accorder et elles virent les rames du transport du prince commencer leurs mouvements rythmiques tandis qu'il s'éloignait et sortait du petit port. Ensuite, comme si un signal silencieux avait été lancé, les trois épouses du prince Amir commencèrent à pleurer, mais tout aussi soudainement, elles éclatèrent de rire devant leur comportement commun.

– Quel beau trio nous formons, dit Maysun avec un petit gloussement. Si nous étions les épouses du sultan, nous devrions faire face à son absence constante pendant qu'il partirait conquérir un endroit ou un autre.

– C'est pourquoi il vaut mieux avoir un marchand comme mari et non un sultan, ajouta Shahdi.

– Certains marchands voyagent constamment, dit Azura. Je suis contente qu'Amir ne le fasse pas, mais il me manquera. Il m'a dit qu'il serait parti pendant plusieurs mois.

– Nous survivrons, dit Maysun d'un ton pragmatique. Nous l'avons fait quand il est parti vivre à Florence pendant ces quelques années.

– Où exactement se trouve l'île de Rhodes ? demanda Shahdi.

Elle, comme Maysun, avait peu d'instruction.

Azura, cependant, avait bien reçu une éducation ; elle demanda à Ali Farid de leur trouver une carte géographique afin qu'elle puisse montrer à ses compagnes où s'en allait leur mari.

Le navire du prince progressa rapidement de la mer Noire jusqu'au Bosphore, puis dans la petite mer Marmara, atteignant Bursa en quelques jours seulement. Le capitaine Mahmud attendait le prince Amir. Le ministère des Finances du sultan avait livré les quarante-cinq mille pièces d'or. Elles furent comptées devant Amir par un fonctionnaire dans un petit hangar près du quai, puis les sacs furent chargés sur son vaisseau pour être transportés jusqu'à Rhodes.

Ils mirent les voiles immédiatement, passant par les Dardanelles et entrant dans la mer Égée, restant toujours en vue de la côte. Ils voguèrent devant les îles de Lesbos, Khios, Samos et Kos. Amir fut étonné que son navire voyage sans une escorte, mais le capitaine Mahmud dit que l'on pensait qu'une escorte armée aurait attiré de l'attention indue sur le navire. On croyait qu'un bateau appartenant à la flotte marchande du prince Amir sortant d'Istanbul n'attirerait pas trop l'attention. Après tout, c'étaient les navires revenant de l'est qui transportaient les marchandises les plus précieuses et non ceux qui se dirigeaient vers l'est. Évidemment, un œil plus averti aurait pu remarquer que le navire était bas sur l'eau, alourdi par son cargo, mais ils ne furent pas ennuyés par les pirates, ce pour quoi Amir fut reconnaissant.

D'une forme ressemblant à la tête d'une ancienne lance Sparte, l'île apparue enfin sous leurs yeux. C'était un terrain montagneux, les hauteurs couvertes de forêts de pins et de cyprès. Les plaines présentaient suffisamment de terre plate où des vignobles, des vergers et des oliveraies étaient cultivés. La côte de l'île était rocailleuse et difficile, mais le port de Rhodes, sa ville principale, était profond et navigable.

Au fil des siècles, l'île avait été occupée et revendiquée par de nombreuses cultures. Les Byzantins s'en étaient emparée après la première Croisade, mais ils avaient cessé d'en être les titulaires quand, presque deux siècles plus tôt, les chevaliers Hospitaliers s'en étaient emparés pour eux-mêmes, y construisant une ville plus moderne de style européen et l'entourant de remparts. Personne n'avait été capable de percer ces remparts, pas même le grand-père du prince Amir, Mehmet le Conquérant. C'était le refuge qu'avait choisi le frère du sultan, le prince Jem. Leur navire s'ancra dans le port.

— Je vais descendre à terre et officiellement annoncer votre arrivée au grand maître de l'Ordre, dit le capitaine Mahmud. Parlez-vous français, Votre Altesse ?

Amir hocha la tête.

— Je peux communiquer avec le grand maître en plusieurs langues, répondit-il. Dites-lui que j'aimerais descendre à terre aujourd'hui, après tout ce temps en mer. Il supposera que j'ai une constitution délicate.

Le capitaine Mahmud émit un petit rire.

— Ce sont des combattants féroces et des marins acharnés dans ce groupe particulier de chevaliers, remarqua-t-il. Oui, mieux vaut leur laisser croire que vous êtes faible, Votre Altesse. C'est un stratagème intelligent.

— Voyez s'ils vous permettent de vous entretenir avec mon père et dites-lui que je suis ici. Il comprendra pourquoi et il sera agacé, dit Amir au janissaire.

— Quand avez-vous vu votre père la dernière fois, Votre Altesse, si je puis me permettre cette audace? demanda le capitaine.

Amir grogna.

— Je ne l'ai pas vu depuis mes dix ans, répondit-il presque amèrement.

— J'ai vu mon père à six ans pour la dernière fois, et les armées du sultan sont venues par la mer pour attaquer mon village. Les soldats l'ont tué, ainsi que ceux qui s'opposaient à eux, emportant les femmes et les enfants. J'ai été choisi pour être envoyé à l'école du prince afin d'y être éduqué et finir par intégrer le corps des janissaires, répondit le capitaine Mahmud. Un père vous engendre, mais la vie forme votre caractère, et le kismet vous apporte la bonne fortune.

— Je ne peux pas être en désaccord, dit Amir.

L'histoire du capitaine des janissaires n'était pas inhabituelle. Plusieurs des enfants enlevés, éduqués et formés étaient devenus des serviteurs civils précieux pour le gouvernement du sultan. Bien qu'un bon nombre soient de simples soldats, d'autres se servaient de leur éducation pour améliorer leur sort, augmentant leur fortune et s'élevant en grade.

Le capitaine Mahmud descendit à terre, revenant plusieurs heures plus tard. Le grand maître, dit-il, était impatient d'accueillir le prince Amir, qui était invité à rester au grand château de pierres qui était le quartier général de l'Ordre.

— J'ai vu votre père, Votre Altesse, rapporta le capitaine. Il était surpris de votre présence ici, mais il sera heureux de vous recevoir.

Amir rigola.

– Oui, je parierais qu'il est étonné de me voir ici. Bien, allons-y. Krikor ! Mes atours sont-ils assez convenables pour l'impressionner ? demanda le prince à son serviteur.

– Vous ferez honneur à votre oncle, mon seigneur, répondit Krikor à son maître.

Il avait habillé son maître ce matin en blanc et doré.

On les amena sur le rivage à la rame, où une petite garde d'honneur de cavaliers les accueillit, les escortant ensuite jusqu'au château. Là, le prince Amir rencontra l'homme qui servait temporairement à titre de grand maître des Hospitaliers, Henri-François Plessis d'Aubusson. Les deux hommes se saluèrent cordialement.

– Nous sommes très honorés de recevoir le neveu du sultan parmi nous, dit le grand maître en s'inclinant.

C'était un homme de taille moyenne avec des cheveux et des yeux brun-gris. Il portait un tabard cramoisi imprimé d'une croix blanche par-dessus ses vêtements.

– Mon maître, le sultan Bayezit, vous est reconnaissant de la générosité dont vous avez fait preuve envers son frère, le prince Jem. Mon oncle souhaite qu'il n'y ait que la paix entre eux. La bourse est déchargée de mon bateau en ce moment même. Quand vous serez prêt, le capitaine Mahmud comptera les pièces devant vous afin que vous puissiez constater que le compte est bon, comme promis.

Le grand maître était impressionné. Ce jeune prince avait une grande élégance et ses manières étaient sans faille. Il était intrigué, par contre, et ne put s'empêcher d'obtenir une réponse à une chose qu'il trouvait étrange.

– Pourquoi vos yeux sont-ils bleus ? dit-il ; il fut ensuite légèrement amusé de voir la dignité du prince Amir ébranlée avant qu'il se reprenne.

– Ma mère avait les yeux bleus, répondit-il au grand maître. Elle était anglaise.

– Ah, bien sûr, répondit le grand maître. Vous prendrez un repas avec moi, j'espère, Votre Altesse. Mais à présent, vous voudrez voir votre père. Je vais moi-même vous conduire jusqu'à lui. Quand vous rentrerez chez vous à Istanbul, vous pourrez dire au sultan Bayezit que son frère est logé comme il sied à son rang.

Amir ne put s'empêcher de rire. Puis, il dit à son compagnon étonné :

– Mon oncle a une nature clémente en ce qui concerne son frère, mon seigneur. Mais un jour, je me doute que le comportement de mon père mettra sa patience à l'épreuve au-delà de sa limite. Ce sultan chérit la loyauté par-dessus tout. La rébellion incessante de la part de mon père est stupide. Nous savons tous les deux qu'il ne peut pas espérer gagner. Et la chrétienté ne protégerait pas le prince Jem si elle ne pensait pas, ce faisant, avoir un avantage sur le sultan. Il n'y a pas davantage à en tirer, car bien qu'il aime son frère, le sultan Bayezit aime davantage son royaume, comme il le devrait. Le sultan est le père de tout son peuple, mon seigneur. Un bon père ne trahira pas ses enfants, même si l'enfant peut trahir son père.

Le grand maître hocha la tête. Le prince Amir avait parlé candidement.

– Je vais me rappeler vos paroles, Votre Altesse, dit-il au jeune homme.

Puis, il l'amena sans plus de discussion dans les vastes appartements où le prince Jem avait installé sa cour orientale miniature.

– Je ne m'impose pas à votre père, à moins qu'il m'invite, dit-il doucement.

Amir hocha la tête, et tandis que le grand maître se tournait pour partir, le prince dit aux deux immenses esclaves noirs gardant les portes :

– Je suis le fils de votre maître. Ouvrez les portes pour moi.

Puis, il passa devant eux quand ils le firent.

Un eunuque noir se hâta d'avancer vers lui quand il entra dans l'antichambre.

– Prince Amir, dit-il. Votre père vous attend. Venez par ici.

Amir suivit l'eunuque et fut amené dans une belle salle du trône où son père était calé dans un trône doré recouvert de velours. Sous les pieds d'Amir, un magnifique tapis de laine bleu et rouge. Des lampes en bronze sur pied brûlant des huiles parfumées éclairaient la salle. Assises sur des coussins de soie multicolores autour du trône, il y avait une demi-douzaine de femmes légèrement voilées et richement habillées.

Amir sourit, amusé.

– Cela est des plus impressionnants, père, dit-il, saluant l'homme qui l'avait engendré – un homme qu'il connaissait à peine, sauf de réputation et qu'il n'avait pas vu depuis des années.

– Vous ressemblez à votre mère, reconnut le prince Jem. Vous pouvez vous approcher.

Amir s'avança. Il regarda l'homme et décida qu'il ne l'aimerait pas. Il aurait souhaité être n'importe où ailleurs que dans le château du grand maître de l'île de Rhodes. Il voulait être chez lui, au sérail du Clair de lune. À la maison avec Azura. Combien de temps s'écoulerait avant qu'il puisse la revoir? Il ne serait pas capable de raisonner avec son père. Son père voulait être sultan, pourtant il n'avait ni la force ni les ressources pour atteindre ce poste. Il avait cru que, favorisé par Mehmet, il obtiendrait facilement le trône.

« Je perds mon temps ici », songea Amir et il fut agacé, mais il allait passer le mois suivant à tenter de ramener le prince Jem dans les bonnes grâces du sultan. Du temps qui pouvait être passé avec Azura.

« Ma bien-aimée ! » l'appela-t-il dans son cœur qui se languissait.

Azura, de son côté, posa une main sur son ventre tandis qu'elle se promenait dans le jardin du début d'automne. Les vents avaient déjà commencé à souffler du nord-ouest tandis que les jours raccourcissaient. Elle était enfin enceinte. Elle voulait le dire à Amir, voulait partager son bonheur avec lui. Maysun le lui avait déconseillé, par contre, et Shahdi était d'accord. Les deux premières épouses d'Amir étaient au comble de la joie parce qu'Azura portait un enfant. Ce bébé serait aussi élevé par elles, et leurs cœurs vides seraient bientôt comblés.

– Nous n'avons aucun moyen d'être certaines qu'un message envoyé lui parviendrait, dit Maysun à Azura. Personne à l'extérieur de notre foyer ne doit savoir que vous êtes enceinte, Azura. C'est simplement trop dangereux, étant donné notre conviction que la *kadine* Besma complote contre notre mari. Si l'enfant que vous portez est un fils, le danger augmente pour nous tous, mais nous sommes tous tombés d'accord pour dire que cela valait la peine de courir le risque. Nous traverserons ce pont quand il le faudra et pas avant. Et il y a toujours la possibilité que vous donniez naissance à une fille. Une fille ne provoquera pas de détresse dans le harem du sultan. Une princesse ottomane est un atout.

– C'est ce que l'on m'a dit à maintes reprises, dit Azura avec un petit sourire. Cependant, je ne peux pas m'empêcher de souhaiter qu'Amir connaisse notre bonne fortune.

– Nous ne pouvons pas prendre ce risque, dit Shahdi en imitant la prudence de Maysun.

La famille d'Amir, de son côté, reçut tout de même deux messages de lui au cours des mois suivants. Le premier arriva pour leur dire qu'il était arrivé sain et sauf. Le second, au cœur de l'hiver, arriva rempli de sa frustration face à ses tentatives de traiter avec son père déterminé, qui refusait d'accepter la réalité de sa situation. Le message contenait aussi la promesse de son prochain retour à la maison. Il reviendrait, écrivait-il, au printemps.

En son absence, les compagnes d'Azura s'occupèrent extrêmement bien de la future mère. Elles voyaient à tous ses désirs étranges de nourriture. Elle avait fortement envie de violettes au sucre. Elles en trouvèrent. Elles massèrent ses pieds et ses jambes, qui avaient tendance à se tordre sous les crampes au cours des jours humides de l'hiver. Et elles s'assoyaient ensemble pour coudre de minuscules vêtements pour l'enfant à venir. Même Shahdi avait radouci son attitude envers Azura. Elle brodait les robes du bébé d'une main créative et talentueuse.

Le seul appétit qu'elles ne pouvaient pas compenser était le désir d'Azura pour Amir. Il lui semblait, certaines nuits, qu'elle le désirait plus qu'elle ne l'avait jamais fait quand il était allongé dans ses bras. Cela l'étonnait de constater l'ampleur de ses envies sexuelles pour Amir même alors qu'elle était couchée sans dormir en fixant son gros ventre. Certaines nuits, elle mordait ses oreillers pour s'empêcher de crier. Azura ignorait totalement si cela était normal. Elle ne pouvait pas interroger Maysun ou Shahdi puisque ni l'une ni l'autre n'avaient eu un enfant. Ce n'était pas une chose dont sa mère et elle avaient discutée, car cela aurait semblé inconvenant ; et Agata n'avait certainement aucune connaissance de ces choses. Donc, elle gardait pour elle ses envies et priait pour que son mari se hâte de rentrer avant qu'elle disparaisse sous les flammes de sa passion pour lui.

Il rentrait au moment même où elle l'espérait. La bourse avait depuis longtemps été livrée. Ses mois avec son père s'étaient avérés improductifs, exactement comme tout le monde s'y était attendu. Amir fit ses adieux au prince Jem et au grand maître, mettant les voiles pour quitter l'île de Rhodes en début de matinée en mars. Atteignant Istanbul, il se rendit immédiatement au palais pour présenter son rapport au sultan, qui se préparait en ce moment même à envoyer ses troupes en campagne militaire.

Bayezit s'impatientait des préparations et avait peu de temps pour Amir, sachant déjà qu'il n'avait pas pu réussir. Il avait dépêché son neveu pour jouer à ce jeu de dupes sur l'insistance de sa *kadine* Besma, qui voyait partout des complots contre son fils. À présent agacé de lui avoir cédé, et silencieusement honteux d'avoir fait perdre son temps à Amir, il accueillit sèchement le prince.

– Les nouvelles sont-elles bonnes ? demanda-t-il.

Amir fit une révérence.

– Les nouvelles sont telles que vous les aviez prévues, mon oncle. Votre frère ne peut pas être détourné de sa voie.

Il mourra probablement en tentant de vous arracher le trône.

— Fou entêté, marmonna le sultan. Est-il bien traité ?

— Il s'est installé somptueusement dans une aile du château du grand maître. Il pratique les arts de la guerre avec les chevaliers quotidiennement pour que ses talents restent bien affûtés. Je pense qu'ils comptent le transférer un jour en France ou en Italie, mon oncle, dit Amir. Il refuse de croire que leur intérêt pour lui est en fait pour eux. Il croit ce qu'ils croient. Qu'il est une arme à utiliser un jour contre vous.

— Que feriez-vous si vous étiez dans ma position ? demanda Bayezit à son neveu.

— Qu'Allah fasse que je ne sois jamais dans votre position, mon oncle, dit Amir sans réserve. Mais si je l'étais ? Vous avez dit vous-même que l'Empire est une jeune mariée qui ne peut pas être partagée entre deux maris. Et un chien sauvage que l'on ne peut pas apprivoiser doit être tué. Il n'y a pas d'autre moyen. Je suis désolé.

— C'est votre père, dit doucement Bayezit.

— Vous avez été davantage un père pour moi que Jem ibn Mehmet, dit franchement Amir. Il a bien pu m'engendrer, mais les quelques souvenirs que j'ai de lui incluent chaque fois ma mère pleurant à chaudes larmes son cœur brisé. Je n'ai pas un seul souvenir de lui me lançant une balle ou me montrant à me servir d'un cimeterre. Mon grand-père et vous avez été les hommes qui ont influencé ma vie, mon oncle. Le prince Jem est un étranger pour moi et encore plus aujourd'hui que j'ai passé un si grand nombre des dernières semaines avec lui. Ne vous brisez pas le cœur à cause de lui, car il ne vaut pas votre patience et votre bonté, mon oncle.

Le sultan hocha la tête, se disant tout compte fait que son neveu était un homme pragmatique et honnête.

– Vous m'avez rendu un grand service, Amir, dit-il. Rentrez chez vous, mon neveu. Vous aurez toujours ma confiance.

Amir s'inclina et se hâta de se retirer de la présence de son oncle.

La *kadine* Besma avait entendu toute la conversation entre les deux hommes, car elle s'était cachée derrière une tapisserie dans la salle privée du sultan quand l'un de ses espions lui avait rapporté la nouvelle de l'arrivée d'Amir. Elle ne faisait pas confiance à Amir ibn Jem. Elle ne pouvait pas croire qu'il soit si noble. C'était l'aîné des petits-fils du Conquérant. Elle était certaine qu'il ne faisait qu'attendre son heure. Il pouvait bien être fidèle à Bayezit, s'il existait une chose telle qu'une fidélité véritable. Cependant, il était peu probable qu'il soutienne l'un ou l'autre des fils de Bayezit quand ce sultan ne pourrait plus régner. Non ! Il s'emparerait du trône pour lui-même, à moins qu'elle n'empêche cela. C'était son fils, Ahmed, qui devait être le prochain sultan.

Elle avait déjà veillé à ce que le premier-né de Bayezit, Mustafa, soit éliminé pour ouvrir la voie à son propre garçon. Des deux demi-frères d'Ahmed, seul Selim, le plus jeune, l'inquiétait. Korkut était trop imprégné de ses études. Il ne pouvait pas rappeler les janissaires à l'ordre, ce que le futur sultan devait faire, tout comme l'avait fait Bayezit. Mais Selim était une autre histoire et il était extrêmement bien protégé par sa mère trop protectrice et sa tante, ainsi que par le *kizlar aga,* Hadji Bey. Néanmoins, il y aurait du temps pour assurer la chute de Selim. Tout d'abord, elle devait voir à l'exécution du prince Amir, de peur que son propre précieux garçon ne soit menacé par cet homme aimable et compétent.

Menacer son cousin n'était pas une priorité pour Amir ibn Jem. Cela ne l'avait jamais été et ne le serait jamais. Il voulait arriver chez lui le plus vite possible. Krikor et lui se décidèrent à chevaucher pendant les jours de trajet qui séparaient la capitale du sérail du Clair de lune. Ils tombèrent d'accord pour dire qu'ils en avaient assez des navires pour l'instant. Ils avaient été absents pendant sept longs mois et demi. Le printemps avait rejoint la mer Noire. Les collines étaient déjà vertes grâce aux nouvelles pousses et parsemées de fleurs hâtives.

Son arrivée les surprit tous, car il n'avait pas dépêché un messager devant lui. Il salua Diya al Din et Ali Farid et s'en alla vite au harem. Maysun et Shahdi coururent l'accueillir avec des cris de joie. Il les étreignit toutes les deux, mais ses yeux fouillaient la salle à la recherche d'Azura. Agata était partie à la course prévenir sa maîtresse, qui faisait la sieste. Maintenant, Azura arrivait de sa chambre à coucher pour entrer dans le salon.

Il la regarda, le choc peint sur son beau visage.

– Que vous est-il arrivé ? voulut-il savoir en se hâtant de la rejoindre.

Puis, il se tourna vers les autres.

– Pourquoi ne m'avez-vous pas envoyé un message pour me dire qu'elle était malade ?

– *Malade*? Elle n'est pas malade, dit Maysun.

Toutes les femmes se mirent à rire. S'il avait déjà vu un jour une femme lourde sous le poids de son enfant à naître, c'était il y avait si longtemps que ce souvenir s'était effacé de sa mémoire.

– Si elle n'est pas malade, alors pourquoi est-elle si enflée à cause des méchantes humeurs? dit Amir, insistant pour savoir.

Son expression en était une de grande inquiétude quand il enroula ses bras autour d'Azura.

– Elle est enflée parce qu'elle est sur le point d'accoucher, mon seigneur, lui dit Maysun. Mais, évidemment, vous ne savez pas à quoi ressemble une femme enceinte, car vous n'avez pas été élevé dans le harem de votre grand-père. Ce n'est qu'après la mort de votre mère que vous avez été amené à l'école du prince pour y être éduqué. Vous n'avez pas l'expérience d'une femme portant un enfant, mon seigneur. Azura accouchera de son bébé dans quelques semaines à peine.

– Bienvenue à la maison, mon très cher seigneur, lui dit Azura en souriant. J'espère que vous êtes content de ce que vous avez trouvé.

– *Un enfant!*

Sa voix était à la fois respectueuse et étonnée.

– Nous avons gardé le secret sur l'état d'Azura, continua Maysun.

Amir hocha la tête.

– Oui, c'était sage. Bien que je profite encore de la faveur du sultan, une nouvelle comme celle-ci pourrait nous apporter des difficultés.

Puis, il reporta son attention sur Azura.

– Vous sentez-vous bien, ma bien-aimée ? Je ne sais rien de ces choses.

Il regarda Maysun.

– Pouvez-vous accoucher cet enfant et garder Azura en vie également ? lui demanda-t-il.

– Il n'y a pas à s'inquiéter, mon seigneur. Les femmes ont des enfants depuis la nuit des temps, dit Maysun, mais la vérité était qu'elle n'avait jamais accouché un enfant.

– Je vais accoucher l'enfant de ma maîtresse, mon seigneur, dit Agata. J'ai assisté ma sœur pour la naissance de cinq des enfants de la mère de milady. Je sais ce qui doit être fait.

– Nous allons envoyer chercher un médecin à Istanbul, décida le prince.

– Non, nous ne le ferons pas, le contredit Azura. Agata sait ce qu'il faut faire et moi aussi. Personne ne doit être au courant de l'existence de cet enfant avant sa naissance. Mon bébé doit au moins avoir une chance de vivre.

Sa lèvre trembla en disant cela. Un jour, le danger d'accoucher d'un fils n'avait pas semblé aussi sérieux, mais avec chaque coup de pied de l'enfant dans son ventre lui rappelant son existence, elle prenait conscience du péril qui les guettait tous les deux s'il s'agissait d'un mâle. Un mâle dont la prétention au trône ottoman était aussi légitime que celui de tout autre prétendant. Elle posa sa tête sombre contre l'épaule d'Amir.

– Je suis contente que vous soyez rentré à la maison, Amir.

Il l'appela dans son lit ce soir-là et s'émerveilla du grand changement dans le beau corps qu'il avait aimé auparavant. Il se positionna entre ses jambes et il laissa ses mains vagabonder sur son gros ventre rond. Il posa une main dessus et il reçut un coup de pied. Abasourdi, il retira sa main, puis ils rirent tous les deux. Il était ébahi que ses beaux seins ronds fassent à présent deux fois leur taille habituelle, les mamelons proéminents et prêts pour la tétée. Et tout cela s'était produit pendant son absence. Il était stupéfait, car pour lui, c'était un changement brusque.

Maysun lui avait expliqué comment ils pouvaient copuler sans blesser l'enfant. Azura brûlait d'impatience et elle sanglota de plaisir de sentir sa longueur dure la remplir encore une fois. En douceur, il les fit accéder tous les deux à la satisfaction complète deux fois, la réprimandant quand elle le supplia de continuer. En vérité, il en voulait plus lui aussi, mais il craignait de blesser l'enfant.

— Au moins, vous aviez la distraction des autres femmes pendant vos voyages, se plaignit-elle à lui quand il lui dit que cela suffisait. J'ai dû passer de longues nuits à me languir de vous, mon seigneur. Ne me privez pas, car je brûle de passion pour vous.

— Je n'ai pas eu une autre femme depuis la nuit où je vous ai quittée, lui dit-il.

— Personne ?

Elle paraissait très contente.

— Personne, houri gourmande, jura-t-il. Si votre ventre ne nous entravait pas, je vous emporterais sur mon divan pendant le prochain mois et ne vous laisserais pas vous relever.

Azura soupira de contentement.

— Je suis heureuse alors, mon seigneur, que vous ayez souffert aussi. Cependant, porter votre enfant n'a pas été facile. Je vais être contente d'accoucher.

— Vous ne dites pas *lui* ou *elle*, remarqua-t-il.

— Je n'ose pas, lui dit Azura. Je ne veux même pas penser à un nom.

— Mehmet pour un garçon, en l'honneur de mon grand-père, lui dit-il.

— N'y songez même pas, mon seigneur ! le supplia-t-elle. Je veux cet enfant, mais je vis dans la crainte d'un garçon et je prie pour une fille.

Ses yeux se remplirent de larmes.

— Dans mon propre besoin et mon égoïsme, j'ai couru un risque terrible en ayant cet enfant, admit-elle.

Il la serra de près.

— Tout ira bien, ma bien-aimée, lui promit-il, sachant alors même qu'il prononçait ces mots qu'il ne pouvait vraiment rien lui promettre du tout.

Son seul espoir, si cet enfant était un mâle, reposait dans la générosité de son oncle envers lui. Le sultan devrait être prévenu aussitôt que la naissance se produirait, peu importe le sexe du bébé.

Les jours devinrent plus chauds et plus longs, puis, au quatorzième jour de mai, l'enfant d'Azura décida qu'il était temps de naître. Les eaux protégeant l'enfant coulèrent autour d'elle, mais ce ne fut que plusieurs heures plus tard que les douleurs se déclenchèrent. Au harem, on était prêt avec la chaise de naissance. Étalés sous elle, il y avait des linges en lin propres. Les heures s'écoulèrent lentement, mais malgré la sévérité croissante des douleurs, l'enfant ne voulait pas sortir facilement. La nuit arriva. Azura criait à chaque nouvelle douleur. Sa chevelure d'ébène était terne et mouillée, son corps couvert de sueur. Enfin, une heure avant minuit, la tête du bébé apparut. Puis, ses épaules délicates s'avancèrent et enfin, en poussant avec une force qu'elle ne croyait pas avoir en réserve, Azura accoucha de son enfant.

Accroupie sous la chaise de naissance, Agata attrapa le bébé quand il s'avança enfin.

– C'est une fille ! s'écria-t-elle. C'est une fille !

Ce furent les derniers mots qu'entendit Azura, car elle s'évanouit après ce dernier effort. Maysun et Shahdi prirent le nouveau-né, qui pleurait à présent, à Agata. Azura avait besoin que l'on s'occupe d'elle, car elle saignait abondamment. Arrêter les saignements était primordial, et en priant oralement la Sainte Vierge et Santa Anna, Agata réussit à stopper le flot. Azura était affaiblie par l'abondante perte de sang, et on ne pouvait rien y faire, sauf envoyer chercher un médecin à Istanbul, ce que fit Amir. Krikor fut dépêché sur-le-champ, emportant aussi un message pour le sultan, ainsi que la demande pour un médecin de son choix.

Bayezit fut étonné de recevoir la communication de son neveu, mais tout aussi soulagé de savoir que l'enfant né était une fille. Tuer un nouveau-né n'était pas dans sa nature. Il cacha sagement la nouvelle de la naissance de la fille d'Amir à sa *kadine* Besma. Il ordonna également à un médecin compétent de veiller à ce que la troisième femme de son neveu ne puisse plus enfanter. Il pouvait être généreux, mais il ne pouvait pas parler pour l'un ou l'autre de ses trois fils qui lui succéderaient un jour.

On déposa le bébé d'Azura sur son sein, et malgré sa grande faiblesse, elle nourrit sa fille, même si cela l'épuisa encore plus. Le médecin demanda que l'on trouve une nourrice, mais Azura insista pour nourrir son bébé au moins une fois par jour afin que son propre lait ne se tarisse pas.

Elle nourrirait son enfant lorsqu'elle serait remise, lui dit-elle. Le médecin sourit. Il parlerait au sultan de cette brave jeune femme qui était une si bonne mère. En fait, le bébé avait trois mères, car les deux premières femmes du prince s'étaient enflammées pour le bébé.

— Son nom est « Atiya », dit enfin Azura à Amir. Maysun dit que cela signifie « cadeau », et notre fille est un grand cadeau dans cette maison.

Amir approuva, puis il lui montra le petit hochet en or que le sultan avait envoyé à leur fille.

— Il est content d'avoir une princesse ottomane et il dit qu'il choisira un jour pour elle un éminent mari.

Il baissa les yeux sur sa fille pendant qu'elle tétait le sein blanc charnu de sa mère. Atiya avait une touffe de cheveux noirs. Il la toucha en souriant alors qu'elle se courbait sur son doigt.

— Elle est si délicate, dit-il doucement.

— Elle ne se brisera pas, lui dit Azura en souriant.

Le bébé était en santé, et Azura retrouva lentement sa forme au cours des mois suivants. Le bébé se développait bien et semblait grandir tous les jours. La douce chevelure noire avec laquelle elle était née tomba, lui laissant le crâne aussi chauve qu'un melon pendant quelques semaines, mais ensuite, la chevelure du bébé poussa aussi épaisse et sombre que celles de ses parents. Ses yeux bleus n'avaient pas la teinte aigue-marine de sa mère, mais n'étaient pas non plus le bleu de son père.

Au lieu de cela, Atiya avait des yeux d'un bleu vif curieux de tout.

Le bébé se mit vite à reconnaître les visages de son entourage, souriant d'un air engageant à Maysun et Shadhi, qui se disputaient constamment pour savoir qui promènerait Atiya dans son univers tel ou tel jour. Elle roucoulait, et Azura aurait pu jurer qu'elle flirtait avec tous les hommes dans sa vie. Son père. Nadim. Ali Farid et Diya al Din. Elle pouvait faire ce qu'elle voulait de ces trois eunuques en particulier. Elle passa une période où elle exigeait toujours de voir sa mère, mais Azura mit rapidement fin à cela, de peur que l'enfant ne devienne gâtée. En fait de personnalité, Atiya rappelait sa propre mère à Azura.

Le bébé avait six mois lorsqu'Amir et Diya al Din sentirent tous les deux que l'on surveillait le petit palais. Azura sortait à cheval avec son mari. Il reporta leur promenade pendant plusieurs jours avant qu'elle commence à se méfier et lui demande pourquoi. Il le lui dit.

– Qui surveillerait le sérail du Clair de lune ? lui demanda Azura. Devrions-nous avoir peur ? Sommes-nous en sécurité, mon seigneur ?

– Je ne le sais pas, mais je compte chercher des réponses à toutes vos questions, ma bien-aimée, lui dit-il. Je dois cependant être patient, de peur de faire fuir l'observateur. Je veux des réponses autant que vous. Je ne crois pas qu'il s'agisse des Tartars ou d'autres envahisseurs. Il s'agit plus probablement d'une personne d'Istanbul faisant son rapport aux hommes de main du sultan.

– Mais votre oncle vous fait confiance, répondit Azura.

– En effet ; mais il y en a parmi ses gens qui ne peuvent pas croire qu'un prince ottoman vive sans avoir l'ambition de monter sur le trône, lui répondit Amir. Le comportement inchangé de mon père ne m'aide pas.

– Les autres ne le savent pas, non ? dit-elle.

– Non ; et vous ne devez rien leur dire. Vous savez comme Maysun et Shahdi s'effraient facilement.

– Sommes-nous réellement en sécurité dans le royaume de votre oncle ? demanda Azura.

– J'avais cru que nous le serions et, tant que mon grand-père vivait, je pense que nous l'étions. Le cœur du sultan est bon envers moi. Il ne me tient pas responsable des méfaits de mon père, mais un jour, sa patience sera effritée. Il a trois *kadines*, et elles s'inquiètent à propos de toute personne qui pourrait menacer leurs propres fils.

– *Kadine*, c'est le titre accordé à la mère des fils du sultan. Est-ce exact ? s'enquit Azura. Leur rang doit leur donner un certain pouvoir.

Amir hocha la tête.

– Oui, c'est le cas. La famille est de la plus grande importance pour les Ottomans. Tous leurs enfants sont bienvenus dans ce monde et ils sont chéris, mais particulièrement les fils. Et quand le sultan meurt, la mère de son successeur atteint le statut de sultane validée. C'est elle qui dirige le harem avec le fonctionnaire connu sous le nom de « *kizlar aga* », expliqua-t-il.

– Combien de *kadines* a votre oncle ? demanda Azura.

– Trois, lui dit Amir, et l'une de ces trois femmes est très dangereuse. Son nom est « Besma ». On dit qu'elle a orchestré la mort de mon cousin Mustafa, qui était le premier-né de mon oncle, le fils de sa *kadine* Kiusem. On n'a rien pu prouver contre Besma, toutefois, et son fils, Ahmed, deuxième fils de mon oncle, est devenu l'aîné. C'est une femme très jalouse et, trop souvent, mon oncle lui cède uniquement pour qu'elle cesse de l'embêter. Heureusement, son *kizlar aga*, Hadji Bey, n'aime pas la *kadine* Besma. Il préfère le plus jeune des fils de Kiusem, Selim; donc la *kadine* difficile de son maître est souvent empêchée de faire du mal par les temps qui courent.

– Pourtant, elle a assassiné un prince, remarqua Azura.

– Jamais prouvé, répéta Amir. Quand je découvrirai qui nous surveille, nous en saurons davantage, lui promit-il.

Cependant, l'espion était intelligent. À l'évidence, il se doutait qu'on l'avait découvert.

Avant qu'Amir puisse sortir à cheval et le surprendre, l'observateur disparut. Toujours intrigué, Amir songea à se rendre à Istanbul, mais il se dit que son apparition dans la capitale sans avoir été invité pourrait offenser son oncle. Au lieu de cela, il envoya un message au *kizlar aga* par l'entremise de son fidèle Diya al Din. Le chef des eunuques de la maison du prince avait été formé par Hadji Bey.

Hadji Bey fut étonné de voir son vieux compagnon. Cela faisait des années qu'ils ne s'étaient pas rencontrés, car Diya al Din avait d'abord servi la mère du prince Amir. L'eunuque du prince patienta deux jours avant que le grand *kizlar aga* puisse le voir, mais Hadji Bey l'accueillit chaleureusement, exprimant son regret parce que son ami avait été obligé d'attendre.

Diya al Din chassa les inquiétudes du *kizlar aga* de la main.

– Il n'y a pas urgence, dit-il. C'était agréable d'attendre et d'être servi. Je ne me rappelle pas la dernière fois où j'ai été libéré de mes tâches de chef des eunuques de la maison du prince Amir.

– Assoyez-vous, assoyez-vous, l'invita l'aga.

Immédiatement, des esclaves apportèrent du thé à la menthe chaud et de petites pâtisseries sucrées pour les deux hommes. Pendant un bref instant, ils restèrent assis à profiter des rafraîchissements.

– Maintenant, dites-moi pourquoi vous êtes venu, demanda enfin Hadji Bey à son invité. Vous dites qu'il ne s'agit pas d'une urgence ; néanmoins, je me doute que c'est important, sinon le prince Amir ne vous aurait pas envoyé à moi. Comment puis-je le servir ?

– Quelqu'un a surveillé le sérail du Clair de lune, dit Diya al Din. Quand mon maître a cherché à découvrir l'identité de l'espion, il s'est enfui. Êtes-vous au courant de cela ?

– Non, dit le *kizlar aga*. Je ne le suis pas, mais la *kadine* Besma a recommencé dernièrement à faire pression sur le sultan à cause de la présence du prince Amir si près d'Istanbul.

Il tapa dans ses mains, et instantanément, un esclave apparut à ses côtés, se penchant pour recevoir les ordres murmurés de l'aga. L'esclave partit en courant, et Hadji Bey dit :

– Nous saurons sous peu si cette femme pénible est mêlée à cela. Je passe plus de mon temps en ce moment à l'empêcher de nuire que je le devrais, grommela-t-il. Si elle est responsable de cela, elle l'a caché, car j'ai de nombreux espions dans sa maisonnée et je n'ai rien entendu. Maintenant, parlez-moi de l'enfant de votre prince. Est-ce vraiment une fille ou était-ce seulement une ruse pour assurer la sécurité de l'enfant pour l'instant ?

– Non, non ! s'exclama Diya al Din. C'est véritablement une petite princesse. Ils l'ont appelée « Atiya ». Elle a les cheveux sombres de ses parents et de beaux yeux bleu vif. Sa mère est très belle, et le bébé promet de l'être aussi.

– On est folle d'elle ? dit Hadji Bey avec un sourire.

Diya al Din rigola.

– Oh oui ! répondit-il. Les deux premières épouses du prince sont stériles, et vous pouvez imaginer leur joie devant la princesse Atiya. Elles l'ont déjà transformée en véritable petite ottomane exigeante. Lady Azura les réprimande constamment à cause de cela, mais alors, le bébé fait quelque chose de scandaleux, et elles rient toutes de ses folies. Quant au maître, il est comme tous les pères de filles. Fou d'elle.

Le *kizlar aga* écoutait, un sourire sur son visage foncé ; mais il évaluait la part de vérité dans les paroles de Diya al Din. Cet eunuque était loyal à son propre maître, tout comme l'était l'aga envers le sultan, mais plus il écoutait, plus Hadji Bey était convaincu que son invité disait la vérité. L'enfant du prince Amir était en effet une fille. Non qu'il n'allait pas s'en assurer sans doute possible un jour par l'entremise de ses propres espions. Il y aurait tout le temps qu'il faut pour cela.

L'esclave de l'aga revint et murmura dans l'oreille de son maître avant de se retirer de la pièce confortable où étaient assis les deux eunuques en complices.

– C'est comme l'on s'y attendait, dit Hadji Bey, une trace de colère dans la voix. La *kadine* Besma espionne la maison du prince Amir, même si elle peut en découvrir peu ou pas du tout de si loin. Est-ce possible qu'il y ait un espion parmi vos esclaves ? Un nouvel achat, peut-être ? Qu'Allah me pardonne, mais s'il y avait un moyen de débarrasser mon maître de cette maudite femme, je l'emploierais.

– La maisonnée que je dirige est petite, dit Diya al Din. Je n'ai acheté aucun nouvel esclave depuis des années. Néanmoins, je vais mener une enquête quand je rentrerai et je vous ferai rapport.

– Alors, la stupide femme perd son temps, dit le *kizlar aga*. Cependant, pourquoi ferait-elle cela, c'est ce qui m'inquiète davantage. Cela exigera une enquête plus approfondie de ma part et cela exigera du temps. Rentrez chez le prince Amir et racontez-lui ce que je vous ai dit, Diya al Din. Votre maître a un ami en moi. Si la *kadine* Besma complote pour lui faire du mal, je vais le découvrir et faire de mon mieux pour l'en empêcher.

– Je vous suis reconnaissant pour votre amitié, dit Diya al Din.

Et il l'était.

Il quitta Istanbul et revint au sérail du Clair de lune. Il n'aimait pas les jeux politiques du harem. Ils étaient toujours dangereux. Béni soit Allah que les femmes de sa maisonnée soient des femelles raisonnables.

Chapitre 18

La mère du fils aîné vivant de Bayezit, Ahmed, était une femme jalouse. Elle avait engendré un fils et elle l'aimait à la folie, à l'exclusion de tout le reste. Elle était très belle et elle était fascinante. Elle avait des talents d'amoureuse comme aucune autre des *kadines* du sultan. Bayezit était à la fois rebuté et fasciné par elle, ce qui expliquait pourquoi elle conservait sa faveur. Il savait qu'elle avait été mêlée d'une manière ou d'une autre à la mort de son fils Mustafa, mais aucune preuve n'étant apparue, il n'avait aucun prétexte pour l'accuser ou la punir, au grand chagrin de ses autres *kadines,* qui devaient à présent craindre pour leurs propres fils.

La femme qu'il aimait le plus parmi ses *kadines,* la mère de Mustafa, Kiusem, avait été dévastée par la perte de son enfant, mais elle avait également donné au sultan un second enfant, son fils cadet, un garçon appelé « Selim ». Besma parlait continuellement au sultan des défauts et des faiblesses supposés de Selim tout en encensant les réussites de son propre enfant. Besma voulait qu'Ahmed succède à son père sur le trône. Elle comptait devenir un jour la sultane validée et régner à travers son fils qui régnerait sur l'Empire. Elle ne laisserait rien se mettre en travers de sa route, mais malgré son pouvoir important, elle avait des ennemis tout aussi puissants.

Le retour en Turquie du prince Amir ne lui avait pas du tout fait plaisir. Comme les trois fils survivants de Bayezit, ce prince avait un droit légitime pour se réclamer du trône ottoman, et c'était un homme. Quand elle avait osé interroger Bayezit à ce sujet après une soirée particulièrement satisfaisante avec lui dans son lit, il lui avait dit que son neveu avait été expulsé de Florence.

— Pour quelle raison ?

Elle poursuivit attentivement la question.

— Qu'a-t-il fait pour qu'ils vous demandent de le rappeler ? Il ne peut pas être très intelligent pour avoir offensé si grandement. À l'évidence, il commence à ressembler davantage à son traître de père chaque jour qui passe. Quel dommage, car je sais qu'il vous était très utile là-bas. Mais évidemment, comme votre frère, il n'a pensé qu'à lui et non à son devoir envers son sultan, dit Besma.

Elle ne permettrait pas à un autre rival de menacer Ahmed.

— Je crois que cela avait à voir avec une dame, lui dit le sultan, commençant à être agacé par sa voix stridente. Il est devenu trop intime avec une femme d'une famille importante, et ses parents se sont opposés.

— Les Florentins sont aussi débauchés que les Romains, répondit Besma, répétant ce qu'elle avait entendu des rumeurs du harem. Je ne crois pas que votre neveu ait été banni à cause de sa relation avec une femme. Je pense qu'il est de mèche avec la famille de Médicis et compte prendre votre trône avec leur aide. Sinon maintenant, du moins un jour prochain. Il prévoit de supplanter vos fils, mon seigneur. Nous courons tous un danger à cause de ce prince. Il est pire que son père, car il joue la loyauté et l'amitié. Au moins, le prince Jem est honnête dans son désir de devenir sultan, dit la *kadine* Besma.

Ses paroles perturbèrent Bayezit, mais malgré toute sa volonté, il n'arrivait pas à trouver une faille à son neveu. Le sultan avait donné l'occasion à Amir de s'acoquiner avec son père en l'envoyant à Rhodes, mais Amir n'avait pas montré le moindre signe de déloyauté. Le capitaine Mahmud avait rapporté chacun des gestes de son neveu. Le sultan avait même plusieurs espions dans la maison de son frère grâce à son *kizlar aga*. Ils avaient confirmé la stricte allégeance d'Amir envers le sultan uniquement et sa colère parce que son père ne voulait pas entendre raison. Bayezit était absolument convaincu que son neveu était fidèle.

— Amir n'a aucun désir de régner, dit-il à sa *kadine*. De cela, je suis certain.

— À quel point en serez-vous convaincu quand il tuera vos fils, mon seigneur ? Vous devez agir aujourd'hui pour empêcher une telle tragédie, une telle erreur de justice, insista la *kadine* Besma.

— Femme ! Vous êtes une vipère en mon sein, l'accusa le sultan. Je ne veux plus entendre ces folies que vous ânonnez. Le jour approche où je vous ferai coudre dans un sac de soie alourdi de pierres et ordonnerai que l'on vous jette au fond de la mer !

Et il la chassa de son lit. Ses talents d'amante ne valaient pas la peine qu'il écoute le flot constant de vitriol qui se déversait de sa bouche. Il n'était pas fou et il comprenait que son intérêt pour Amir n'était pas pour son bien à lui. Il était pour son fils, Ahmed, qui, l'espérait-elle, lui succéderait. Elle ferait tout ce qu'il fallait pour que la voie jusqu'au trône reste libre pour son enfant.

Après la mort prématurée de son fils aîné, il pensa que son fils Ahmed pourrait un jour se révéler digne de cette responsabilité, mais Besma avait gâché son second fils en lui passant ses nombreux vices, ce qui le rendait complaisant envers lui-même et lui faisait perdre toute autodiscipline. Son troisième fils, Korkut, l'enfant de la *kadine* Safiye, était un érudit sérieux et pas le moins du monde intéressé à régner. C'était un jeune homme monacal à tout point de vue, vivant simplement et toujours entouré de livres. C'était le plus jeune fils de Bayezit, Selim, pour qui le sultan entretenait de grands espoirs. Aujourd'hui même, le garçon gouvernait la province qu'il lui avait déléguée d'une main ferme et en respectant scrupuleusement la loi, ce qui plaisait plus que tout à Bayezit.

Il savait qu'un jour, Besma chercherait à éliminer Selim, comme la rumeur disait qu'elle l'avait fait pour son frère. Pour l'instant, toutefois, elle avait fixé son attention sur le fils de son frère Jem. Il était sultan et pourtant, il était impuissant à entraver son ambition. Sauf en la faisant étrangler et coudre dans un sac en soie et lâcher dans le Bosphore, comme il avait précédemment menacé de le faire, il devait se fier à son *kizlar aga* pour contenir Besma et garder le prince Amir sain et sauf. Un petit rire nasal lui échappa. Le monde le croyait tout-puissant, invincible. Tout homme qui croyait cela était un idiot et méritait son sort dans la vie, pensa sèchement Bayezit.

La visite rendue à Hadji Bey par Diya al Din et les renseignements subséquents qu'il avait reçus de ses espions dans la maisonnée de la *kadine* Besma avait éveillé le *kizlar aga* à la nécessité de protéger le prince Amir et sa maison. Cela ne serait pas facile, car les femmes comme Besma, qui croyaient protéger leurs enfants, étaient comme des bêtes sauvages. L'aga savait ce qui devait être fait. Tout d'abord, par contre, il devait convaincre le sultan que c'était la meilleure voie à suivre. Le prince Amir devait à nouveau quitter la Turquie et, cette fois, il ne pouvait pas revenir. Son exil devait être permanent. Mais où aller ? Cela pouvait être le plus gros problème qu'ils allaient devoir affronter. Pouvait-il rester dans le champ d'action du sultan ? Ou bien devait-il retourner en Europe de l'Ouest ?

« Je dois poursuivre mon enquête et réfléchir à la question », pensa l'aga.

Le problème avec l'Europe de l'Ouest était qu'Amir ne pouvait pas emmener trois épouses avec lui. Et s'il partait seul ou qu'il emmenait la femme de son cœur dont lui avait parlé Diya al Din, qu'arriverait-il aux deux autres ? Leurs familles l'apprendraient un jour et seraient insultées. Elles pourraient s'unir avec les ennemis du sultan. Et même s'il n'était pas amoureux de sa première et de sa deuxième épouses, le prince Amir avait de l'affection pour elles. En homme équitable, il ne les rejetterait pas et ne les abandonnerait pas une deuxième fois.

Florence, Rome et Venise étaient toutes hors de question. La France n'était pas meilleure. Et au-delà de la France ? L'Angleterre. Mais les Anglais étaient engagés dans une guerre civile entre leurs rois en ce moment. C'était loin d'être un endroit sûr pour un prince ottoman et ses trois épouses. Il était également peu probable que les Anglais permettent à un tel invité de résider de manière permanente dans leur royaume, même si le sultan payait pour un refuge et la paix pour son neveu.

Y avait-il un endroit dans le royaume de son maître pour un prince ottoman avec un droit direct et solide au trône ? Un lieu sans importance et lointain où ils pouvaient cacher et installer le prince Amir et sa famille en sécurité ? Quel endroit inconnu et obscur était disponible pour un homme qui n'avait pas le désir de régner, mais souhaitait simplement vivre paisiblement avec ses femmes et son enfant ? Puis, l'idée lui vint.

« El Dinut ! »

Un petit fief sur la côte de l'Afrique du Nord dont le régent actuel, le dey, avait été un ami et un compagnon du Conquérant en personne. Fidèle à Bayezit, il offrirait, si le sultan le lui demandait, un sanctuaire discret pour le prince Amir et sa famille. Il était peu probable que la *kadine* Besma ne sache jamais ce qui était arrivé au prince une fois qu'il serait parti, et ils verraient qu'autre chose accaparerait son attention, la détournant ainsi d'autres mauvaises actions.

Oui ! El Dinut était certainement la réponse à leur problème. Son climat était agréable, et le prince Amir pourrait diriger sa petite entreprise commerciale de l'un de ses ports facilement accessibles. Il y aurait, évidemment, un léger changement d'identité pour le prince Amir pour plus de sûreté. On n'utiliserait plus son titre. Il deviendrait simplement Amir ibn Mehmet, un marchand fortuné.

Hadji Bey s'entretint avec le sultan, décrivant son plan. Le sultan l'approuva et donna la permission au *kizlar aga* d'écrire en son nom au dey d'El Dinut. La lettre fut apportée par un seul messager qui voyagea rapidement, revenant deux mois plus tard avec la réponse du dey. Haroun al

Hakim, dey d'El Dinut, accueillerait avec plaisir le prince Amir, écrivait-il. Il se souvenait que son vieil ami, le sultan Mehmet, parlait affectueusement de ce petit-fils en particulier. Et il veillerait à ce que la présence du prince Amir et sa famille reste secrète. Hadji Bey partagea cette nouvelle avec le sultan, qui acceptait maintenant à contrecœur que son neveu devait partir.

La *kadine* Besma avait continué à faire pression sur son seigneur à propos de son neveu, malgré son refus d'accorder de l'attention à ses inquiétudes. Elle avait même mêlé à cela les autres *kadines*, qui pouvaient bien ne pas l'aimer (et c'était le cas), mais qui considéraient aussi qu'un autre héritier mâle en était un de trop. Même si les autres *kadines* ne croyaient pas vraiment qu'Amir présentait une menace, il y avait toujours son père, le prince Jem, rôdant comme une mauvaise odeur dans une cave. Un courant sous-jacent d'agitation courait dans le harem du sultan, et Bayezit n'aimait pas cela. S'il fallait faire disparaître son neveu pour ramener la paix et l'ordre dans sa maison, il allait le faire.

Besma, cependant, avait ses propres plans. Il ne lui était jamais venu à l'esprit qu'il était possible d'éliminer le prince Amir sans avoir recours à la violence. En tant que l'une des favorites du sultan, elle avait amassé elle-même une belle fortune au fil des ans. Aujourd'hui, elle prévoyait d'utiliser une partie de cet or pour régler le problème d'Amir. L'eunuque qui la servait personnellement, Taweel, lui était totalement dévoué. Inhabituellement grand, mince et aussi noir que la nuit, Taweel était le lien de Besma avec le monde à l'extérieur du harem. Il pouvait aller et venir sans question et en toute impunité, même si elle, elle ne le pouvait pas. Il était ses yeux et ses oreilles.

Maintenant, sur son ordre, il partit en ville à la recherche d'un homme connu uniquement sous son prénom, « Sami ». Le nom signifiait « omniscient ». On disait de Sami que tout ce que l'on voulait, désirait ou dont on avait besoin, il savait où le trouver et, pour le bon prix, il vous l'obtenait. Besma voulait une troupe de meurtriers Tartars sans pitié qui fonderait sur le sérail du Clair de lune, assassinant tous ses habitants et détruisant le petit palais. Ils seraient bien payés, la moitié avant le fait, l'autre après la réalisation satisfaisante et complète de leur tâche. Ils étaient libres d'emmener les femmes du sérail du Clair de lune et de prendre les esclaves, mais le seigneur du palais devait être tué sans merci.

— Comme preuve de sa mort, ma maîtresse veut la chevalière en or qu'il porte toujours à la main droite, dit Taweel à Sami. Et aussi le doigt auquel il la porte. La bague pourrait être volée, mais le doigt sera la véritable preuve que la tâche a été accomplie à la satisfaction de ma maîtresse.

Le pourvoyeur en toute chose réfléchit à la demande de l'eunuque, puis il lui dit :

— Et dois-je m'attendre à affronter une troupe de janissaires venus m'écorcher vif si je trouve ce que tu cherches ? demanda Sami. Je sais de la part de qui tu viens, Taweel, et qui tu sers. C'est une affaire dangereuse que tu proposes.

— Mais tu le feras, dit Taweel en souriant.

Ses grandes dents blanches étaient effrayantes dans son visage noir.

— La commission que tu collecteras sera importante, mon ami cupide.

— Elle sera très coûteuse, répondit Sami. *Très, très coûteuse.*

— Elle paiera, répondit Taweel. Maintenant, trouve-lui les Tartars qu'elle veut et envoie-moi chercher lorsque tu les auras, afin que je puisse leur transmettre personnellement les instructions.

L'eunuque tendit un petit sac de pièces d'or à Sami, que le pourvoyeur en toute chose soupesa mentalement une fois qu'elle fut dans sa paume.

— Un petit acompte pour retenir tes services, dit Taweel, puis il rentra au palais pour rapporter à sa maîtresse le succès de sa mission.

— Sera-t-il discret ? demanda Besma à son serviteur.

— Sa vie et son gagne-pain dépendent de sa discrétion, lui assura Taweel. Cependant, si vous le désirez, je peux lui trancher la gorge une fois la mission accomplie, maîtresse.

— Il faut y réfléchir, répondit Besma. Et nous pourrions aussi récupérer un peu de l'or. Cependant, je pourrais avoir à nouveau besoin de lui un jour ; je le laisserai peut-être vivre.

Hadji Bey ne connaissait pas encore les intentions de Besma envers le prince Amir, car elle avait partagé ses idées uniquement avec son homme de main. L'aga avait pris sur lui de faire une rare visite secrète à l'extérieur du palais, sortant discrètement dans l'obscurité de la nuit quand même les plus curieux dormaient. Il voyagea en compagnie d'un seul homme, le capitaine Mahmud qui, il le savait, avait fini par gagner la confiance du prince. Ils se déplacèrent rapidement.

Leur arrivée au sérail du Clair de lune fut accueillie avec un grand étonnement par Diya al Din, qui faillit trébucher sur ses propres pantoufles de soie quand un esclave vint l'informer de la présence du *kizlar aga* dans la maison.

– Mon seigneur l'*aga* ! salua-t-il son invité ; puis il s'inclina respectueusement devant le grand homme.

– Je suis venu m'entretenir en privé avec votre maître, dit Hadji Bey.

Diya al Din hésita un moment. Il ignorait s'il devait courir chercher le prince immédiatement ou installer d'abord ses deux invités dans le salon. Enfin, il opta pour ce dernier choix.

– Venez, leur dit-il, les précédant dans la charmante pièce remplie de lumière avec sa vue sur les jardins devant les fenêtres. Permettez-moi de vous installer confortablement avant que j'aille chercher mon seigneur Amir.

Il fit signe à des esclaves de venir avec des sorbets aux fruits et des gâteaux sucrés, ainsi qu'un bol de pistaches pendant qu'ils les mettaient à leur aise. Le *kizlar aga* semblait las, à l'œil exercé de Diya al Din. À quelle vitesse avaient-ils voyagé, au juste ?

Satisfait du confort de ses invités, Diya al Din courut à la recherche de son maître. Il le trouva dans son petit boudoir privé, planifiant les voyages de ses trois navires pour l'année suivante.

– Mon seigneur ! Mon seigneur ! Le grand *kizlar aga* du sultan arrive à l'instant pour s'entretenir avec vous ! lâcha l'eunuque, incapable de dissimuler l'excitation dans sa propre voix.

Amir bondit sur ses pieds.

– Hadji Bey en personne ? Allah ! Que s'est-il passé ? Où l'as-tu installé ? Vite ! Vite ! Amène-moi jusqu'à lui !

Il suivit promptement Diya al Din au salon où ses invités patientaient. Voyant le capitaine Mahmud en compagnie de l'aga, les yeux du prince se firent méfiants.

– Que s'est-il passé ? leur demanda-t-il. Non, mon seigneur l'aga, ne vous levez pas. Restez assis à votre aise.

Il se joignit à eux.

– Dites-moi que mon oncle se porte bien.

– Le sultan est en santé et il va bien, répondit l'aga, impressionné que la première inquiétude du prince ait été pour Bayezit. Je vous demande pardon de vous surprendre, mais je ne pouvais pas annoncer à l'avance ma venue par un message, car ce voyage s'est fait dans le plus grand secret, inconnu de tous, sauf de mon maître. Votre famille et vous courez un grave danger, seigneur, mon prince. C'est le désir du sultan que vous soyez relogés en secret en quittant cette maison pour déménager à El Dinut, où son dey a accepté de vous accueillir et de vous héberger.

– Pourquoi sommes-nous en danger et pourquoi ce danger est-il si grand que nous devions partir de cette manière clandestine ? voulut savoir Amir.

– Il y a des personnes qui ont l'oreille du sultan et qui ne font pas confiance à votre bonne volonté, mon seigneur. Ils voudraient que votre oncle dispose de vous et de votre famille d'une façon plus traditionnelle, dit doucement Hadji Bey.

Un petit sourire ironique effleura les lèvres d'Amir.

– Me tuer, en d'autres mots, dit-il.

Le *kizlar aga* hocha la tête en guise de confirmation.

– Cependant, je n'ai rien fait pour éveiller les doutes de qui que ce soit envers moi, lui fit remarquer Amir. J'ai servi mon oncle avec honneur, et tout ce que je souhaite, c'est vivre paisiblement.

– Votre oncle sait cela, mon seigneur. Les soupçons ne lui appartiennent pas, mais d'autres continuent de se plaindre de votre présence proche. Vous savez que le sultan préfère régler les problèmes familiaux d'une manière pacifique. Le dey d'El Dinut est un vieil ami de votre grand-père. Il est prêt à vous accueillir avec votre famille dans son petit fief. Le capitaine Mahmud et une troupe de ses janissaires seront postés à El Dinut sur l'invitation du dey. C'est situé sur la mer, et vous y serez simplement un autre marchand aux yeux des citoyens d'El Dinut. Pour décourager toute curiosité, vous n'utiliserez pas votre titre. Vous serez seulement connu comme « Amir ibn Mehmet », un marchand fortuné qui s'est installé à El Dinut.

— Ce n'est pas une demande, Hadji Bey, n'est-ce pas ? dit le prince.

— Non, mon seigneur, ce n'en est pas une, répondit le *kizlar aga* avec un soupir.

Puis, il ajouta :

— Il y a de nombreux avantages à faire ce grand changement dans votre existence. Vous pouvez emmener toute votre famille avec vous et tous vos biens, vos esclaves, vos animaux. Mais plus important que tout, vous serez aussi loin que vous l'étiez lorsque vous viviez à Florence.

— En d'autres mots, une fois hors de vue, vous serez en mesure d'empêcher ceux qui sont apeurés et irrités par ma présence proche de causer un embarras à mon oncle en créant un carnage inconvenant. Un tel événement malheureux pourrait être rendu public, ternissant par conséquent sa réputation de dirigeant juste, dit Amir avec perspicacité.

L'aga hocha la tête.

— En effet, mon seigneur, en effet, dit-il avec un léger sourire. Mais, évidemment, votre exode doit être rapide et discret. Votre localisation doit rester secrète pour tous, sauf quelques privilégiés. Vos propres navires sont-ils libres de vous transporter ?

– Cela peut s'arranger, dit Amir. J'établis en ce moment même l'horaire de voyage de l'année à venir. C'est un trajet long et difficile que vous me demandez de faire avec trois femmes et une fille à peine sortie de la petite enfance.

– Aimeriez-vous voir vos femmes assassinées ou amenées pour être transformées en esclaves ? Et qu'en est-il de votre fille ? C'est une princesse ottomane, même si elle ne le sait pas encore, dit Hadji Bey. Ne mérite-t-elle pas d'être élevée par sa mère en lieu sûr ?

Amir ressentit une poussée de colère, mais il se retint d'exploser. Ce n'était pas la faute du *kizlar aga* s'ils devaient quitter le sérail du Clair de lune. Hadji Bey ne l'avait pas dit, mais Amir savait sans qu'on le lui dise que c'était la *kadine* Besma de son oncle qui était responsable de tous ces ennuis. C'était le devoir de l'*aga* de veiller à ce que tout se passe bien dans la maison du sultan et que les *kadines* donnent du plaisir à Bayezit. L'ambition de Besma pour son fils unique était bien connue.

Amir ne s'était jamais arrêté au pouvoir, sauf sur celui qu'il avait sur sa propre vie. Aujourd'hui, cependant, il aurait aimé avoir l'autorité de faire disparaître Besma. La femme était une épine dans le pied de tout le monde. Sa folie et son ambition étaient déraisonnables. Qu'elle ait la possibilité de causer autant de ravage dans sa propre vie et dans celle de sa petite famille le mettait en fureur. Toutefois, comme il n'était pas lui-même homme à agréger le meurtre, il savait qu'il devait accepter que la volonté de son oncle dans cette affaire soit la meilleure solution.

Il n'entretenait aucune animosité envers son cousin Ahmed. Ahmed ne régnerait jamais, peu importe ce qu'en pensait sa mère. Elle l'avait éliminé à cause de ses efforts pour le lier à elle en lui passant ses vices au lieu de lui enseigner à les maîtriser. Ahmed préférait les vins interdits et rassasier sa nature lubrique à la possibilité de diriger un jour l'empire en expansion de son père et de son grand-père. Il n'avait pas d'intérêt pour la gouvernance, comme le prouvait par son désordre la province qu'il dirigeait.

Pourtant, sa mère ambitieuse ne le voyait pas. Ce que Besma voyait c'était Ahmed comme prochain sultan, puis elle-même, régnant par son entremise. Et pour entretenir ses ambitions, Amir et sa famille devaient à présent s'enfuir dans le minuscule fief d'El Dinut. Il devait se déraciner et abandonner la maison qu'il aimait pour les protéger tous. Amir ibn Jem n'était pas content, mais il savait également qu'il n'avait pas vraiment le choix.

— De combien de temps disposons-nous ? demanda-t-il à l'aga.

— J'enverrais vos femmes dès que possible, dit Hadji Bey. Pendant notre trajet pour venir jusqu'à vous, le capitaine Mahmud m'a raconté une rumeur qui lui était venue aux oreilles juste avant notre départ d'Istanbul.

Il regarda le janissaire.

— Le corps d'armée a des espions partout, comme vous le savez, mon seigneur, commença le capitaine Mahmud. Récemment, l'un d'eux, connaissant mon amitié pour vous, est venu me dire qu'un homme en ville qui est connu comme l'intermédiaire en toute chose — il s'appelle Sami — avait fait demander la venue d'une bande de Tartars. L'eunuque personnel de la *kadine* Besma, Taweel, a été vu sortant du lieu d'affaires de Sami juste avant que circule cette requête. Je pense que l'on veut que ces Tartars attaquent le sérail du Clair de lune. Vous n'avez aucune défense en ce lieu, mon seigneur. Vous êtes vulnérable à une telle attaque.

Amir ne réussit plus à maîtriser son agacement.

– Vous êtes l'homme le plus puissant de ce palais, Hadji Bey, dit-il furieusement. Ne pouvez-vous rien faire pour arrêter cette maudite femme ? Mon épouse se remet à peine de ses couches après presque huit mois, et Atiya n'a même pas encore un an. Aujourd'hui, je dois les exposer aux rigueurs d'un long voyage. Certainement, mon oncle connaît l'ampleur de la duplicité de cette *kadine*.

– Elle le *satisfait* au lit comme aucune autre femme ne sait le faire, dit candidement Hadji Bey. Il croit qu'il a besoin d'elle et il se fie à moi pour la maîtriser. À l'exception de lui couper la langue ou de lui trancher la gorge…

L'*aga* haussa les épaules.

– Les responsabilités de votre oncle sont grandes, seigneur, mon prince. Il doit avoir ce qui lui donne du plaisir et il est de mon devoir de veiller à ce qu'il l'ait.

Puis, il rappela à Amir :

– Et c'est votre devoir d'obéir aux ordres de votre sultan.

– Je sais, je sais, répondit Amir. Je lui suis reconnaissant d'avoir même songé à prendre des dispositions pour moi et je vais obéir. N'ai-je pas toujours fait mon devoir envers le sultan Hadji Bey ? Je suis son plus loyal serviteur.

– C'est vrai, mon seigneur, c'est vrai, répondit l'*aga*. Et maintenant que nous avons réglé cette question, j'aimerais voir votre fille afin que je puisse parler d'elle au sultan à mon retour.

– Krikor, dit le prince, appelant son fidèle serviteur, qui se tenait en silence d'un côté du salon. Dis à Ali Farid que je souhaite que lady Azura amène notre fille ici afin que le *kizlar aga* la voie.

– Tout de suite, mon seigneur !

Plusieurs minutes plus tard, Azura entra dans la pièce en portant l'enfant. Elle était vêtue d'un caftan de soie lavande bordé de fils d'or et d'argent. Une soie rose pâle et translucide couvrait sa chevelure sombre, et elle était voilée. Le bébé était habillé d'une robe rose pastel. Elle avait les joues roses, et ses yeux bleu vif regardaient autour d'elle. La jeune mère s'inclina devant son mari et devant Hadji Bey.

– Voici ma troisième épouse, Azura, dit le prince, et notre fille, Atiya.

Hadji Bey tendit la main pour desserrer le voile qui couvrait le visage d'Azura. Ses doigts, remarqua-t-elle, étaient longs et élégants. Il la regarda avec admiration, avec l'œil caractéristique du connaisseur, puis il rattacha le voile.

– Ses yeux sont extraordinaires, dit-il. Elle est assez belle pour le harem de votre oncle.

Puis, il tâta l'une des boucles corbeau d'Atiya.

– L'enfant est un mélange de vous deux, nota-t-il. Elle a votre menton volontaire, mon seigneur, mais la bouche douce de sa mère. Je vais dire au sultan qu'Atiya est une véritable princesse ottomane.

– Retournez au harem, ma bien-aimée, murmura Amir à Azura. Je viendrai plus tard et vous raconterai tout ce qui s'est passé aujourd'hui.

Après un petit hochement de tête poli, Azura laissa les hommes. Elle avait vu un troisième homme dans le salon. Il portait l'uniforme des janissaires. Il lui avait jeté un regard rapide quand Hadji Bey l'avait dévoilée, mais il avait aussitôt détourné les yeux poliment. Elle s'interrogea sur son identité, mais Amir le lui dirait plus tard. Maysun et Shahdi l'attendaient, tout excitées.

— Que veut le grand Hadji Bey à notre mari ? demanda Maysun.

— Je l'ignore, répondit Azura. Il a dit qu'il viendrait nous l'apprendre plus tard.

— Ils resteront sûrement pour la nuit, dit Shahdi. Le jour est bien trop avancé maintenant pour qu'ils rentrent à Istanbul. Amir va les divertir.

— Avec quoi ? voulut savoir Maysun. Nous n'avons pas de danseuses.

— De la nourriture et des boissons, évidemment, répondit Shahdi. Ils discuteront, comme le font tous les hommes et ils joueront probablement à l'argent ensemble.

— Un mauvais accueil pour le *kizlar aga* du sultan, dit Maysun. Si seulement nous avions su qu'il venait. Je me demande pourquoi il ne nous a pas prévenus de son arrivée.

Azura tendit Atiya à Agata.

— Nous pouvons imaginer tout ce que nous voulons, dit-elle. Nous ne saurons rien avant qu'Amir vienne nous voir.

Il vint bien après le coucher du soleil ce jour-là, mais les trois femmes l'attendaient, car une visite du *kizlar aga* du sultan était un événement rare — en fait, presque du jamais vu. Il semblait fatigué et il paraissait inquiet. Elles l'installèrent confortablement dans l'unique fauteuil rembourré qui n'était destiné qu'à lui et elles s'assirent autour de lui sur des tabourets bas. Amir les regarda et soupira profondément.

— Nous devons quitter le sérail du Clair de lune presque immédiatement, commença-t-il.

Les trois femmes ouvrirent muettement la bouche, sous le choc.

Amir leva une main pour retenir temporairement le flot de leurs questions. Puis, il poursuivit en leur racontant tout ce que lui avait dit le *kizlar aga*. Il leur dit ce qu'il pensait en ce qui concernait la *kadine* Besma. Puis, il conclut.

— Nous n'avons pas le choix. Rester ici, au sérail du Clair de lune, est une invitation au danger, à tout le moins, à la mort, plus probablement. Je ne vais pas sacrifier la vie de ma famille uniquement pour apaiser la folie de l'ambition d'une femme pour son fils. Nous devons partir, mais au moins, mon oncle nous a fourni un refuge.

— Mais nous avons toujours vécu ici, dit Maysun.

— Depuis le moment où votre grand-père nous a données à vous, ajouta Shahdi.

— Où se trouve El Dinut ? voulut savoir Azura.

Amir sourit. Ses deux premières épouses étaient incapables de regarder au-delà du présent. Azura — gloire à Allah — avait de la sagesse.

— El Dinut se trouve sur la mer Méditerranéenne. C'est un long voyage depuis le sérail du Clair de lune, répondit-il. Nous allons devoir voyager par bateau.

Azura hocha la tête.

— Nous faudra-t-il autant de temps pour s'y rendre que lorsque vous et moi sommes venus ici depuis Florence ? lui demanda-t-elle.

— Un peu plus, ma bien-aimée. El Dinut est plus près des États italiens et de la France, expliqua-t-il. Je veux que les femmes partent d'abord, d'ici quelques jours.

– Oui, Maysun et Shahdi doivent partir en premier, approuva Azura. Je veux qu'elles emmènent Atiya.

Elle parlait comme si les autres n'étaient même pas dans la pièce.

– Je vais rester ici pour veiller à ce que tout soit emballé dans la maison, puis je m'embarquerai avec vous, mon seigneur.

– Vous devez partir avec les autres, lui dit-il.

– Non, répondit Azura. Je ne vais pas partir avant vous. Je n'ai pas abandonné ma famille pour être privée de vous, Amir.

– Les Tartars de Besma pourraient venir, et je serais tué, dit-il.

– Si cela se produit, s'il n'y a pas d'espoir, alors je mourrai avec vous, mon seigneur, mais je ne vous quitterai pas, répondit doucement Azura avant d'ajouter : et je ne deviendrai pas non plus une esclave pour un Tartar.

Il voulait argumenter avec elle, mais il vit la détermination dans ses beaux yeux. Ces yeux merveilleux qui avaient été les premiers à l'attirer vers elle. Elle était assez brave pour se tenir à ses côtés, et même si tout dans son instinct le poussait à l'obliger à partir, il ne le ferait pas.

– Très bien, dit-il. Nous partirons ensemble, mais les autres doivent nous devancer avec Atiya.

– Agata viendra-t-elle avec nous ? demanda Maysun.

– Oui, répondit Azura. Le voyage sera long et ennuyeux. Et il pourrait être difficile par moments. Elle vous sera plus utile que vos jolies petites servantes, particulièrement avec Atiya. Et quand vous atteindrez El Dinut, elle sera un grand atout pour vous aider à vous installer dans ce nouvel endroit. Je suis certaine que le dey vous hébergera jusqu'à ce que nous trouvions une nouvelle résidence où vivre.

Shahdi commença à pleurer.

– Je ne veux pas partir d'ici, dit-elle. Nous étions heureux, ici.

– Nous serons heureux où que nous soyons parce que nous serons ensemble, dit Maysun, car elle pouvait être une femme réaliste. Nous allons commencer à emballer nos effets demain matin. Si nous devons partir, le plus vite sera le mieux ! Je ne désire aucunement me tenir au-dessus du feu de cuisson d'un quelconque Tartar ou dans son lit. Et vous, Shahdi ?

La deuxième épouse parut horrifiée par une telle suggestion. Même si les deux femmes étaient nées dans des cultures semi-nomades, finir dans la maisonnée d'un prince ottoman avait été un sort merveilleux pour elles. Elles avaient vécu dans le luxe suffisamment longtemps pour ne pas désirer revenir à ce qui pouvait ressembler à leurs anciennes vies.

– Non ! dit Shahdi avec force en réponse à la question de l'épouse, sa compagne. Non ! répéta-t-elle.

Avant le départ du *kizlar aga* le lendemain matin, celui-ci promit à Amir :

– Je vais faire de mon mieux pour empêcher la *kadine* Besma d'envoyer ses Tartars ; mais ne vous fiez pas là-dessus. C'est une femelle ingénieuse. Elle utilisera le poison, un unique assassin, n'importe quel moyen qu'elle trouvera pour atteindre son objectif jusqu'à ce que je réussisse à détourner son attention. Ne tardez pas, seigneur, mon prince, mais sachez que vous partez avec la bénédiction de votre oncle.

— Une telle conviction est réconfortante dans les circonstances, répondit sèchement Amir.

Le *kizlar aga* éclata de rire devant le sarcasme du prince, mais il n'ajouta rien. Il n'y avait plus rien à ajouter. Il y avait des moments où il bénissait son absence de désir sexuel, et celui-ci en était un. Que les lubies d'une seule femme puissent être responsables du chambardement d'une famille entière le frappait par son ridicule. Néanmoins, le sultan croyait avoir besoin de cette *kadine* particulière et l'on devait prendre en considération les désirs du sultan. Hadji Bey revint à Istanbul déterminé à contrecarrer la *kadine* Besma.

Au sérail du Clair de lune, toute la population du petit palais fut avisée de l'évacuation à venir. Des messagers furent dépêchés par voie terrestre à Istanbul aux capitaines des trois vaisseaux du prince Amir, en ce moment amarrés dans le port. Le premier de ses navires prit immédiatement la mer, s'ancrant deux jours plus tard dans la crique sous la maison de leur maître. Son imposante cale fut immédiatement remplie des marchandises de la maisonnée et des biens personnels des deux premières épouses et du bébé.

Agata vint dire au revoir à sa maîtresse. Elle n'était pas contente de ce brusque changement dans leur existence.

— Je ne veux pas vous laisser, dit-elle. Qui s'occupera de vous si je ne suis pas ici, maîtresse ?

— J'ai besoin que tu veilles sur Atiya, lui dit Azura. Plaise à Dieu qu'il ne m'arrive rien : qui parlerait à Atiya de son héritage ? Maysun et Shahdi aiment ma fille, je le sais, mais c'est à toi, Agata, que je confie sa vie. Le prince et moi ne serons pas loin derrière vous, je te le promets. Il reste peu de choses à faire ici.

Elle enveloppa sa fidèle servante dans ses bras et l'étreignit.

– Que Dieu soit avec toi, Agata.

– Je ne vous décevrai pas, maîtresse, promit Agata en essuyant les larmes qui l'avaient envahie et qui glissaient sur ses joues vieillies.

– Je le sais, dit Azura en tapotant le bras de la femme. Va, maintenant !

Elle regarda tristement Agata sortir du harem. Ce serait la première fois de sa vie qu'elle n'aurait pas la compagnie et les soins d'Agata. Plus tôt, Azura avait fait ses adieux à son enfant, la nourrissant une dernière fois, se délectant de la beauté de son bébé avant d'embrasser l'enfant ensommeillée et de la confier à la femme esclave qui serait dorénavant responsable d'alimenter Atiya.

Intégrée à leur maison maintenant, l'esclave avait récemment sevré son propre enfant. Elle était en santé et heureuse d'avoir été retirée des champs de culture du prince et incorporée avec son enfant, une petite fille qui servirait de compagne de jeu à Atiya, dans le personnel de maison du prince. Et elle était reconnaissante à Agata qui l'avait découverte et suggérée à la belle troisième épouse qui, tout le monde le savait, était le véritable amour du prince.

Là, Azura regardait Agata rejoindre Maysun, Shahdi et le reste des servantes descendant jusqu'à la plage où elles furent transportées par bateau jusqu'au grand vaisseau ancré qui les attendait. Le deuxième des navires du prince était aussi ancré dans la crique et on l'avait chargé toute la journée avec les autres biens du prince Amir et des esclaves.

Le troisième navire devait arriver au matin. Il transporterait le prince et Azura, ainsi que les chevaux. Le chat d'Azura avait été envoyé avec Agata, car Atiya aimait ses cabrioles. Darius, le chien de chasse préféré du prince, voyagerait avec son maître.

Elle regarda depuis le harem désert les deux premiers vaisseaux lever enfin l'ancre et partir. Ils étaient maintenant seuls, à l'exception de Diya al Din et une demi-douzaine d'esclaves mâles qui s'occupaient des chevaux. Ils mangèrent un repas froid que la cuisinière leur avait laissé la veille. Après cela, Azura se promena dans le petit palais en pensant à quel point il était triste et solitaire maintenant qu'il n'y avait plus ses habitants pour lui donner vie. Même dans le lit de son mari avec lui à côté d'elle, la nuit lui parut très sombre et silencieuse.

Azura dormit à peine. Chaque son était source de méfiance. L'aube apporta peu de soulagement à la peur qui s'était infiltrée en elle. Elle sentait quelque chose sans tout à fait pouvoir mettre le doigt dessus, mais ce n'était pas bon. Le ciel était gris sous la menace de la pluie. Amir fit guider les chevaux dans l'étable en bas sur la plage vers son troisième navire qui attendait. La mer était étrangement calme, et ils pouvaient voir les voiles de leur bateau à l'horizon tandis que celui-ci s'approchait de plus en plus.

— Je pense qu'il vaut mieux que nous patientions sur la plage, lui dit le prince avant de draper une longue cape foncée sur les épaules d'Azura.

Azura ressentit un pincement de tristesse. Il était temps de dire adieu au sérail du Clair de lune. Une maison qu'elle avait appris à aimer. Un endroit où elle avait été heureuse, où son unique enfant était née. Elle soupira profondément. C'était étonnamment douloureux. Elle n'avait jamais ressenti une telle émotion, même en quittant le *palazzo* de son enfance à Florence.

C'est à ce moment que Diya al Din entra en hâte dans la pièce.

— Mon seigneur, il y a un grand groupe de cavaliers sur les collines au-dessus du palais. Nous devons partir vite, mon seigneur !

Son visage était pâle de frayeur.

— Venez ! dit Amir en précédant sa femme et son serviteur hors de la pièce.

Ils se rendirent en vitesse dans les jardins et empruntèrent une piste à leur extrémité, puis ils descendirent rapidement sur le chemin abrupt menant à la plage en dessous. Là, ils trouvèrent deux barges du navire du prince où l'on chargeait déjà les chevaux pour le transport jusqu'au vaisseau qui venait d'arriver dans leur petit port. Les animaux aux yeux bandés étaient amenés rapidement sur les transporteurs plats, qui furent ensuite déplacés à la rame jusqu'au bateau qui attendait. Une porte sur le côté du navire était ouverte, une rampe sortie et chaque cheval fut guidé dans la cale, où des box avaient été construits tout exprès pour les bêtes et leurs palefreniers.

Il ne restait plus qu'à une embarcation de revenir au rivage pour prendre le prince, sa femme et Diya al Din. Le chef des eunuques de sa maison eut soudainement le souffle coupé et devint presque gris ; il pointa les cavaliers qui fondaient sur eux. Le prince poussa Azura sur Diya al Din et il sortit son cimeterre.

– Emmène-la sur le bateau ! cria-t-il. Prends-la dans tes bras pour l'emmener dans l'eau s'il le faut.

– Je ne vous quitte pas, Amir ! s'écria Azura en repoussant l'eunuque.

Il était trop tard. Des Tartars féroces avec des yeux sombres et de longues moustaches les entourèrent. Leurs chevaux dansèrent autour du trio. Mais alors, leur chef, un jeune homme, éclata de rire quand il se rendit compte qu'ils croyaient qu'il était l'ennemi.

– Amir ! Ne me reconnaissez-vous pas ? Je suis votre cousin Selim, cria-t-il en sautant en bas de son étalon.

Le prince sentit la tension quitter ses épaules. Il n'avait pas vu Selim depuis ses dix ans. Le jeune homme avait manifestement plusieurs années de plus aujourd'hui. Avait-il quinze ans ? Seize ? Dix-sept ? Il avait l'air d'un adulte.

– Je pensais que vous gouverniez votre province, cousin. Et où avez-vous trouvé vos Tartars ? Sûrement, ce ne sont pas ceux engagés par la *kadine* Besma pour nous tuer, ma famille et moi.

– Non, non, répondit Selim. Les Tartars de cette vache se précipitent en ce moment même vers votre maison. Ils seront très déçus de la trouver vide de mobilier, de bétail et de marchandises, car je suis convaincu qu'on leur a promis tout ce qu'ils pouvaient piller en plus de l'argent qu'ils ont reçu pour accomplir ce forfait infâme. Dès que vous serez montés sains et saufs sur votre navire, nous allons remonter et les affronter. À présent, donnez-moi votre chevalière en or. Besma la veut comme preuve de votre assassinat, et si mes hommes doivent collecter la deuxième moitié de la bourse qu'elle a promise, nous en aurons besoin. Elle a bien demandé aussi votre doigt, de sorte que nous allons devoir en trouver un sur lequel ira votre bague, de peur que les soupçons demeurent dans son cœur noir.

Amir éclata de rire.

– Vous comptez lui voler son or, Selim ? Vous allez tuer ses hommes engagés et leur substituer les vôtres pour qu'ils se présentent comme les assassins du pourvoyeur en toute chose, Sami ? Et comment, par Allah et les sept djinns, avez-vous bien pu apprendre ce qui transpirait ici ? Non ! Ne me le dites pas. Je pense le savoir, mais il vaut mieux ne pas le confirmer.

Il tira sur la chevalière en or à son doigt et la lança à son cousin.

– Tenez ; avec ma bénédiction, dit-il. Évidemment, il sera difficile de trouver un doigt aussi élégant que le mien, dit-il pour taquiner son cousin ; mais si cela signifie qu'elle me croira mort, tant mieux. Cependant, le pauvre Ahmed ne régnera jamais, peu importe les efforts de Besma.

Les yeux gris de Selim rencontrèrent les yeux bleu foncé de son cousin. Il hocha la tête en disant doucement :

– Non, il ne le fera pas, cousin.

Le prince Selim tendit sa main à serrer au prince Amir. Les deux hommes s'étreignirent.

– Qu'Allah vous protège, cousin, dit Selim.

– Et vous aussi, cousin, répondit Amir. Lorsque le besoin de faire appel à ma loyauté se fera sentir, Selim, elle sera à votre disposition.

– Je m'en souviendrai, dit le plus jeune homme. Maintenant, partez vite !

Le petit bateau qui les emporterait jusqu'au navire d'Amir les attendait. Diya al Din et Azura étaient déjà dessus. Il pataugea dans l'eau et grimpa à bord, se tournant pour faire un dernier signe de la main au prince Selim. Son cousin répondit à son salut sur sa selle, puis, après s'être tourné, il remonta la colline à la course avec ses propres Tartars. Presque tout de suite, ils entendirent les cris de la bataille tandis que le fils du sultan et ses hommes rencontraient les assassins de la *kadine* Besma, qui se retrouvèrent écrasés sous le nombre, mais furent empêchés de fuir.

Enfin à bord du plus grand navire, Azura se tint debout près du bastingage tandis qu'il levait les voiles. Ses yeux se tournèrent vers le sérail du Clair de lune, brillant et blanc sous la lumière du soleil, niché près des douces collines vertes qui l'entouraient. Elle sentit le bras d'Amir se placer sur ses épaules au moment où la tristesse menaçait de l'écraser. Elle pouvait voir les petites silhouettes des Tartars combattant dans leurs jardins, des flammes s'élever de la grange vide qui avait déjà abrité leurs chevaux.

— Je ne connais pas cette Besma, dit Azura, mais je pense que, pour la première fois de ma vie, je déteste quelqu'un.

— Elle n'est pas digne de votre mépris, dit Amir à Azura. Et tous ses efforts sont vains, ma bien-aimée. Nous sommes ensemble et nous sommes capables de nous faire une nouvelle vie à El Dinut, pour nous et notre famille. Je crois que notre destin est de vivre jusqu'à un âge vénérable, heureux ensemble. Nous verrons notre fille devenir une femme, se marier et nous donner des petits-enfants. Ces choses n'arriveront jamais à Besma, mais elles seront pour nous.

— Je prie pour cela, Amir, répondit-elle, mais son cœur était encore triste de voir saccager l'endroit qui avait été leur foyer.

Serait-il un jour à nouveau le foyer d'une personne ?

— Je suis un expert en lecture du *kismet*, ma bien-aimée, lui dit-il. Cela se passera comme je le dis. Me faites-vous confiance et croyez-vous en moi, ma bien-aimée ?

Il baissa les yeux sur son beau visage, et ses merveilleux yeux aigue-marine brillant à cause des larmes refoulées. Par Allah ! Comme il l'aimait.

— J'ai quitté tout ce que j'avais connu et chéri un jour pour vous, Amir, lui dit Azura en levant un sourire vers lui.

C'était un homme fait ; pourtant, il avait encore besoin qu'elle le rassure, et elle le fit avec plaisir.

— Je vous aime, mon prince infidèle. Je vous suis encore une fois volontiers parce que vous ne m'avez jamais rien promis que vous ne m'avez pas donné. Je vous fais confiance, Amir. Donc, nous allons vivre heureux ensemble jusqu'à ce que nous soyons séniles, avec nos petits-enfants autour de nous. Nous sommes chanceux, mon cher seigneur, alors que tant d'autres ne le sont pas.

Au-dessus d'eux, les voiles claquèrent quand le vent commença à les gonfler. Le vaisseau commença à avancer lentement en quittant la crique du sérail du Clair de lune avant de sortir en pleine mer. Azura, autrefois connue sous le nom de « Bianca », sentit la houle se soulever doucement sous la proue du navire. C'était un jour nouveau. Une nouvelle aventure. Devant, il y avait El Dinut et leur nouvelle vie. Rien d'autre n'importait. Ils n'avaient permis à personne de les séparer. Personne ne le ferait jamais. Ils étaient ensemble. Maintenant et pour toujours !

Par la suite

Au cours de l'année 1512, Selim, fils de Bayezit et de sa *kadine* favorite Kiusem, lui succéda sur le trône ottoman. Il avait été rappelé à Istanbul par son père des mois auparavant, quand l'ambition de Besma pour son fils l'avait poussée trop loin. Elle avait été surprise à tenter d'assassiner Selim et sa famille à présent nombreuse. Bayezit l'avait étranglée de ses propres mains dans un accès de rage aveugle avant de souffrir de ce qui était probablement une petite attaque.

Après la mort de sa mère, le prince Ahmed fuit son frère cadet, allant à Adrianople, où il se déclara lui-même sultan avec intrépidité. Une guerre civile éclata, mais bien qu'elle se poursuivit sur deux ans, le prince Selim finit par en sortir victorieux. À son grand honneur, si l'on veut, Ahmed mourut en se battant au cours du dernier combat. Le prince Korkut demeura loyal à son père et à son jeune frère, gouvernant les provinces macédoniennes.

Bayezit, âgé à ce moment-là de soixante-cinq ans et sa santé se détériorant, décida de renoncer au sultanat, nommant Selim comme son héritier. L'oncle du nouveau sultan, le prince Jem, était déjà mort. Il était mort à Naples, empoisonné. La rumeur voulait que le pape Borgia eût veillé à la chute de Jem à la demande du sultan Bayezit, dont la patience s'était tarie avant sa retraite. Quant au fils de Jem, le prince Amir, il avait depuis longtemps disparu de sa maison sur la mer Noire, ainsi que toute sa famille. Où ils se trouvaient – si même ils vivaient encore –, cela était un fait inconnu. Bayezit mourut peu de temps après le début du règne de son fils. Selim était libre de régner sans aucune interférence de quelque nature que ce soit, car ses fils et lui étaient les seuls mâles héritiers pour le trône à présent.

Dans la maison de Giovanni Pietro d'Angelo, sa femme, Orianna, en était venue à regretter de ne pas avoir compris le grand amour de sa fille aînée pour le petit-fils turc du sultan. Bianca lui manquait, tout comme la chaleureuse amitié qu'elles avaient un jour partagée. Même si Marco avait un jour fait l'effort de trouver et de voir sa sœur, leur rapportant la nouvelle de son bonheur et de sa vie en sûreté avec son infidèle, cela n'avait pas apporté la paix à Orianna.

Et Bianca ne saurait jamais que c'était sa propre mère qui l'avait libérée de son premier mariage en s'unissant avec la famille vengeresse de l'apothicaire dont la nièce innocente était morte aux mains du débauché Rovere. C'était Orianna qui avait insisté auprès d'eux pour qu'elle-même porte le coup fatal à leur ennemi mutuel. C'était Orianna qui avait plongé le poignard empoisonné dans le torse de Sebastiano Rovere, le tuant et libérant Bianca de sa possession maléfique.

Évidemment, à son retour à Florence, elle était immédiatement allée à Santa Anna pour confesser son péché au père Bonamico. Le prêtre avait été choqué, brièvement privé de sa voix quand Orianna, sans repentir, lui avait dit :

– Je ferai tout ce qu'il faut pour protéger ma famille, mon bon père. Même si je mets en danger mon âme immortelle.

Lié par le secret du confessionnal, Bonamico ne pouvait pas la dénoncer. Orianna avait soulagé sa légère culpabilité pour avoir pris une vie humaine en la déposant sur les épaules du vieux prêtre.

Il était loin de savoir quelle pénitence lui donner, car il comprenait sa motivation et il l'approuvait secrètement. Constatant cela, il sut qu'il devrait se donner à lui-même aussi une sévère pénitence.

– Donnez cent florins d'or à Santa Maria del Fiore, dit-il enfin. Et vous continuerez à le faire chaque année à cette même date jusqu'à votre mort, ma fille. Je vais prier pour votre âme et pour que vous ne soyez plus poussée à de tels extrêmes.

– Ne prierez-vous pas aussi pour l'âme de Rovere ? lui demanda-t-elle malicieusement.

– Même ses deux fils n'ont pas payé pour des messes, dit sèchement le prêtre.

La femme du marchand de soie était alors sortie du confessionnal. Giovanni et elle avaient trois autres filles à marier. Elle serait plus prudente la prochaine fois. Elle ne commettrait pas les mêmes erreurs avec Francesca ou Lucianna ou Giulia qu'avec Bianca. Où que soit sa fille aînée, Orianna espérait qu'elle était heureuse. Elle aurait été contente d'apprendre que dans un lieu appelé « El Dinut », Bianca, à présent appelée « Azura », était en effet très heureuse avec son prince et leur fille. Le *kismet* qu'Amir avait promis à Azura se concrétisait même en ce moment.

À propos de l'auteure

Bertrice Small est une auteure à succès du *New York Times* avec cinquante-cinq romans et quatre romans courts, ainsi que la lauréate de nombreux prix, y compris celui de *Lifetime Achievement Award* de *Romantic Times*. Elle vit à la fourche nord de l'est de Long Island, à Southold, qui a été fondée en 1640 et qui est la ville de l'État de New York où l'on parle anglais depuis le plus longtemps. Aujourd'hui veuve, elle est la mère d'un fils, Thomas, et la grand-mère d'une tribu de merveilleux petits-enfants. Ses lectrices de longue date seront heureuses d'apprendre que ses bien-aimés félins, Finnegan, douze ans, le chat aux longs poils noirs et Sylvester, huit ans, son chat blanc et noir, permis de séjour dans son lit, sont toujours ses plus chers compagnons. Les lectrices peuvent contacter l'auteure en se rendant sur son tableau de messages sur son site Web au www.bertricesmall.com ou en lui écrivant à PO. Box 764, Southold, New York ou encore à bertricesmall@hotmail.com (en anglais seulement).

Mot de l'auteure

Mes chères lectrices,

J'espère que vous avez aimé Bianca, qui est le premier tome de ma série actuelle, Les filles du marchand de soie. Il y a quatre sœurs en vedette dans cette collection, chacune étant l'héroïne de son propre livre, et chacune possédant sa propre personnalité – même si je pense qu'elles ont toutes en elles une petite part de leur mère. Cela a été amusant d'écrire sur la Renaissance italienne, ce qui constitue un cadre rafraîchissant pour moi après la fin de ma série Border Chronicles. J'espère que vous aurez du plaisir à lire les quatre titres de la série Les filles du marchand de soie, qui sont Bianca, Francesca, Lucianna et Serena.

Comme le savent mes admiratrices de longue date, j'écris habituellement sur l'Écosse et l'Angleterre et j'y reviendrai après avoir complété Les filles du marchand de soie.

Que Dieu vous bénisse et bonne lecture, de la part de votre auteure la plus fidèle,

Bertrice Small

Ne manquez pas la suite

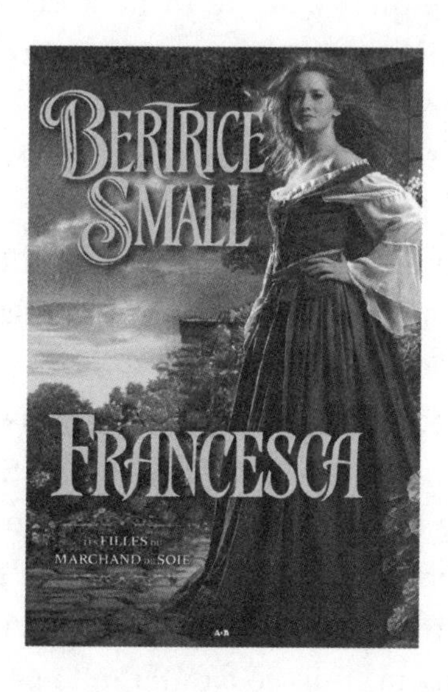

Chapitre 1

– Il est trop gros, *madre*. Je ne vais pas épouser un cochon trop habillé, dit Francesca Pietro d'Angelo d'un ton irrité à sa mère nerveuse.

– C'est un Orsini ! s'exclama sa mère. C'est l'une des familles les plus riches et les plus distinguées de Rome. Ils descendent des empereurs.

– Il est quand même trop porcin, et s'il était empereur, je ne voudrais toujours pas de lui, déclara Francesca.

D'ailleurs, il vient d'une branche moins importante de sa famille. Je doute qu'il y ait de l'argent de ce côté-là. Il est venu à Florence pour se trouver une femme riche et restaurer sa fortune.

Laurent de Médicis, qui écoutait cet échange entre la mère et la fille, rigola.

– Elle a tout à fait raison, *signora*, dit-il avant de se tourner vers Francesca. Ce serait du gaspillage que de vous laisser à un tel *buffone*.

– Ne l'encouragez pas, *signore*, je vous en supplie, l'implora Orianna Pietro d'Angelo. Êtes-vous seulement au courant du nombre de bons jeunes hommes qu'elle a rejeté ? Je pensais qu'à son retour à la maison après son séjour chez mon père à Venise, convenablement contrite de son mauvais comportement, puis-je ajouter, elle se montrerait raisonnable. Mais non ! Il y a eu quelque chose qui clochait chez chaque jeune homme qui a demandé sa main. L'un marche comme un canard ! Un autre a le visage d'un des singes que vos filles hébergent, ou les jambes d'une cigogne ou l'haleine comme l'odeur qui se dégage de la rivière Arno à marée basse ou ressemble à un poisson haletant quand on vient de le pêcher. Elle a demandé à Paulo Torrelli où il cachait sa queue parce qu'elle a déclaré qu'il ressemblait à un rat !

Laurent de Médicis retint le gros rire qui bouillonnait dans sa gorge. La vérité était que le jeune Torrelli ressemblait bien un peu à un rongeur, tout comme son père. Retrouvant son sang-froid, il dit :

– Je vous ai invitée à ma réception ce soir, *signora*, avec un but spécifique en tête. J'en ai déjà parlé à votre bon mari. Je vois comment les gentlemen locaux évitent votre compagnie. La réputation d'acariâtreté de Francesca commence à se répandre, et nous ne pouvons pas laisser mépriser la plus belle jouvencelle de Florence depuis la belle Bianca. En effet, son comportement pourrait avoir des répercussions sur vos deux plus jeunes filles.

Orianna Pietro d'Angelo blêmit. On ne parlait plus de sa fille aînée dans leur maison à cause de l'audace qu'elle avait eue de s'enfuir avec un prince ottoman.

Laurent de Médicis vit sa détresse et présenta immédiatement ses excuses pour son manque de considération. Puis, il dit :

— Rentrez chez vous, *signora,* et voyez si ma solution à votre problème vous convient. Votre mari en était très content.

— Merci, *signore,* dit Orianna en s'inclinant devant lui. Nous vous sommes reconnaissants de vous en soucier.

Puis, elle se détourna et partit en direction de l'endroit où son mari se tenait en les attendant, Francesca et elle.

Francesca ne la suivit pas immédiatement. Levant ses beaux yeux verts sur Laurent de Médicis, elle lui sourit avec charme.

— Qu'avez-vous fait, *signore* ? M'enverriez-vous dans un couvent loin de Florence ?

Elle posa une main sur sa manche en soie.

Il rit.

— N'essayez pas de jouer de vos ruses avec moi, Francesca, lui dit-il. Si vous n'étiez pas vierge, j'aurais probablement déjà fait de vous ma maîtresse. Cependant, comme vos parents, je veux que vous soyez heureuse, et vous devez vous marier pour être un jour satisfaite. Maintenant, allez rejoindre votre *madre, inamorata.*

Francesca fit joliment la moue, mais voyant ensuite qu'il ne se laisserait pas émouvoir, elle le quitta. Traversant la salle de réception bondée, elle rejoignit ses parents. Ensemble, le trio sortit du *palazzo* Médicis dans la litière familiale pour rentrer chez eux. Pendant qu'ils voyageaient à travers les rues occupées en cette fin d'après-midi, Francesca demanda à ses parents :

– Que voudrait que je fasse le *signore* de Médicis ?

– Nous en parlerons lorsque nous serons à la maison, dit fermement à sa fille Giovanni Pietro d'Angelo, et pas avant.

– C'est de ma vie que vous décidez, répondit sèchement Francesca. N'ai-je pas un mot à dire là-dessus ?

– *Madre di Dio* ! s'exclama Orianna. Taisez-vous ! Votre père a dit que nous en discuterons une fois à la maison et pas avant. Juste une fois, enfant impossible, faites ce que l'on vous dit. Je vous ai élevée afin que vous soyez obéissante, mais vous semblez avoir laissé toutes vos manières derrière vous depuis votre retour du *palazzo* de votre grand-père à Venise. Il vous a gâtée et permis de faire à votre tête. Nous sommes chanceux que vous n'ayez pas causé de plus grand scandale après avoir tenté de charmer Enzo Ziani sans vergogne et en provoquant des rumeurs voulant que votre vertu ne soit pas tout à fait ce qu'elle doit être. Vous avez tourné ma famille, les Venier, au ridicule, et nous qui sommes des dirigeants de Venise depuis des siècles, ayant même un doge parmi nos ancêtres.

– Je sais, *madre*. Je sais, répondit Francesca avec lassitude. Mon grand-père ne cessait de me marteler l'histoire de notre maison.

Orianna jeta un regard noir à sa fille en face d'elle dans la litière, et Francesca se tut enfin.

Un léger sourire joua sur les lèvres de Giovanni Pietro d'Angelo. Sa femme et leurs filles étaient bien assorties. Alors que leur aînée regrettée, Bianca, avait été obstinée et très décidée à suivre son cœur même si cela signifiait perdre sa famille, Francesca ressemblait encore plus à leur mère impétueuse. Une fois que Bianca atteignait son but, elle recommençait à afficher une nature douce et aimable. Francesca, cependant, menait ses batailles avec une grande passion, refusant de céder même un peu. Il faudrait un homme très solide pour la contenir. Il se sourit encore à lui-même. Laurent de Médicis était arrivé avec une excellente solution au problème de sa fille difficile. Maintenant, il devait la convaincre de l'accepter, et cela ne serait pas aisé du tout. Comme il était un homme réservé, plusieurs croyaient que ses femmes décidaient. Cela n'aurait pas pu être plus loin de la vérité. Bien que Giovanni Pietro d'Angelo parlât doucement, c'était un homme dur, mais juste quand il était question pour lui que les choses se déroulent à sa manière. Personne ayant déjà traité des affaires avec le maître respecté de l'*Arti di Por* Santa Maria, la guilde des marchands de soie, aurait dit le contraire.

Enfin, la litière rejoignit le *palazzo* sur la *piazza* Santa Anna. Ses occupants sortirent du véhicule et entrèrent par les grandes portes à double battant en chêne cerclées de fer. Ouvrant la marche, le marchand de soie emmena sa femme et sa fille dans sa bibliothèque. Un petit feu brûlait dans l'âtre, emportant la fraîcheur de cet après-midi du début du printemps. Un serviteur apporta des rafraîchissements, et quand il quitta la pièce, Giovanni commença à parler.

— Il y a un grand duché situé au nord-ouest du duché de Milan. Il s'appelle « Terreno Boscoso ». C'est une ancienne propriété dirigée par une famille distinguée bien nantie et de bonne réputation.

Francesca bâilla d'ennui. Voyant cela, Orianna fronça les sourcils et, tendant la main, elle pinça sa fille pour qu'elle soit attentive. Francesca sursauta en poussant un petit cri, puis jeta un regard furieux à Orianna.

Même s'il avait vu l'action entre la mère et la fille, Giovanni n'en montra aucun signe et il continua sur sa lancée.

— Le duc Titus a un seul enfant, un fils, né de lui tard dans sa vie. Il désire se retirer de ses responsabilités sous peu, mais d'abord, il doit voir son fils marié. À cette fin, il a demandé à ce que trois jouvencelles soient amenées à Terreno Boscoso afin que son fils apprenne à les connaître et choisisse une femme parmi les trois. Puisque, comme de nombreux chefs d'État, il est en relation d'affaires avec la banque des Médicis, il a écrit à Laurent en personne et demandé si Florence pouvait offrir une candidate pour la main de son fils. Laurent croit que Francesca est le choix parfait. Il est convaincu que Francesca sera choisie.

Giovanni regarda sa fille.

— Vous seriez une *duchessa*, ma fille, dit-il doucement, mais vous seriez traitée comme une reine.

— Une *duchessa* ! réagit Orianna, le souffle coupé, les yeux arrondis de fierté et d'excitation. Quel honneur pour vous, Francesca, pour notre famille, pour Florence.

— Non ! dit Francesca.

— Non ? dit sa mère, le souffle coupé, incrédule. Non ? Vous osez refuser une offre aussi magnifique ? Vous êtes sans cœur, fille ingrate. Sans cœur !

— Je ne serai pas expédiée dans un quelconque lieu inconnu et mise en compétition pour la main d'un étranger, dit Francesca. L'homme qui veut m'épouser doit me courtiser convenablement, *madre*. Je suis ulcérée que vous osiez même songer à une chose semblable.

Le beau visage d'Orianna Pietro d'Angelo prit une teinte très peu seyante oscillant entre le cramoisi et le violet.

— Refusez et vous serez expédiée dans un couvent cloîtré aussi loin de Florence que je peux en trouver un, répondit-elle furieusement. On rasera votre superbe chevelure. Vous serez nourrie de pain sec et d'eau et battue deux fois par jour jusqu'à ce que vous ayez réappris l'obéissance. Et vous y resterez, emprisonnée pour le reste de votre existence, méchante enfant! Et ne vous tournez pas vers votre père pour obtenir de l'aide. Vous savez que pour toutes les questions concernant la maison et les enfants, c'est ma parole qui est souveraine, Francesca, et non la sienne.

Ayant permis à sa femme d'évacuer sa colère, le maître de la maison reprit la parole.

— Francesca, *cara*, vous devez vous marier. Vous venez de célébrer votre quinzième anniversaire de naissance.

Il lui sourit chaleureusement.

— Je me souviens très bien du jour où vous êtes née. C'était un jour parfait du début d'avril. Le ciel était dégagé et bleu. Le soleil était brillant et chaud sur le dos. Les fleurs dans le jardin avaient commencé à s'épanouir tôt cette année-là. J'avais trouvé un gros bouton sur l'un des rosiers plusieurs jours auparavant; je l'ai coupé et j'ai forcé sa floraison juste ici, dans ma bibliothèque. Il s'est ouvert ce jour-là, et je l'ai apporté à votre mère après qu'elle eut accouché de vous sans problème. Le père Bonamico a dit que c'était un signe de Dieu.

www.ada-inc.com
info@ada-inc.com